Dúchas na Gaeilge

Maolmhaodhóg Ó Ruairc

Cois Life Teoranta
Baile Átha Cliath

An chéad chló 1996
Foilsithe ag Cois Life Teoranta
© Maolmhaodhóg Ó Ruairc

ISBN 1 901176 01 0

Clúdach: Eoin Stephens
Clóbhualadh: Criterion Press, Baile Átha Cliath

CLÁR

Toirbhrím an saothar seo
i ndilchuimhne ar
Niall Ó Dónaill
agus
Tomás de Bhaldraithe
as an misneach a thug siad beirt
do lucht scríofa na Gaeilge

Brollach

Ba bheag aird a tugadh riamh ar an gcaidreamh idir an Ghaeilge agus an Béarla. Déantar tagairt minic go leor don rud ar a dtugtar an Béarlachas. Is ionann agus focal faire é. Tá focail áirthe nó abairtí áirithe a bhfuil smál an Bhéarla orthu ach ba dhána an mhaise don té a mhíneodh cad iad. Ba lú trácht a bhí ar cad is Gaelachas ann.

An Béarla a ghlac áit na Gaeilge mar urlabhra pobail. Sin fíoras staire. Draíocht an Bhéarla mar urlabhra agus friotal na n-uasal a thug orainn, Gaeil, cúl a thabhairt leis an nGaeilge. Nuair a bunaíodh an Stát áfach féachadh leis an taoide a chasadh. Tugadh le fios ar feadh i bhfad, go háirithe i mBunreacht na hÉireann, go bhféadfaí an Ghaeilge a chur ar ais mar phríomhtheanga an phobail. Ach má bhí aidhm theoiriciúil an aonteangachais ann go hoifigiúil tráth agus go bhfuil aidhm an dátheangachais ann go neamhoifigiúil (agus go teoiriciúil) le tamall maidir le sprioc de, ní raibh an Stát aonteangach riamh agus níl sé dátheangach anois.

Ní raibh an oiliúint ná an tuiscint ba ghá ann nuair a chuathas i mbun an dúshláin stairiúil sin. Níor léir gur tuigeadh a thábhachtaí, a dhaingne, a chumhachtaí a bhí an Béarla. Is cinnte nár tuigeadh a anbhainne, a leochailí a bhí an Ghaeilge. Níl bonneagar ná bunchóras taobh thiar di ag dul san iomaíocht le teanga idirnáisiúnta a raibh a réimeas ag síneadh do gach cearn den chruinne agus foirtile ag teacht chuige as gach cúinne de shaol an duine. Agus i dtaca le foclóir agus comhréir de, is teanga é an Béarla a bhfuil acmhainní solúbthachta as cuimse ann is dual do theanga a chuir agus a chuireann fáilte roimh iasachtaí ón uile fhoinse agus atá á hathnuachan agus á ramhrú in aghaidh an lae fad atá an Ghaeilge á tachtadh go coigilteach ag gnáthaimh teanga agus sclábhaíocht chomhréire is dual don chianaimsir.

B'amhlaidh a bhí riamh. Cailleadh glúin amháin fad a bhíothas ag súgradh leis an gcló Gaelach. Cailleadh glúin eile fad a bhí an caighdeán á shocrú. Ach nuair a bhí an cló rómhánach agus an caighdeán ann, ní raibh ann ach tús. Agus tá glúin eile á cur ó mhaith anois toisc nach bhfuil dithneas le brath sa choimhlint i gcoinne chrapadh na teanga.

realistic

systematic

Bhí na seachtóidí buailte linn sular tugadh aghaidh go réadúil córasach ar phleanáil teanga agus sprioc an dátheangachais. Rinne Máirtín Ó Murchú staidéar ar cheist an dátheangachais inar mhínigh sé go beacht tuisceanach cad ba chiall leis na cineálacha éagsúla dátheangachais atá ann, an difear leis an débhéascna (a chiallaíonn dhá *diglossia* ghnáthmhodh urlabhra a bheith ann ar aon uair laistigh d'aon phobal amháin) agus mhol sé (1970, 32) gur cheart dúinn :

> (é a) bheith mar chéad chuspóir againn débhéascna Ghaeilge agus Bhéarla a chur ar bun a mbeadh páirt fhiúntach ag an nGaeilge inti ... Ní rud deoranta sa tír seo débhéascna mar sin, dáiríre; tá débhéascna Ghaeilge agus Bhéarla ar fáil sna ceantair Ghaeltachta; tá bunús *configuration* débhéascna Ghaeilge agus Bhéarla, ach nach í an fhíoraíocht réimsiúil chéanna atá uirthi, sa chuid eile den tír; agus, ó thaobh na staire de, is é an patrún sainiúil urlabhra a bhain le sochaí na hÉireann ón seachtú haois déag anuas go dtí mórshuaitheadh na haoise a d'imigh tharainn ná débhéascna Ghaeilge agus Bhéarla.

Indeed

Is é an Béarla leoga an teanga is forleithne sa tír. Má tá beocht fós sa Ghaeilge is beocht í atá faoi choimirce an Bhéarla go minic. Tá forlámhas an Bhéarla chomh cuimsitheach sin nach dtuigfí úsáid na Gaeilge in éagmais tuiscint ar an mBéarla. Bhí an méid seo le rá sa Tuarascáil Dheiridh a chuir an Coimisiún um Athbheochan na Gaeilge faoi bhráid an rialtais i 1964:

> Ag treisiú leis na fórsaí inmheánacha úd atá ag coinneáil athbheochan na Gaeilge ar gcúl, tá brú an Bhéarla anoir agus aniar orainn. Tá an brú sin á dhéanamh orainn san uile ghné dár saol le lán-neart na mórmheán cumarsáide ... tá sé á dhéanamh, freisin, trí gach caidreamh cultúir agus trí gach ceangal tráchtála a bhíonn againn leis an Bhreatain agus leis na Stáit Aontaithe. Ó tharla go bhfuilimid suite idir dhá mhórphobal Béarla, agus gurb é an Béarla an teanga a labhraíonn an tromlach in Éirinn, tá sé nádúrtha go mbeadh tionchar ag an teanga sin agus ag a cultúr orainn thar mar a bheadh ag aon teanga ón Mór-Roinn gona cultúr sainiúil. Ní aon ionadh é go bhfuil *distinctive* an Béarla agus a chultúr sainiúil imithe i gcion orainn go mór ... Faoi mar atá an scéal anois is beag má tá difríocht ar bith, seachas difríocht chreidimh, idir an timpeallacht chultúir ina maireann formhór mór ár muintire ... agus an timpeallacht ina maireann a macasamhla sa Bhreatain agus sna Stáit Aontaithe go minic ... tá eisimirce ina n-aigne déanta acu ... d'fhéadfaí a rá go dtarlaíonn dá lán acu 'schism in the soul'. (míreanna 140, 141,142)

Scríobhadh an méid sin os cionn tríocha bliain ó shin. Agus tá sé intuigthe sa tráchtaireacht sin gur sa Ghaeilge amháin (agus scoth na Gaeilge gan amhras) atá cosaint in aghaidh eisimirce na haigne. Ach tá na focail chéanna le cloisteáil fós inár laethanta féin má tá siad pas beag níos truacánta anois mar is léir ón méid seo ag Proinsias Mac Aonghusa:

> Is le Sasana aigne Éireann ar chuid mhór bealaí; imeallú agus imeacht na Gaeilge thar na blianta, ar ndóigh, a thug an deis an ghreim ollmhór seo a ghabháil ar an aigne Éireannach. (*ANOIS*, 21-22 Deireadh Fómhair 1995)

Is doiligh a mhaíomh gur leor an Ghaeilge a thuilleadh mar sciath chosanta má tá inní na teanga féin mar a labhraítear nó mar a scríobhtar de ghnáth anois í, go háirithe maidir le meon aigne agus comhréir teanga de, chomh mór sin faoi thionchar an Bhéarla. Ní leor í má amharctar uirthi mar theanga dhifriúil mura dtuigtear cad é mar atá sí difriúil. Ní dhearnadh scagadh dáiríre riamh ar an difear idir an dá theanga. Tá a gcuid saintréithe acu araon agus ní hionann na saintréithe ó theanga go chéile. Dá uileghabhálaí é an Béarla mar theanga, dá líonmhaire lucht a úsáidte ar fud na cruinne, dá ghéarchúisí a léargas ar chúinní rúnda an chroí agus ar ghothaí luaineacha an duine, níl géarchúis ná tuiscint aige ar iompar an duine a sháraíonnn i gcónaí an ghéarchúis agus an tuiscint atá sa Ghaeilge. Níl sé in ann friotal níos fileata fealsúnta a chur ar chora an tsaoil ná mar atá an Ghaeilge. Má fheictear, áfach, go bhfuil na suáilcí agus na léargais chéanna acu araon mar theangacha, tá deireadh ar fad leis an nGaeilge.

Ach tá an Béarla dall ar chuid mhór d'airíonna na hÉireann. An Ghaeilge amháin a thugann spléachadh ar an aigne chianda rúnda as ar fáisceadh friotal sainiúil na cainte agus as ar múnlaíodh saintréithe na haigne. Bíonn a críonnacht agus a heagna féin ag gach teanga. Is é an trua é go bhfuil an chríonnacht agus an eagna sin ag fuarú maidir leis an nGaeilge. Is féidir go bhfuil cuid áirithe de shaibhreas na Gaeilge le fáil i mBéarla na hÉireann ach níl ann ach cuid. Ní leor riocht na Gaeilge a chur ar abairt chliste an Bhéarla chun friotal a chur ar ghaois na Gaeilge. Ba leor tráth an cló Gaelach (nuair ab ann dó) a chur ar chamalanga an Bhéarla chun síol na haislinge a chaomhnú. Ach b'fhada an aisling ón bhfíorú ar an dóigh sin. Tá impleachtaí eolaíocha ag roinnt le fuarú teanga freisin. Cailltear tuiscint do chumhachtaí leigheasra má chailltear greim ar na téarmaí a chuireann síos orthu agus an teanga a ghin iad. Bíonn caidreamh an-mhion idir nithe éagsúla an dúlra oibrithe amach ag gach cine thar na céadta agus is caillteanas intleachtúil suntasach an tsaíocht sin a dhiomailt.

Is é aidhm an tsaothair seo léargas a thabhairt ar an gcaidreamh idir
an Béarla agus an Ghaeilge ionas go dtugtar aitheantas agus seasamh
arís do na múnlaí Gaeilge agus don fhriotal Gaeilge, go dtaispeántar go
bhfuil níos mó i gceist sa teanga ná an fhoclaíocht agus go bhfuil níos mó
caillte againn mar Ghaeilgeoirí agus ag an nGaeilge mar theanga ná an
foclóir.

Maítear gurb ionann teanga náisiúnta agus siombail d'fhéiniúlacht
an phobail agus dá réir sin tá a hurlabhra shainiúil féin ag an nGaeilge.
Feicfimid gurb ionann go minic an bundearcadh agus na focail féin atá
in dhá theanga chun an cor céanna a léiriú. Sin an áit a bhfuil éascaíocht
ag roinnt le comparáid na dteangacha. Ach ní hionann an bundearcadh
go minic agus ní hionann an múnla cainte atá ag freagairt don dearcadh
sin sa Ghaeilge agus i dteanga ar bith eile.

Ní leor na focail agus na briathra cearta a chumadh chun an teilgean
ceart cainte sa Ghaeilge a aimsiú. Ní mór saibhreas na Gaeilge a
athghabháil. Laistiar de na focail agus na briathra, tá na fuaimeanna
agus na ciútaí ar fhealsúnacht an phobail, tá na cialla agus na fochialla
a mhíníonn an pobal ar de sinn, tá an áibhéis agus an fhuarchúis, an
gairdeas agus an tocht a dhéanann gur pobal eile sinn agus gurb é an
Ghaeilge amháin a chuireann friotal ar airíonna ar leith an phobail sin.

B'fhéidir go bhfuil sé ródhéanach greim a fháil ar ais ar an oidhreacht
urlabhrúil seo. B'fhéidir go bhfuil rian an Bhéarla imithe rófhada ar
shamhlaíocht agus ar fhochoinsias an Ghaeilgeora chun iad a chur ag
obair ar bhunús eile seachas bunús an Bhéarla. Is fiú tagairt do Jean
Giono, údar iomráiteach de chuid na Fraincise a rugadh céad bliain ó
shin, ar 30 Márta 1895. Bhí clú agus cáil air mar úscéalaí agus é ag
tarraingt ar an leathchéad nuair a scríobh sé an méid seo a leanas ina
dhialann ar 24 Nollaig 1943:

> Caithfidh mé focail nua a fhoghlaim. Mo fhoclóir a fheabhsú. Bheadh
> an friotal agam níos fusa agus níos cruinne. D'fhéadfainn ansin
> fuaimeanna nua agus dathanna nua a chur le scagadh mo smaointe.
> (....) Léitheoireacht a dhéanamh agus aird agam ar gach focal nua,
> agus iad uile a bhreacadh síos go huiríseal i liostaí. Agus ina dhiaidh
> sin a bheith sách críonna gan iad a úsáid ach go hannamh go dtí go
> bhfuil gnáth agam orthu.

Na focail nua sin, tá siad á lorg ag Giono chun cur lena thuiscint ar
an saol máguaird. Ní gá gur focail theicniúla iad ach focail a thugann

ciall nua do cheol na teanga.

Cuireadh béim chomh mór sin ar ghramadach na Gaeilge go ndearnadh faillí i gcomhréir na Gaeilge. Má bhí an ghramadach cruinn ba chuma faoi gach gné eile den scéal. Glacaim leis go bhfuil léitheoirí an tsaothair seo mar sin eolach ar an ngramadach. Glacaim leis go bhfuil foclóir maith Gaeilge acu. Tá súil agam go mbeidh siad sásta mar sin teacht isteach liom i bhforaois na Gaeilge chun léargas nua a fháil ar fhoclaíocht shaibhir na Gaeilge chun pointe tosaithe nua a mhúnlú dóibh féin agus iad ag iarraidh friotal sainiúil na Gaeilge a athshaothrú.

Cá bhfuil an Ghaeilge bharántúil eiseamláireach seo le fáil? Tá gan amhras sna scríbhneoirí is fearr san aois seo agus sna haoiseanna roimhe seo. B'fhiú go mór saibhreas *Desiderius* (1616) a chur ar fáil do léitheoirí na Nua-Ghaeilge chun ciall a fháil don slabhra traidisiún próis atá ann gan bhriseadh bíodh is nach ndearnadh an fhorbairt chéanna air ó shin agus ba cheart. Aistriúchán a bhí sa saothar sin agus is sampla maith den iarracht a bheidh faoi chaibidil sa saothar seo maidir le friotal teanga amháin a aistriú go dílis go teanga eile.

Is in *Foclóir Gaeilge-Béarla* a cuireadh in eagar ag Niall Ó Dónaill a gheofar na samplaí a léiríonn an chosúlacht agus an difear idir an Béarla agus an Ghaeilge. Is ansin atá an t-uafás samplaí den Ghaeilge gona tréithe iomadúla agus is ansin atá na leaganacha Béarla is fearr dar leis a fhreagraíonn do shaíocht na Gaeilge. Tá tús áite ag an nGaeilge, is aici atá an forlámhas. Is féidir glacadh leis mar sin go bhfuil an comhfhreagras ceart idir an dá theanga, go bhfuil a luach ag gach ceann acu agus go dtugtar ómós cuí dóibh araon. Is ar bhonn na comparáide sin atá mórchuid den saothar seo bunaithe.

Feicfear in amanna gur saibhre i bhfad an Ghaeilge ná an Béarla agus gur a mhalairt atá fíor in amanna eile. Tá ciall don aimsir sa Ghaeilge nach furasta a shárú agus éagsúlacht téarmaíochta mar gheall uirthi nach bhfuil ann sa Bhéarla. Ní hionann ciall na Gaeilge agus ciall an Bhéarla don am i gcoitinne ná do dhathanna (féach ar Chaibidil 7). Tá meafair de shaghas eile ar fad sa Ghaeilge agus go minic is fearr leis an nGaeilge an meafar atá sa Bhéarla a sheachaint. Ní úsáidtear na réamhfhocail ná na dobhriathra mar an gcéanna sa dá theanga, gan trácht ar fheidhm an tséimhithe chun mionbhríonna a athrú.

Loiceann ar an nGaeilge bunabairtí Béarla a aistriú go furasta, ar chúiseanna gramadaí nó ar chúiseanna foclóra. Is doiligh ainmfhocal cinnte a dhéanamh éiginnte. Is féidir foireann de chuid Dhoire a rá chun 'a Derry team' a aistriú ach is deacra 'a City of Galway' a aistriú. (Tá eisceachtaí don riail seo mar is gnách amhail 'an Choróin Mhuire', 'an Dord Féinne', 'an Iodh Morainn' ach ní hionann na heisceachtaí sin agus an deacracht eile a shárú. Ba leasc leis an nGaeilge riamh gnáthriail a dhéanamh den eisceacht fiú nuair a dhéanfaí leas na teanga amhlaidh). Deir na Giúdaigh agus iad ag cuimhneamh ar an ár agus an leatrom a rinneadh orthu i gcaitheamh an dara cogadh nach bhfuil cuimhne acu ar an am sin ach ar an ionad sin. Ní 'then' ach 'there' atá greanta ina gcuimhní. Más féidir leis an nGaeilge an 'áit' sin a rá in ionad an 'tráth' sin, tá cuid de ghontacht agus de ghéire an aonfhocail caillte inti.

Iarracht is ea an saothar seo na bundifríochtaí idir na teangacha a thabhairt chun solais. In ionad an Ghaeilge a fheiceáil mar mhacalla leamh den Bhéarla, feicfear teanga a bhfuil a neart agus a fiúntas leithleach féin inti ach eolas a chur ar na gnéithe sin nach bhfuil leagan lom díreach díobh ann sa Bhéarla. B'fhearr i bhfad dar liom eolas cruinn a chur ar shainiúlacht na Gaeilge a mhéad a léiríonn sí sainiúlacht an Éireannaigh ná an smeareolas nach bhfuil ann ach bréagriocht na Gaeilge a chur ar chomhréir an Bhéarla.

Tugann Séamus Ó Grianna cur síos dúinn in *Saol Corrach* ar an iarracht a rinneadh i laethanta tosaigh an Stáit chun scoth na litríochta i mBéarla a chur ar fáil i nGaeilge. Litríocht náisiúnta (i gciall na Gaeilge) a bhíothas ag iarraidh a chruthú trí mheán an aistriúcháin ach caitheadh drochmheas ar an iarracht agus ar na haistriúcháin araon agus ní dhearnadh comparáid riamh idir an buntéacs agus an t-aistriúchán chun a fháil amach cad iad na difríochtaí idir an dá theanga. Rinneadh faillí i gceird an aistriúcháin féin. Chonacthas do Shéamus gurbh é a aimhleas *detriment* amháin a dhéanfaí ach tabhairt faoina leithéid de cheird nuair a bhí an litríocht chruthaitheach ar a mhian aige. Ar ndóigh bhí an Ghaeilge ar a thoil aige siúd. Níor chabhair dá chuid Gaeilge an t-aistriúchán. Agus bhí a shliocht air mar cheird dar leis má bhí sé in ann 9000 focal a aistriú in aon lá amháin. Ach pé ar bith faoin easpa urraime a bhí ag na haistritheoirí sin ar an téacs a bhí idir lámha acu agus ar an gceird a bhí á cleachtadh acu, ba dhaoine iad a raibh dúchas na Gaeilge go smior iontu agus a bhí ag iarraidh cruth Gaeilge a chur ar théacs Béarla. B'fhiú gan amhras spléachadh a chaitheamh ar na cosúlachtaí agus na difríochtaí a d'aimsigh siadsan idir an dá theanga (féach ar Chaibidil 8).

Amharcadh an tráth sin agus sa chomhthéacs sin ar an aistriúchán mar fhocheird. Ní raibh sé inchomórtais leis an mbuncheapadóireacht sa teanga féin agus ní áirím an fhilíocht. Ach tá an buntáiste nó an cháilíocht seo ag roinnt leis an aistriúchán, nach mór eolas beacht a bheith ag an aistritheoir ar dhá theanga. Ní hionann eolas beacht agus eolas ar an bhfoclóir amháin. Is féidir leis an bhfoghlaimeoir féin roinnt áirithe aistriúcháin a dhéanamh ach dul in iontaoibh an fhoclóra. Ach Ach is beag foclóir a théann isteach i gcroí na teanga eile, a thugann léargas ar an inneachair aduain arb ionann í agus an teanga dhúchasach.

Is buanaistritheoir, dar liom, gach cainteoir Gaeilge agus is sa chomhthéacs sin is fearr an saothar seo a léamh. Nó mar atá ráite ag Ó Murchú (1970, 16) ag tagairt don chainteoir dátheangach 'a chaitheann machnamh dó féin ina chéad teanga ar a bhfuil uaidh a rá agus ansin é a aistriú go habairtí sa dara teanga a bhíonn a bheag nó a mhór cruinn'. Toisc go bhfuil sé sáite i ndomhan an Bhéarla, caithfidh sé rialacha an aistriúcháin a chomhlíonadh i ngnáthchúrsaí an lae. Ciallaíonn sé sin go gcaithfidh sé, amhail an t-aistritheoir, sáreolas a bheith aige ar an míneadas teanga nach mínítear san fhoclóir agus ar 'struchtúr séimeantach - ar na gréasáin de bhríonna) sa dá theanga' agus an sáreolas sin a bheith aige ar an mbunteanga agus an sprioctheanga. Tá dlúthcheangal idir an t-aistriúchán agus stíl na teanga. Caithfidh an t-aistritheoir an leagan nua a dhéanamh ionas go dtuigfidh an té nach bhfuil aige ach an sprioctheanga.

Sin an fhadhb atá ann i ngnás na Gaeilge faoi láthair nach gá go dtuigfí brí na cainte don té nach bhfuil eolas ar an mBéarla aige. Tá an Ghaeilge truaillithe ag éirim an Bhéarla. Ní focail atá i gceist (torthaí an fhoclóra) ach rithim iomlán na cainte, inní féin na hurlabhra. Agus tá na hinní sin ag dul ó mhaith toisc nár féachadh riamh le daoine a oiliúint sa teanga Ghaeilge ar leibhéal níos airde ná bunsealbhú teanga. Gach taighde a rinneadh le tríocha bliain anuas is ar mhaithe leis an bhfoghlaimeoir a rinneadh é. Rinneadh modhanna nua teagaisc a oibriú amach agus cuireadh téacsleabhair nua ar fáil chun go dtig leis an leanbh an teanga a fhoghlaim níos sciobtha. Ach rinneadh leithcheal ar na múinteoirí agus ar na daoine nach foghlaimeoirí iad.

Ceaptar gur leor tús maith a chur leis an obair chun an bhailchríoch a chur ar chúrsa an fhoghlaimeora ar aon uain. Ar ndóigh tá an cur chuige sin fíor i dtaca le teangacha i gcoitinne (seachas an Ghaeilge) óir tá córas iomlán áiseanna ar fáil iontu a fhreagraíonn do riachtanais an dalta ag gach céim den turas agus tá córas iomlán sóisialta acu chun gach meandar den lá a líonadh dó le gnéithe rúnda folaithe na teanga. Agus toisc gur teanga iasachta atá i gceist níl le déanamh ag an bhfoghlaimeoir ach é féin a thumadh sa linn eachtrannach sa tír ina labhraítear an teanga. Tá athnuachan agus saibhriú teanga le fáil sa Fhrainc ag an gcéimí Fraincise nach bhfuil ann beag nó mór sa Ghaeilge.

Más beag leabhar a ceapadh ó bunaíodh an stát chun cuidiú leis an duine fásta nó leis an té a bhfuil Gaeilge mhaith aige chun barr feabhais a chur ar a chuid Gaeilge, ní mór a rá gur sna blianta tosaigh a foilsíodh iad. Bhí sé le tuiscint nach foghlaimeoirí ar fad na daoine a raibh dúil acu sa teanga bíodh is go gceaptar gur fearr an t-eolas atá ann ar an teanga i measc an phobail i gcoitinne anois ná riamh. Fiú sna gráiméir a foilsíodh: ar nós *A Hand-Book of Modern Irish* leis an Dr. Seaghán P. Mac Éinrí (1910) nó *Graiméar na Gaeilge* leis na Bráithre Críostaí (1919) nó *Studies in Modern Irish* leis an Athair Gearóid Ó Nualláin (1919) nó *Réidh-Chúrsa Gramadaí* le Brian Mac Giolla Phádraig (1938), tá iarracht déanta eolas i bhfad níos saibhre agus níos forleithne a sholáthar ná mar is gá don fhoghlaimeoir. Bhí fonn orthu anam na teanga a theagasc chomh maith leis an gcabhail.

Ar na leabhair a raibh sé mar aidhm acu caighdeán níos leithne a scaipeadh bhí na cinn a bhí ag iarraidh múnla sainiúil na teanga a sheachadadh seachas an teanga a shamhlú mar scáthán an Bhéarla. Ina measc siúd bhí *Réilthíní Óir* (dhá chuid) leis an Athair Seoirse Mac Clúin (1922), *Seana-Chaint na nDéise II*, arna chur in eagar ag Risteard B. Breatnach (1961), *Peann agus Pár* le Liam Ó Rinn (1940), *Slighe an Eólais* agus *Gnás na Gaedhilge* (1940) le Cormac Ó Cadhlaigh, *Lán-Chúrsa na Gaedhilge* le Liam Ó Riain, *Cora Cainte na Gaeilge* le Tomás Mac Síthigh (1940) agus *Cora Cainte as Tír Chonaill* a bhfuil athchló air anois (1994) agus a bhí ina bhíobla tráth i scoileanna an Tuaiscirt. B'fhéidir go bhfuil sé fós. Thug sé liacht samplaí d'abairtí dúchasacha na Rosann agus ba leor eolas ar chuid acu chun tabhairt le tuiscint don Ghaeilgeoir go raibh sé sáite i ndomhan nach ionann agus domhan an Bhéarla é. Chuir fear eagair an tsaothair sin, Seán Mac Maoláin, leabhar eile ar fáil i 1957 dar teideal *Lorg an Bhéarla*. Theastaigh uaidh íonacht na Gaeilge a chaomhnú agus bhí an leabhar dírithe orthu siúd a raibh neart na Gaeilge acu cheana. Tugtar eolas praiticúil, úsáideach in *Maidir le do Litir* le Séamus Daltún (1970), go háirithe i gcúrsaí riaracháin. Tá an sárleabhar ó Ailbhe Ó Corráin *A Concordance of Idiomatic Expressions in the Writings of Séamus Ó Grianna* (1989) a bhailíonn le chéile nathanna dúchasacha uile an Ghriannaigh agus a fhéachann le leaganacha cuí Béarla a chur ar fáil dóibh. Má dhéantar tagairt don chnuasach críonnachta agus siamsaíochta a chuir Jim O'Donnell agus Seán de Fréine le chéile *Ciste Cúrsaí Reatha*, is dócha go bhfuil tagairt déanta do bhunús na saothar a mbainfeadh an Gaeilgeoir nach foghlaimeoir bunaidh é maitheas astu. Gan amhras, bhí an fhealsúnacht chéanna ag roinnt leis na cnuasaigh éagsúla de sheanfhocail a cuireadh amach chomh maith.

Ach tá an Ghaeilge ag an am céanna ina teanga dhúchais agus ina teanga iasachta. Is féidir triall ar phócaí beaga Gaeltachta agus binneas na teanga a chloisteáil fós mar ba cheart di a bheith. Ach ní hionann an spreagadh cultúir agus an griogadh morálta agus a fhaightear trí theacht i dteagmháil le teanga agus cultúr atá go hiomlán coimhthíoch agus a bhfuil gnéithe uile an ghnáthshaoil idir phreas, theilifís agus réimse leathan áiseanna sóisialta le fáil ann. Má táimid neadaithe i ndomhan an Bhéarla, ní mór bheith san airdeall nach trí mheán an Bhéarla, faoi bhréagriocht na Gaeilge, a chuirtear friotal ar smaointe ár gcroí. Dá mb'amhlaidh a bheadh, ba thúisce a bháfaí an tsainiúlacht Éireannach ná dá gcríonfadh an Ghaeilge féin. Ní fios an bhfuil sé ródhéanach cheana.

Sin is cuspóir don saothar seo, comharthaí sóirt na Gaeilge a aimsiú agus iad a chur i gcomparáid le comharthaí sóirt an Bhéarla. Ní leabhar oideas é. Ní thabharfar réiteach ar gach fadhb. Tá gnéithe den dá theanga an-chosúil le chéile, chomh cosúil sin nach féidir abairt Bhéarla a aistriú ach ar an aon dóigh amháin. I gcásanna eile is a mhalairt atá fíor. Is féidir abairt i nGaeilge (seanfhocal b'fhéidir) a aimsiú atá ina aistrúchán lom ar an mBéarla. I gcásanna áirithe tá foclóir an-saibhir sa Ghaeilge nuair nach dtig leis an mBéarla ach focal lom amháin a thabhairt. Tá a mhalairt fíor níos minice. Tá an chuid is mó de na cásanna idir eatarthu. Tá súil agam gur cúinge soláimhsithe an réimse sin tar éis an leabhar seo a léamh.

Tá ceithre chuid ann. I gCuid I pléitear bealaí ginearálta an dá theanga atá á gcur i gcomórtas le chéile agus modhanna éagsúla chun na bundifríochtaí a shárú. I gCuid II amharctar ar roinnt briathra agus réamhfhocal coitianta i mBéarla agus tugtar an leagan Gaeilge is fearr orthu; pléitear ansin le deacrachtaí a bhaineann le roinnt focal diúltach. I gCuid III, amharctar ar an abairt, ar na teicníochtaí difriúla ó theanga go teanga chun abairtí a aistriú agus ina dhiaidh sin ar an seanfhocal agus ar ghnéithe áirithe de mheiturlabhra na Gaeilge. B'fhiú a lua, dála an scéil, go dtarlódh sé go mbeadh abairtíní solaoideacha á n-úsáid níos mó ná uair amháin chun pointí éagsúla a léiriú sna codanna seo. I gCuid IV, amharctar siar: i dtosach báire ar roinnt de na haistriúcháin a cuireadh ar fáil san tríochaidí ag an nGúm, ar chomhairle Ghearóid Uí Nualláin i gcúrsaí aistriúcháin agus ar deireadh, déantar scagadh ar an aistriúchán is iomráití a rinneadh in Éirinn sa chéad seo, Bunreacht na hÉireann. Tá aguisín ag deireadh ar fad. Tugtar léargas ansin ar an dá theanga mar a fheictear iad le hais a chéile i roinnt fógrán nua-aoiseach in *ANOIS*. Ina dhiaidh sin tá innéacs. Is féidir teacht ar fhormhór na samplaí sa leabhar seo ach an clár a úsáid; is fíor é seo go háirithe i gcás caibidlí a trí go dtí a seacht ina dtugtar na samplaí de réir ranguithe éagsúla. Roghnaigh mé focail agus frásaí eile nárbh fhéidir teacht orthu go saoráideach móide roinnt tagairtí agus chuir mé an t-innéacs seo ar fáil mar áis bhreise don léitheoir.

Mar fhocal scoir, tá mé faoi chomaoin mhór ag Caoilfhionn Nic Pháidín agus ag Seán Ó Cearnaigh. Spreag Caoilfhionn mé an chéaduair chun an saothar seo a chur i gcrích agus thug sise agus Seán comhairle agus treoir go fial fairsing dom agus mé ina bhun. Ní gá a rá nach bhfuil na laigí atá ann le cur ina leith siúd. Tá mé an-bhuíoch freisin do Mháire, Tiarnán, Ailleann agus Rónán a chuidigh liom go mór, gach duine ar a dhóigh féin, agus a d'fhoighnigh liom nuair a rinneadh neamhshuim de chúrsaí níos tromchúisí.

Lúnasa 1996

CUID I - An Teoiric
Caibidil 1 - Bealaí an Aistriúcháin

Tá sé ráite agam thuas gur ceird í an t-aistriúchán, ceird i gciall iomlán an fhocail. Tá rialacha ag baint leis nach féidir a shárú, tá teicníochtaí agus cleasanna ag roinnt leis agus tá fadhbanna ar leith dá chuid féin aige. Beidh mé ag trácht ar an aistriúchán óir is é sin an droichead idir dhá theanga. Is disciplín é agus disciplín cruinn. Ní hionann sin is a rá gur fearr aistriúchán amháin ná gach ceann eile, go bhfuil aistriúchán foirfe ar théacs ar bith. Thiocfadh leis an aistritheoir féin a bheith idir dhá chomhairle faoin leagan is fearr ach ní mór ceann amháin a roghnú. Is ionann é agus an scríbhneoir cruthaitheach sa mhéid sin. Níl de dhifear eatarthu ach go bhfuil iallach ar an aistritheoir a mhúnla a bhunú ar mhúnla a thugtar dó. Is cosúla é leis an gceoltóir a chuireann friotal ar smaointe an chumadóra.

Tugann a cheird ar an aistritheoir mioneolas a chur ar idirmheán teanga amháin le teanga eile. Tá sé mar a bheadh fear labhartha idir bheirt chainteoirí nach n-aithníonn teanga ceachtar acu teanga an duine eile. Caithfidh seisean friotal an chéad duine a iompú ar an dóigh a déarfadh an dara duine é ina theanga féin. Is duine de chúpla é. Ba dheacair dó an ghairm sin a chur i gcrích gan colas ar na rialacha agus eolas na ceirde a bheith aige. Ní mór dó an teanga tosaigh, is é sin an bhunteanga, a chur as a riocht ó am go chéile toisc nach ionann i gcónaí múnlaí an dá theanga agus go bhfuil ábhar nua sa dara teanga toisc go bhfuil sondas agus toncháilíocht eile i gceist. Caithfidh sé comparáid bheacht idir an dá theanga a dhéanamh chun a thuiscint nach féidir gach gné de gach teanga a aistriú go hiomlán go dtí an teanga eile toisc nach ionann na tréithe atá i ngach teanga. Is leor smaoineamh ar dhúil na Gaeilge sna hairde mar nach bhfuil ach 'up' agus 'down' sa Bhéarla. Is iomláine go minic teanga amháin ná teanga eile agus sna cásanna sin cuirtear le heolas an léitheora ar dhóigh nach féidir sa teanga eile. Ach ní hionann an Gaeilgeoir agus aistritheoir dáiríre. Is bunteanga í an Ghaeilge a bhfuil a sainairíonna féin aici. Na sainairíonna sin a athdhúiseacht, sin is cuspóir agus is dúshlán don Ghaeilgeoir is aistritheoir, sa tsúil go mbeidh an forlámhas ar fad ag tréithe na Gaeilge ar theilgean cainte gach Gaeilgeora.

D'fhonn na difríochtaí idir an Ghaeilge agus an Béarla a bhreith mar sin ní mór eolas a chur ar bhealaí rúnda an dá theanga. Más é an Béarla an bhunteanga tá sé intuigthe go mbeidh cruinneolas ar sheachbhealaí an Bhéarla. Ní mór a thuiscint cad iad na leaganacha cainte a chliseann ar an nGaeilge ach freisin go bhfuil a cuid seachbhealaí féin aici siúd. Is féidir an gréasán cosán idir an dá theanga a aimsiú agus feicfear ansin a fhusacht atá sé athrú ó theanga amháin go teanga eile.

Chuige sin is fiú na samplaí is gonta agus is beaichte dá bhfuil ann a ghrinnbhreathnú chun meicníocht an chaidrimh idir an dá theanga a thuiscint. Feicfear an meon, an cúlra, an stair, na gnásanna, an dearcadh a dhéanann go ndeir an Ghaeilge ar an dóigh seo é agus an Béarla ar an dóigh eile é a thúisce ciall faighte ar an meicníocht. Ciallaíonn sé sin go bhféadfar an tuiscint, an chomhthuiscint a aimsiú ach ní sa tuiscint amháin atá an réiteach le fáil. Níl riail ná réiteach simplí amháin a mhíníonn an éagsúlacht idir an dá theanga. Má chuirtear i gcomparáid le chéile iad, áfach, tuigfear gan mhoill a mhéad atá na difríochtaí sothuartha agus má tá siad sothuartha tá siad sofhuascailte.

(a) Ceachtanna na Teangeolaíochta

Níor baineadh úsáid riamh as ceachtanna na teangeolaíochta nua-aoisí chun comhdhéanamh na Gaeilge a scagadh ach amháin ar mhaithe le foghlaimeoirí. Cad is brí leis an teangeolaíocht. Seo mar atá sé sainithe in *Urlabhra agus Pobal* le Máirtín Ó Murchú:

> *Is é cúram ginearálta na teangeolaíochta staidéar eolaíoch agus anailís a dhéanamh ar shamplaí den chaint agus de na gothaí cainte a bhíonn ag grúpaí difriúla daoine, d'fhonn teacht ar thuiscint ar na cóid a bhíonn ag rialú na gcineálacha difriúla cainte a bhíonn faoi bhreithniú agus, ar an mbonn sin, teoiric a bhunú a mhíneoidh an urlabhra agus gothaí na hurlabhra. (Ó Murchú, 1970, 2)*

Níor féachadh le hearraíocht a bhaint as an teagasc a sholáthraíonn an teangeolaíocht ar an gcaidreamh idir an duine agus an ilteangachas chun ciall níos fearr a fháil ar riocht eisceachtúil na Gaeilge, i dtaca leis an teanga féin de agus go háirithe maidir le frithghníomh síceolaíoch an duine i bhfianaise an teanga a bheith ag imeacht uaidh.

Ní miste anois dul in iontaoibh roinnt teoiricí agus téarmaí teangeolaíocha nua-aoiseacha atá go mór in úsáid le tamall de bhlianta anuas chun codanna na cainte nó na hurlabhra a mhíniú. Friotal nó urlabhra is ea cumhdach na cainte. Is é an focal atá mar bhun don fhriotal agus cuireann na focail an friotal i gcion trí mheán comharthaí. Tá baint ag na comharthaí sin le gach cuid den urlabhra, an foclóir nó an stór focal, an ghramadach a chuireann smacht ar an teanga agus teorainneacha léi, agus rithim na cainte atá chomh tábhachtach céanna san fhocal scríofa agus atá sa chaint féin. Baineann na comharthaí le forimeall na teanga. Is iad na comharthaí a léiríonn buneolas an duine ar an teanga. Baintear feidhm d'aon turas as na comharthaí. Is ar chomharthaí na teanga iasachta a chuirtear eolas a chéaduair.

Laistiar de na comharthaí tá na ciútaí, na taispeántaí ainneonacha, neamhthoiliúla, fochomhfhiosacha. Tugann siad léargas ar chodanna den duine nach mian leis a nochtadh nó nach eol dó go bhfuil siad á nochtadh aige. Cuireann siad síos ar ionad sóisialta, gairmiúil, meabhrach an duine, ar a ghiúmar, ar thréithe a phearsantachta. An té atá géarchúiseach ina dhearcadh agus eolach ar na comharthaí, feicfidh sé na ciútaí, na leideanna in éineacht leis na comharthaí.

Is iad na comharthaí agus na ciútaí araon a dhéanann an friotal. Cuireann an friotal síos ar staid. Ní thugann an cainteoir dúchais aird orthu. Is cuid dá shaol agus dá thuiscint inmheánach neamhshuim a chur sna comharthaí agus ciútaí agus ciall an fhriotail a thabhairt leis láithreach. Ach fiú don chainteoir dúchais, is féidir go gcuireann focal simplí as dó toisc nach bhfuil sé eolach ar an staid atá taobh thiar de. Is leor smaoineamh ar fhocal Béarla mar '49ers'. Níl ciall ar bith leis mura dtuigtear an staid atá bainteach leis, an comhthéacs as a dtagann sé. Mura dtuigtear gur peil Mheiriceánach atá i gceist níl aon éifeacht leis an bhfocal. Ní fiú a dhath ar bith an comhartha ná an ciúta, dá shimplí féin iad. Is focal é a bhfuil uimhir ann a thuigtear, ach ní leor an tuiscint sin féin chun ciall a fháil ann. Ní féidir a mhaíomh nach dtuigtear an focal '49er', ach is féidir a mhaíomh nach dtuigtear an comhartha atá á nochtadh ann.

Ba é Saussure, an teangeolaí Francach, a chuir béim ar nóisean an chomhartha trí bhrí ar leith a thabhairt dó. Is é an nasc dobhriste é idir coincheap agus an cruth a chuirtear air, dar leis. Thug sé *signe* (an comhartha), *signifiant* (an modh trína ndéantar an comharthú) agus *signifié* (an 'chiall/earra/tuairisc' atá comharthaithe) ar an slabhra. An chuid sin den chomhartha a bhfuil brí leis, cuid an choincheapa, tugtar an rud comharthaithe air, (*signifié* nó *significata*, mar a tugadh air

riamh); tugtar an rud a chomharthaíonn (*signifiant* nó *significante*) ar
an gcuid a chuireann an chiall in iúl, cuid an fhriotail más ea agus an
chiall scartha de. Is ionann agus cabhail é an chaint. Nuair a amharctar
ar chabhail feictear cad atá ann, déantar ceangal idir an comhartha agus
an modh trína ndéantar an comharthú. Má tá an chabhail gan anam,
áfach, má tá uireasa beatha ann ní chuirtear an comhartha i gcrích. Is
cumann treallach an comhartha idir an rud atá comharthaithe
(coincheap crainn, mar shampla - tá deacracht sa bhreis sa Ghaeilge sa
mhéid go ndéantar idirdhealú sa séimhiú idir *cos chrainn* (=cos adhmaid)
agus *cos crainn* (= bun crainn)) agus an focal a chomharthaíonn (an ciúta
fuaimiúil a mhúsclaíonn an coincheap san intinn - focal ar leith ag brath
ar an teanga: 'crann', 'tree', '*arbre*' agus mar sin de). Chun íomhá ón spórt
a ghlacadh, is féidir a rá gur sliotar é an *signe*, gur camán é an *signifiant*
agus gur báire/ar fóraoil/rath/teip an *signifié*. Is léir nach gcuirfear aon
ní i gcrích mura bhfuil cairdeas/comhar/comhbhá éigin idir sliotar agus
camán. Is córas comharthaí é teanga agus is féidir linn an teanga a úsáid
agus a thuiscint de réir mar is eol dúinn an caidreamh agus an ceangal
agus na difríochtaí idir na comharthaí a aithint agus a fhoghlaim. Is léir
anseo fíorfhadhb chumarsáide na haoise. Léirítear go greannmhar ag
Lewis Carroll é in *Through the Looking-Glass and What Alice found there*
sa chumhacht atá ag duine ciall a thabhairt d'fhocail seachas an chiall
ba cheart bheith iontu :

> '*But "glory" doesn't mean "a nice knock-down argument",' Alice
> objected. 'When I use a word,' Humpty Dumpty said in rather a scornful
> tone, 'it means just what I choose it to mean - neither more nor less.'
> 'The question is,' said Alice, 'whether you can make words mean
> different things.' (Carroll, 1958, 120)*

Sin mar atá an chaint. Tá roinnt mhaith focal a bhfuil an chiall
cheannann chéanna acu i ngach teanga: *spúnóg* mar shampla. Is leor a
thuiscint cad a chiallaíonn *spúnóg* i mBéarla chun an friotal a bhreith
ina iomláine. Tá an comhartha curtha i gcion go foirfe, tá sé
comharthaithe díreach mar an gcéanna sa dá theanga, agus is é an focal
spoon/spúnóg an meán trína ndéantar an comharthú. Ní shainítear fós
cén cineál spúnóige atá ann, an d'adhmad nó d'airgead nó eile é ach tá
oiread céille sa dara teanga agus a bhí sa chéad cheann. Is comhartha
foirfe é sa mhéid sin. Is léir mar sin gur mó ná focal é *spoon/spúnóg*. Is
comhartha é mar is cineál droichid é idir dhá theanga a bhfuil teacht air

ag an bpobal ar an dá thaobh. Dá thúisce, áfach, focal eile curtha leis chun tuilleadh eolais a chur in iúl, amhail *spúnóg steanctha* ('dashing spoon') nó *spúnóg thomhais* ('measuring spoon'), ní gnáthchomhartha é níos mó ach sainchomhartha a bhfuil eolas ag na saineolaithe amháin air.

Ach níl sa chomhartha ach rud treallach, dar le Saussure. Níl gaolmhaireacht ar bith idir an focal a chomharthaíonn agus an ní atá comharthaithe. Tugadh spunóg riamh anall ar an mball sin agus tabharfar spúnóg go deo na ndeor air. B'fhéidir gur de thaisme a ceanglaíodh ciall ar leith le focal ar leith. B'fhéidir go gceanglaítear ciall amháin le focal i gceantar amháin agus ciall eile leis an bhfocal céanna i gceantar eile. Níl neart againn air. Ní nach ionadh níl an scéal chomh furasta céanna sa Ghaeilge nó sa chaidreamh idir an Ghaeilge agus an Béarla ba chóra a rá.

Fadhb an Bhéarlachais arís gan amhras faoi deara an deacracht, dá mb'eol dúinn i gceart anois cad is Béarlachas ann. Mhúineadh na hoidí i Rinn na Feirste, mar shampla, gur lochtach *teach a thógáil* a rá, gur cheart *teach a dhéanamh*, go dtí gur fhoilsigh Séamus Ó Grianna saothar dar teideal *An Teach nár Tógadh* i 1948. Dúradh linn riamh gur cheart a rá gur *léigh an sagart an t-aifreann,* nach raibh ann ach Béarlachas *dúirt an sagart an t-aifreann* a rá. Ba chuma go raibh an t-aifreann á rá ag sagart de réir Mhánais Uí Dhomhnaill i 1532. Ar an drochuair is minic réamhbhreith nó claonbhreith féin is cúis leis an mbreith ar cad is dea-Ghaeilge nó droch-Ghaeilge ann.

Nuair a cuireadh Conradh Maastricht i gcrích i 1992, bhí neart cainte ar an gComhbheartas Eachtrach agus Slándála. Aistriúchán Gaeilge a bhí ann ar an mbun-Fhraincis ach níorbh é an chéad chomhbheartas a bhí ag an gComhphobal. Tar éis an tsaoil bhí an comhbheartas talmhaíochta ann ó 1962 agus tugadh *beartas* ar 'policy' sa Bhunreacht féin. Má tá, gan fhios don Roinn Gnóthaí Eachtracha atá sé. Nuair a bhí a cuid seimineár poiblí á bhfógairt aici ag deireadh 1994 chun beartas na Roinne a phlé, cuireadh in iúl don phobal go mbeadh *'polasaí comónta eachtrach agus slándála'* faoi chaibidil. Pé ar bith faoi bheith comónta (agus b'fhéidir gur cheart an focal sin a úsáid a chéaduair), léiríonn an sampla sin (agus tá na mílte ann in aghaidh na bliana) a dheacra atá sé teacht ar an gcomhartha céanna, nó nuair atá an comhartha aimsithe sa

Ghaeilge, a dheacra atá sé an comhartha sin a chur i gcion ar an bpobal. Sa chás sin, is ceadmhach a admháil nach bhfuil aon rud comharthaithe in aon chor nó, má tá, is toisc an eolais ar an mBéarla a thuigtear an scéala. Ar bhonn na Gaeilge amháin, áfach, tá easpa cumarsáide óir níl aon ní a chomharthaíonn. (Is fiú a shonrú gur fhoilsigh an Roinn Gnóthaí Eachtracha fógra eile in ANOIS (1-2 Deireadh Fómhair 1994) ag tagairt do '*Páipéar Bán an Rialtais ar Bheartas Eachtrach*' ach do dtugtar '*polasaí eachtrach na hÉireann*' arís air in ANOIS, 28-29 Deireadh Fómhair 1995).

Is ionann an riocht agus an bhean Mheiriceánach atá ag póirseáil san eitleán ag iarraidh teacht ar an seomra folctha. Tugann sí an comhartha mícheart, téarma atá míchruinn sa chultúr ina bhfuil sí anois, agus dá bhrí sin níl an coincheap comharthaithe. Toisc nach dócha gur ag iarraidh teacht ar bhúistéir atá sí, téann an comhartha i gcion dá hainneoin féin. Is ionann an cás agus Rúiseach ag iarraidh teacht ar an leithreas san eitleán céanna. Is leor an gníomh féin, an ghluaiseacht féin, toisc go bhfuil sé sa siúl in aon chor, chun a thuiscint go bhfuil sé ar thóir an leithris. Is mar sin a thuigtear go bhfuil fógra na Roinne ag tagairt don chomhbheartas eachtrach agus slándála. Ba thruamhéalach an mhaise don aistritheoir a thiocfadh ar an dá leagan sa téacs céanna. An rud is annamh is iontaí. Tá scéal ann faoin údar clúiteach a raibh an-éileamh ar a chuid úrscéal sa Chianoirthear. Chuaigh sé ann tráth chun bualadh leis an aistritheoir a bhí freagrach as na comharthaí a chomharthú. Agus cé bhí i gcuideachta an aistritheora nuair a bhuail sé leis an údar ach teangaire.

Tá cuid mhaith focal i nGaeilge agus i mBéarla a bhfuil a gciall athraithe nó leasaithe thar na blianta. Meastar gurb annamh a fhanann an chiall chéanna i bhfocal ó ghlúin go glúin agus é ag triall ó chultúr go cultúr, ó theanga go teanga nó laistigh den teanga chéanna. Tá an rud comharthaithe mar a bhí riamh ach tá cumhdach nua air. Tugann Gearóid Ó Nualláin *iarmbéarla* ar 'adverb' ach deirtear in FGB gur 'particle' é bíodh is go dtugann EID *pairteagal* ar 'particle'. Bhí *talamh-chúmhscughadh* ag an Nuallánach ar 'earthquake'. Is fiú amharc ar liosta leaganacha Gaeilge ar 'some useful English words' a thugtar ag deireadh *A Hand-Book of Modern Irish* leis an Dochtúir Seaghán P. Mac Énrí a foilsíodh i 1910: *scáth-éadach* ('curtain'), *árus-dealbhadóir* ('architect'), *gléas éisteachta* ('stethoscope' - nuair nár tuaradh an iliomad gléasanna éisteachta den uile chineál a bheadh ann roimh dheireadh an chéid) agus rogha idir *nochtuightheoir/spiadóir/lorgaire* ('detective'). Tugann O'Neill Lane *nochtaire/bleachtaire* i 1918 agus deir an Duinníneach i 1927 go gciallaíonn *bleachtaire* 'detective' cé gur úsáid 'recent' é. Is cosúil gur sa tréimhse 1916-1921 a tugadh *bleachtaire* go húdarásach ar an duine sin. Tá an briathar *claidh* imithe as úsáid anois cé gur uaidh a tháinig na focail éagsúla, *claí* agus *cladhaire*.

Tá an chiall chéanna fós leis an siontagma nó comhaonad ('collocation') *an bhearna bhaoil* agus a bhí riamh anall ach tá luach eile ag gabháil leis ó bunaíodh an stát. Is ionann agus íobairt uasal nó fonn íobartha é anois. Is luach é atá ar eolas an Éireannaigh amháin. Feictear an luach freisin i bhfocal mar *caora*. Is ionann é agus 'sheep' nó *mouton* na Fraincise. Itear áfach an rud ar a dtugtar *mouton* sa Fhraincis ach is *caoirfheoil* nó 'mutton' a itear sna cásanna eile. Is ionann an chiall ach ní hionann an luach. Bíonn luach go minic ag gabháil le húsáid mheafarach i dteanga ar bith. Ní féidir *paidir chapaill* a aistriú de réir chiall na Gaeilge amháin. Ní mór ciall don luach a bheith agat chun an chiall féin a thuiscint.

Caithfidh an t-aistritheoir an chiall agus an luach a thuiscint. Is dócha gur fiú tagairt d'idirdhealú eile atá ag Saussure sa Fhraincis idir *parole* (teanga an chainteora) agus *langue* (teanga an fhoclóra). Is ionann an *parole* agus gnáthfhocail nó briathra an duine nó an ghnáthurlabhra, agus is ionann an *langue* agus an teanga ina hiomláine mar ba cheart di a bheith agus mar atá sí dá mbeadh duine ann agus cur amach cuimsitheach aige ar ghnéithe uile na teanga. Is rud teibí é an teanga, ní labhraítear dáiríre í, ach i gcás na Gaeilge is í an teanga theibí sin atá ag seargadh faoi bhrú na faillí. Ní hionann an teanga agus an caighdeán oifigiúil bíodh is gur féidir a mhaíomh (agus mhaífí a mhalairt chomh maith) gur chuidigh bunú an chaighdeáin le beocht na teanga. Níl sa chaighdeán ach coinbhinsiún don tsúil. An dílseacht láidir a léiríodh agus a léirítear fós i leith na gcanúintí, is ceist imeallach é nach gcuireann le neart na Gaeilge ar dhóigh ar bith ach a chuireann b'fhéidir ina choinne. Is ceist imeallach an *Caighdeán Oifigiúil* é féin gan amhras óir is córas rialacha é atá nóiseanach. Is é atá ann díolaim de ranna cainte gramadaí atá chomh leathan sin gur díomhaoin mar threoir é d'eithne na teanga. Féach mar shampla ar na habairtí seo: *ar aon imeacht amháin, bhí sé ag imeacht, le himeacht aimsire.* Tá réamhfhocal agus an fhoirm chéanna den fhocal ach níl an réamhfhocal ag feidhmiú mar an gcéanna i ngach cás agus is briathar 'imeacht' i gcás amháin agus is 'ainmfhocal' é i gcás eile.

Ansin tá teanga an bhéarlagair, teanga na ceirde. Níl an comhartha inaitheanta ach amháin acu siúd atá ar an eolas. Ní leor an comhartha ann féin don ainbhiosán. Ní comhartha é *spúnóg* féin mura bhfuil tú ar an eolas agus is cinnte nach comhartha é *spúnóg ghrodloiscthe* ('deflagrating spoon'). Ní fadhb é an Béarlagair ann féin ach is fadhb é an meascán den Bhéarlachas agus den Bhéarlagair. Má dhéanann dlíodóir tagairt i mBéarla do 'involuntary conversion' tuigfidh a chomhghleacaí láithreach (agus seans go dtuigfidh gnáthdhuine oilte) gur maoin atá i gceist a cuireadh ó mhaith; is ionann an abairt agus comhartha ina bhfuil an coincheap agus an friotal ar aon dul le chéile don té atá ar an eolas. Nuair a úsáidtear é lasmuigh den chomhthéacs teicniúil, áfach, cuirtear seachmall ar dhaoine. Bhí an t-am ann nuair a bhí réimse béarlagair i Maigh Nuad nach dtuigfeadh Dia féin. B'ionann 'bore a hole' agus gaisce a dhéanamh ach is léir ón tsanasaíocht go raibh rud beag íoróine ag roinnt leis an téarma. Ach níor chualathas an teanga sin, na comharthaí sin, lasmuigh.

Tá dualgas ar an aistritheoir na luachanna breise sin a thuiscint agus na luachanna bréige a sheachaint; tuigfidh sé, mar shampla, gur *moill éisteachta* atá ar 'hardness of hearing', *fiacla diúil* nó *birfhiacla* ar 'milk teeth' agus *fiacail forais* ar 'wisdom tooth', nach bhfreagraíonn an pointe tagartha sa dá theanga dá chéile. Ní féidir leis gach luach a aithint bíodh is go gcaithfidh sé a aithint gur luach atá ann agus gur cheart dó sainfhoclóir a cheadú. Tá fadhb arís ag an nGaeilgeoir óir tá ganntanas sainfhoclóirí ann. Caithfidh sé a aithint cad é an comhartha atá ann, cad é an coincheap atá faoi chumhdach an fhriotail agus caithfidh sé ansin friotal a aimsiú i nGaeilge a chuireann an coincheap céanna ar aghaidh i nGaeilge. Tuigfidh sé nach bhfuil baint ar bith ag Ádhamh le *meall (na) brád* agus nach ionann an taobh agus an *cúlbhéal*.

Ina theannta sin ní chuireann an friotal an coincheap in iúl i gcónaí nó ní chuireann sé in in iúl go hiomlán é. Ní éiríonn leis an ainm an t-ábhar a shainiú. Músclaítear íomhá. Is leor carr a lua chun íomhá a mhúscailt agus déantar cumarsáid ach ní hionann an coincheap atá in aigne gach duine a chloiseann an focal *carr*. Ach is cuma faoi sin. Ní fios do dhuine ar bith cén coincheap atá ag an duine eile. Tá nasc déanta idir an friotal agus an coincheap. Ach tá na comhchiallaigh ann. Is uafásach an liacht comhchiallach sa Bhéarla i gcoitinne. Bhí na foinsí chomh flúirseach sin aige ón nGréigis go dtí an Ioruais agus ina theannta sin is iontach an acmhainn déanta focal atá ann mar theanga chun comhchiallaigh nua a chumadh chun freagairt mar shampla do dhúil na Meiriceánach sa cheartaiseacht pholaitiúil (mar shampla *the synthetic grassroots cmpaign, the glass-tower people, the high-rise cat syndrome, custody suite, utility access hole,* agus féach freisin Bryson, 1995, 422). Ní gá don Ghaeilge bheith ag iarraidh gach comhchiallach a chlúdach. An bhfuil difear idir 'quick', 'fast', 'speedy', 'rapid', 'swift', 'fleet'? Tá trí oiread focal ag an mBéarla ná teanga ar bith eile. Bíonn idir 400,000 agus 600,000 sa ghnáthfhoclóir Béarla agus gan ach 130,000 sa ghnáthfhoclóir Fraincise. Idir 40,000 agus 50,000 atá in FGB. Deirtear go bhfuil 50,000 focal i ngnáthúsáid sa Bhéarla agus 20,000 sa Fhraincis agus sa Ghearmáinis. Cá mhéad atá sa Ghaeilge?

Ciallaíonn sé sin go bhfuil níos lú bearnaí foclóireacha sa Bhéarla ná sa Ghaeilge ach go háirithe. Níl aon sainfhoclóir comhchiallach sa Ghaeilge chun na miondifríochtaí idir na comhchiallaigh féin a mhíniú. An ionann *páirc* agus *garraí* agus *gort* agus *móinéar* agus *mainnear* agus *fearann* agus *cuibhreann* agus *réileán*? An ionann anois nó arbh ionann riamh iad? Tá tagairt ag Niall Ó Dónaill sa leabhar *Forbairt na Gaeilge* don fhocal crann a bhfuil 'níos mó leagan (air) ná atá de chrannaibh sa Ghaeltacht!'(1951, 12). Eascraíonn deacrachtaí ag an mbunleibhéal seo féin i dtaca le Gaeilge de óir ní mór an chumsarsáid seo a bheith déthaobhach. Ní fiú bheith ag tarraingt as tobar amháin. Má tá an Ghaeilge nó an t-aistritheoir Gaeilge de shíor ag tarraingt as foinse an Bhéarla agus gan a mhalairt a bheith fíor is i léig a rachaidh an Ghaeilge. Ó thaobh acmhainní agus taighde, tá an Ghaeilge in áit na leathphingine - cuir i gcás gan foclóir iomlán againn agus na foilseacháin a thiocfadh dá bharr, níl aon teacht ar bhuntaisce focal na Gaeilge nach bhfreagraíonn focal aonarach Béarla dóibh, mar shampla na mílte focal Gaeilge ar gach cineál duine a thugann mioninsint ar thréithe intinne

agus coirp in aon fhocal amháin, mar shampla *cliútach* ('trickster')
cuáiteachán ('weakling') *clupais* ('untidy, dowdy person') *cnádánaí*
('grumbler') *coinnleoir* ('tall thin person') *cosarálaí* ('clumsy-footed
person') *cráisiléad* ('bulky person'); tá tuairim is míle go leith téarma in
FGB ag cur síos ar chomharthaí sóirt an duine.

Is iad na logainmneacha Béarlaithe an sampla is fearr den
chomhartha nach bhfuil brí ann a thuilleadh. An coinhceap agus an
friotal a cuireadh in iúl sa chomhartha *Baile Átha Fhirdia* nó *Gleann na
gCaorach* nó *Móin na nIonadh* an bhfuil siad fós le fáil in 'Ardee' nó
'Glenageary' nó 'Moneyneany'? Ní hamháin go bhfuil an coincheap caillte
ach níl ciall leis an bhfriotal agus níl sa chomhartha féin ach comhartha
meicniúil. B'ionann ciall dóibh ach 'Deear' nó 'Gearagleny' nó
'Noneymeany' a rá óir is comharthaí iad a bhfuil an bhunchiall fáiscthe
astu. B'fhusa i bhfad ar ndóigh na comharthaí barántúla sin a
aisghabháil ach na logainmneacha bunaidh a chur in athúsáid óir níl i
gceist go minic ach comharthaí bóthair sa chiall is litriúla.

Tá gné eile den cheist nach miste a lua. Cuirtear an-bhéim sa
Ghaeilge ar cheisteanna gramadaí. Tá na rialacha ann agus ní miste
bheith dílis dóibh. Tá rialacha áirithe ann nach féidir a sheachaint gan
amhras. Baineann siad le deilbhíocht an fhocail más é díochlaonadh na
n-ainmfhocal nó réimniú na mbriathra atá i gceist. Tá na díochlaonta
ann agus tá na briathra rialta agus neamhrialta a bhfuil foirm amháin
díobh glactha a bheag ná a mhór mar an leagan ceart cruinn. Ach tá an
Ghaeilge faoi chinseal ag lucht gramadaí. Ní hé go bhfuil bíobla amháin
ann; a mhalairt leoga. Tá meon na gramadúlachta in uachtar. Go fiú
FGB féin nach bhfuil ag iarraidh rialacha dochta gramadaí a chur i gcion
orainn. Rinneadh amhlaidh toisc nach bhfuil aon bhíobla ann. Dá
mbeadh an oiread céanna saineolaithe ag iarraidh oibriú na teanga a
mhíniú agus atá gramadóirí lena rialacha caighdeánacha, bheadh an lá
linn. Ní fios do dhuine ar bith cá bhfuil an riail. Dá líonmhaire casta iad
na rialacha gramadaí, is amhlaidh is fearr; is maith an oiliúint í don aos
óg. Caithfidh go dtéann sé siar go dtí scoileanna na mbard, an dúil seo
sa seacóibíneachas teanga. Is é an deacracht anois go bhfuil deireadh le
rúradhachas ('prescriptivism') i gcúrsaí teanga. *Tuairisceachas*
('descriptivism') atá i gceannas faoi láthair nuair a thugtar aird ar an
teanga mar atá sí á húsáid. Beidh sé soiléir de réir a chéile a bhaolaí atá

an fhealsúnacht sin i gcás na Gaeilge.

Cad is ciall le hinscní na Gaeilge? Ualach in aisce iad gan amhras ar theanga láidir gan trácht ar theanga fhaon. Tá rialacha na gramadaí bunaithe ar an Laidin cé nach ionann ar dhóigh ar bith an Ghaeilge agus an Laidin. B'amhlaidh don Bhéarla tráth nuair a bhí ceithre thuiseal ann go dtí go bhfuarthas amach gur cheart rialacha a cheapadh a eascraíonn as múnlaí an Bhéarla féin. Mhol Niall Ó Dónaill (1951, 35) gur mhithid don Ghaeilge 'tabhairt ar aon cheann amháin acu cúis a dhéanamh don iomlán'. Ach mar a deir sé ní bhíonn go minic ag an té a bhfuil na rialacha gramadaí ar a thoil aige ach 'aithne an linbh ar a dhúchas' (1951, 12).

Ach tá codanna eile den ghramadach nach bhfuil aon chinnteacht mar gheall orthu. Is deacrachtaí nua-aoiseacha a bhformhór atá bainteach le constaicí nár iarradh ar an nGaeilge a shárú riamh roimhe. Is féidir féachaint leis na seanrialacha a chur i gcion orthu go docht nó rogha a fhágáil ag an aistritheoir nó an úsáidire iad a shárú dá rogha féin. Ní mór cuimhneamh i gcónaí gur próiseas déthoiseach atá ar siúl: Béarla go Gaeilge agus Gaeilge go Béarla. Mura dtuigfeadh ach Béarlóir an Ghaeilge a chuirtear ar an mBéarla, is drochtheist é ar an saothar. Ach bheadh sé chomh lochtach céanna nach dtuigfeadh ach Gaeilgeoir an Ghaeilge chéanna más ag feidhmiú laistigh de raon teoranta na teanga atá sí. Is prionsabal den aistriúchán an iniompaitheacht, gur féidir, má dhéantar aistriúchán ceart cruinn, iompú ar ais ón leagan ceann scríbe go dtí an leagan tosaigh díreach mar a bhí sé a bheag nó a mhór. Tugtar lamháil don aistritheoir i gcásanna áirithe idir leagan amháin agus leagan eile ach ní hionann an lamháil sin agus imeacht ón mbuntéacs. Is malairt é. Murar féidir filleadh ar an mbunaistriúchán, an leagan ceann scríbe a thiontú ina bhunleagan agus na haonaid aistriúcháin a aithint lena linn sin, is léir nach bhfuil an dá theanga ag freagairt i gceart dá chéile.

Caithfidh an t-aistritheoir idirdhealú idir an riail dhocht agus an gnás nach bhfuil docht ach a d'fhéadfadh a bheith ina laincis ar an saothar má úsáidtear nuair nach gá é. Tá focail ann ansin nach bhfuil soiléir ó thaobh céille de. Tá focail i ngach teanga a bhfuil níos mó ná brí amháin ag gabháil leo. Féach ar an mbriathar 'discharge' a bhfuil *comhlíon*, *folmhaigh*, *díluchtaigh*, *saor*, *scaoil*, *scaird*, *urscaoil*, *sceith* ag freagairt dó sa Ghaeilge. Déantar imeartais focal ar an débhríocht sin. Is doiligh an t-imeartas a aistriú go díreach ó theanga go teanga. Bíonn easnaimh bhunúsacha freisin i ngach teanga. Ní furasta na bearnaí sin a líonadh. Ní féidir 'it' a rá i nGaeilge faoi mar nach féidir an briathar saor a úsáid i mBéarla. (Is deacair mar sin an abairt ghiorraisc ag an luchóg in *Alice's Adventures in Wonderland* a aistriú 'Found it ... of course you know what "it" means'.) Is féidir na laigí sin a shlánú ar dhóigheanna eile ach cleasanna eile teanga a úsáid. Ní mór buneilimintí teanga amháin a aistriú beag beann oiread agus is féidir ar na laincisí sin. Is ionann an ghramadach agus laincisí na teanga. Ní ceadmhach neamhaird iomlán a thabhairt orthu ach is tábhachtaí eolas a chur ar roghanna na teanga, go háirithe na roghanna a fhreagraíonn do shainairíonna na teanga.

Is é is aidhm dúinn agus muid ag iarraidh airíonna na Gaeilge i gcomórtas leis an mBéarla a aimsiú, an bhéim a chur ar na roghanna iomadúla a thugann an Ghaeilge dúinn. Feicfimid na cásanna nuair is fearr leis an nGaeilge an aidiacht ná an dobhriathar, an briathar ná an t-ainmfhocal, an t-ainmfhocal ná an clásal ainmfhoclach, an clásal aidiachtach ná an aidiacht bhriathartha agus mar sin de. Feicfimid mar sin roghanna comhréire na Gaeilge atá ar aon dul le roghanna an Bhéarla in amanna, ach atá go minic i gcodarsnacht leo. Sin an fáth a bhfuil tábhacht le dúchas na Gaeilge, na tréithe sin nach bhfuil i dteanga ar bith eile. Cad é mar is féidir na tréithe sin a aithint iontu féin i dtús báire, cad é mar is féidir iad a aithint faoi chumhdach an Bhéarla agus cad é mar is féidir an teilgean cainte atá bunoscionn leis an nGaeilge a aithint? Óir is ionann dúchas an fhocail agus dúchas na habairte a chailliúint agus an dúchas féin a ligean i ndearmad. Ní focal nó abairt amháin atá ar ceal ach an mothúchán agus an íogaireacht agus an leochaileacht a bhí fite fuaite iontu, cúinne beag de chroí an chine a ghin agus a mhúnlaigh iad go formhothaithe thar na cianta, saíocht ársa na teanga.

(b) Teicníochtaí Áirithe

Tugann an teangeolaíocht le tuiscint dúinn go bhfuil gach teanga bunaithe ar aonaid agus nach é ord na bhfocal aonair a rialaíonn an teanga ach an chiall. Tá na habairtí seo a leanas ar aon dul gramadúil de réir dealraimh : 'bhailigh sé an t-úll/d'ith sé an t-úll/dhoirt sé an díle'. Tá an briathar san aimsir chaite, forainm mar ainmneach agus cuspóir.

Is féidir freisin iad a chasadh chun clásal coibhneasta a dhéanamh, 'ba é a bhailigh an t-úll' nó chun ceist a chur, 'ar bhailigh sé an t-úll?' nó chun an fhaí chéasta a úsáid, 'bailíodh an t-úll'. D'ainneoin na gcosúlachtaí níl na briathra inathraithe. Ní féidir a rá gur 'dhoirt sé an t-úll' ná 'gur bhailigh/ith sé an díle'. Is amhlaidh le haidiachtaí atá cosúil le chéile. Amharc ar 'is furasta leis achrann a thógáil' agus 'is breá leis a scíth a ligean'. Is féidir iad a mhalartú sna cásanna sin ach ní féidir san abairt 'is furasta é a mholadh'. Ní mór ainmneach éigin a bheith ag 'breá'.

Ní leor na focail mar aonaid ghramadúla amháin ná mar chlocha an fhoirgnimh féin a thuisicnt. Ar an gcéad dul síos tá amhras ann anois faoi cad is focal ann. Ní gá cosáin chasta na teangeolaíochta a shiúl chun fealsúnacht uile an fhocail a chíoradh. Is leor a rá go bhfuil sé ann ach nach leor é. Ciallaíonn sé sin freisin nach leor gnáthfhoclóir chun eochair na teanga a aimsiú. Más fóinteach an foclóir don té atá ag gluaiseacht ó theanga dhúchais ionsar theanga iasachta nuair nach bhfuil uaidh ach focail choibhéiseacha, is lú an cuidiú é más eithne na teanga atá á lorg. Ní féidir déanamh gan focail ar ndóigh óir tá an léitheoireacht ag brath orthu. Ach cá bhfuil teorainn an fhocail. Deirtear faoin bhfleiscín, mar shampla, go gcuirtear é idir dhá réimír ach ní léir a thuilleadh (agus le fada) cá bhfuil an chéad réimír. An bhfuil réimír sna focail *borrshúil, comhphobal, comhrá, cosúil, fadsaolaí, máthairchill, méarlorg, próisobair, téachtfhuil, fíonghort, fiodhchat* nó an bhfuil siad ina gcomhfhocail? Is dócha go bhfuil *inneoinscamall, sladmhargadh, taraifchuóta* ina gcomhfhocail. Cad faoi *imní* (im-shníomh) nó *claochlaigh* (claon-chló) nó *adhall* (do-aidlea) nó *déirc* (Dé-searc) nó *amhras* (aimh-imreas)? Cad is fiú é i dtaca le ciall de i bhfocail amhail an t*Ard-Aighne* agus an t*Ardeaspag*, an *príomh-aire* agus an *príomhchigire*. Tagann cúrsaí foghraíochta i gceist i gcás an phríomh-aire ach ní cinnte go gcuideoidh an fleiscín leis an bhfuaim cheart. Má chuidíonn féin, cuireann sé go mór le deacrachtaí an léitheora agus ní áirím an scríbhneoir ná an t-eagarthóir féin.

Tá tábhacht leis an aonad teanga (nó aonad aistriúcháin) toisc go bhfuil treoir le fáil ann nach bhfuil le fáil san fhocal féin. Má chuimhnímid ar an gcomhartha a chuireann an chiall in iúl trí scéal éigin atá comharthaithe (coincheap nó nóisean nó idé) le fuaim (focal, friotal) a chomharthaíonn, is é an chiall agus aistriú na céille an chloch is mó ar a phaidrín ag an aistritheoir nó ag an gcainteoir sa Ghaeilge. Sin an tseoid (nó an luach) atá le tochailt aige agus le hiompar aige trí mheán an dara teanga. Ní focail atá le haistriú ach smaointe. Má thugtar *briseadh tríd* mar aistriúchán ar 'breakthrough' is doiligh locht a fháil air. Ní raibh an focal ann go coitianta i mBéarla féin ach tar éis an chogaidh mar a bhí an focal 'guideline' - líne threorach trí mhianaigh na gcladach - atá anois chomh tábhachtach i gcúrsaí Comhphobail, ní chun daoine a shábháil ó mhianaigh ach bunphrionsabail a leagan síos. Tugtar *treoirlíne* air agus ciall eile ar fad ag gabháil leis anois.

Ach bhí rian an Bhéarla le brath riamh anall ar théarmaí na Gaeilge. Deirtear *dúch Indiach* ('Indian ink') bíodh is ón tSín atá sé ('encre de Chine' sa Fhraincis) agus *arbhar Indiach* ('Indian corn') bíodh is ó Mheiriceá atá sé. Tarlaíonn coimhlintí mar sin go minic sa traslitriú ó theanga go teanga. Cailltear cuid den bhunchiall. An *réiteoir* ('referee') ní duine é a réitíonn ach duine a ndéantar tagairt dó, a gcuirtear ceisteanna faoina bhráid. *Cloigtheach* ('belfry') a úsáideadh riamh cé nach 'bell' atá i gceist go bunúsach ach túr cosanta, ón nGearmáinis (*bergen* + *friede*). Sin an fáth go dtugtar *fear tuarastail* ar 'journeyman', nach bhfuil baint aige le turas ach le pá don lá oibre.

An dtuigtear mar an gcéanna gur Béarlachas dosheachanta é *tá an scríobh ar an mballa* nó an Béarlachas gonta íon é sin? Ní ar mhaithe le ceachtanna scríbhneoireachta ná mar chomharthaí cinniúna a bhí ballaí in Éirinn. Dá bhrí sin, ní furasta an meafar sin a bhreith i nGaeilge, go háirithe nuair atá leithéidí *tá an cluiche air* nó *tá sé réidh ach a rácáil*. Is deacair *fiosrúchán isteach sa scéal* a mhaitheamh óir is féidir *an scéal a fhiosrú* a rá, bealach níos gonta agus níos dúchasaí. Is dócha gur féidir a mhaíomh go luíonn *an bád a luascadh* ('to rock the boat') le dúchas na Gaeilge. Cad faoi théarmaí (siontagmaí) nua. Tháinig 'task force' isteach sa Bhéarla sa dara cogadh domhanda freisin. *Tascfhórsa* a thugtar air. *Aicíd inchinne* atá in EID ar 'brain disease'. Ar cheadmhach, ar nós *tascfhórsa, inchinndísciú* a thabhairt ar 'brain drain' nuair is imeacht daoine éirimiúla atá i gceist? Tugtar *donán / cláiríneach / loiceadh* in EID ar 'lame duck'. Nárbh fhearr *lacha bhacach* féin toisc go gciallaíonn an téarma anois duine atá ar neamhbhrí agus é ag tarraingt ar dheireadh a théarma.

Feicfimid ar ball a mhinice a úsáideann an Béarla réamhfhocal nó dobhriathar ar dhóigh dhíomhaoin sa mhéid nach gá an focal díomhaoin a aistriú chun ciall an Bhéarla a aistriú. Abairt eile atá an-choitianta i gcomhrá poiblí an lae, is ea 'off the record' (a taifeadadh den chéaduair i 1926). Tá *as an taifead* agus *thar an taifead* feicthe agam le déanaí nuair ab fhearr go *neamhoifigiúil* nó *faoi choim* nó *i modh leathrúin*. Sampla den trasuíomh idir an dá theanga ó abairtín dhobhriathartha go dobhriathar. Ní gá gach roinn chainte a aistriú go díreach mar atá sé. Feicfimid ar ball cuid de na deacrachtaí a bhaineann le 'get' an Bhéarla go háirithe nuair atá réamhfhocal ina theannta. Ach is doiligh *faigh tríd go* ('get through to') a thuiscint gan tuiscint éigin ar an mBéarla. Braitheann an Ghaeilge ar an gcomhthéacs, más teagmháil fhisiceach nó tathant intleachtúil atá i gceist.

Is sampla maith é den iarracht atá le déanamh chun an leagan cuí Gaeilge a aimsiú. Is é an smaoineamh mar a thuigtear i nGaeilge é nach mór a aistriú. Agus tiocfar ar an smaoineamh sin tríd an aonad aistriúcháin. Ciallaíonn an t-aonad aistriúcháin an chuid is lú den abairt ina bhfuil comharthaí fite fuaite ina chéile chomh dlúth sin nach féidir iad a aistriú ar leithligh. Tá ceithre chineál aonad ann:

(a) an t-aonad feidhmiúil a bhaineann leis an bhfeidhm ghramadúil: tá/ a mháthair/ ina cónaí/ in aice leis/ an séipéal.

(b) an t-aonad séimeantach nuair atá aonad céille ann: i láthair na huaire, ar an toirt, d'aon toil, ina dhúiseacht.

(c) an t-aonad loighiciúil nó réasúin atá mar nasc idir dhá chuid den urlabhra: toisc, dá bhrí sin, agus.

(d) an t-aonad intriachta: breast tú, bail ó Dhia ort.

Cén caidreamh atá ann mar sin idir na focail atá ar an leathanach agus an t-aonad aistriúcháin? Arís tá trí chineál ann. Ar an gcéad dul síos tá an bunchaidreamh nó an caidreamh simplí nuair is ionann gach aonad agus focal agus nuair atá an caidreamh sofheicthe. Na bunabairtí a úsáidtear i múineadh teanga atá i gceist nuair a sheachnaítear aon bhlas den íomhá nó den mheafar. San abairt 'John is standing on the ground' is féidir gach focal a aistriú focal ar fhocal: *Tá Seán ina sheasamh ar an talamh*. Cinnte ardaítear go leor ceisteanna faoi ábhar na habairte. Cá háit a bheadh sé ina sheasamh ach ar an talamh. Tugann an cheist intinne sin le fios go bhféadfadh aonad meafarach nó eile a bheith laistiar den abairt ghonta? Cá bhfios ar bhonn na habairte sin amháin. Má chuirtear 'moral' roimh 'ground' feictear ábhar an amhrais. Ach is léir a dheacra atá sé lomabairt a rá i nGaeilge gan amhras a chorraí. Feictear láithreach i mBéarla an difear idir an abairt thuas agus 'John stands his ground'. Íomhá atá ann anois mar tá sé chomh dócha lena athrach nach bhfuil *seas* ná *talamh* i gceist a thuilleadh. Agus níl de dhifear dáiríre sa Bhéarla ach an aimsir ghnáthláithreach a chasadh ina haimsir láithreach. Ní leor an aidiacht shealbhach nó an réamhfhocal a chur isteach mar ciallaíonn 'John is standing on his ground' an rud céanna. Ní lú an dúshlán atá le tuiscint an aimsir ghnáthláithreach féin a úsáid 'John is standing his ground'. Ní leor na focail a thuiscint fiú san abairt is bunúsaí chun an chiall a bhreith leat ach mura dtuigfear na focail, ní thuigfear an t-aonad agus ní fheicfear aon chiall.

Sa dara háit, tá an t-aonad nach bhfuil le ceangal le focal amháin ach atá ceangailte le roinnt focal. Aonad leathan nó fairsing atá ann. Léiríonn na samplaí seo a leanas an t-aonad a bhfuil níos mó ná focal amháin ann ach nach bhfuil ach coincheap amháin i gceist: *i gceann oibre*, *comhghairdeas a dhéanamh*, *cúrsaí reatha* nó i mBéarla, 'by hook or by crook', 'to propose a toast', 'in one fell swoop'. Is féidir *láithreach* a aistriú le focal amháin 'immediately', le dhá fhocal 'at once', le trí fhocal 'this very minute' agus mar sin de ach is é an t-aonad séimeantach céanna i gcónaí é. Ní hionann an t-aonad é *comhairle in aice le do thoil* a thugtar in EID ar 'wishful thinking'. Feictear an t-aonad sin i gcomhfhocail, *miontuairiscí* ('minutes') nó *sainmhíniú* ('define') agus i bpéire, *nós imeachta* ('procedure') nó *agallamh beirte* ('dialogue') ach is leor an gnáthfhoclóir nó bunchiall don dá theanga chun an t-aonad seo a láimhseáil. Tá trí phríomhchineál ann atá le fáil go minic san eolaíocht shóisialta/eacnamaíoch nó i bhfoclóir na ríomhaireachta : aidiacht + ainmfhocal, *iomaíocht éadrócaireach* ('ruthless competition'); ainmfhocal + ainmfhocal (nó dhó), *staidéar indéantachta* ('feasibility study') a ndéanann an Ghaeilge comhfhocal de go minic, *néarchill* ('nerve cell'); agus briathar + cuspóir, *fáilte a fhearadh* ('give a welcome') nuair nach bhfuil ach aonad amháin céille ach níos mó ná focal amháin nó aonad gramadúil amháin.

Agus sa tríú háit, tá an t-aonad briste, nuair nach bhfuil san aonad ach cuid den fhocal. Sa chás seo, táimid i gceartlár shainiúlacht na teanga nuair atá an chiall ag brath go mór ar thuiscint an léitheora/éisteora, nuair nach leor an focal mar chomhartha mura bhfuil cur amach ar eithne na teanga. Amharcaimid mar shampla ar dhá abairt atá ag freagairt dá chéile: *buaileadh cúirt orthu* ('court proceedings were brought against them'). Níl de chosúlacht eatarthu ach an focal cúirt/court. Níl an briathar ná an réamhfhocal féin mar an gcéanna agus tá comhréir eile ar fad iontu. Is amhlaidh mar atá in dhá abairt amhail *ag ceartas le duine* ('vying with someone in dodging work'), nuair is léir nach ionann ar chor ar bith an t-aonad sa dá theanga ach iad ag imeacht ar fad óna chéile.

Tá na trí chineál aonad sin measartha gonta. Ní mar sin atá na haonaid i gcónaí áfach. Is féidir grúpaí focal eile a shamhlú. Tá grúpaí focal a bhfuil aontacht áirithe iontu agus is ar na habairtí sin is túisce a thagann aird an aistritheora: *baineadh siar asam*, ('I was taken aback'); *idir shúgradh is dáiríre* ('half joking, whole in earnest'); *ar mhuin na muice* (nó *ar do sháimhín só*), ('on the pig's back'); *marcaíocht a dhéanamh* ('to go for a ride'). Is iad an cineál abairtí atá ag beagnach gach Gaeilgeoir má tá eolas ar bith aige ar an teanga. Is é ceann de chuspóirí an tsaothair seo lón abairtí an ghnáthchainteora a mhéadú.

Ansin tá grúpaí nach bhfuil an gaol céanna eatarthu, a bhfuil an cur chuige an-chosúil idir an dá theanga ach amháin go bhfuil miondifear maidir le cuid amháin den abairt. Mar shampla nuair nach ionann an aidiacht: *eiteach dearg* ('flat refusal') nó *thug sé dubh is daite dó é* ('he gave it to him hot and heavy'); nuair nach ionann an réamhfhocal: *chuir sí síos greadlach phrátaí* ('she put on a huge pot of potatoes'); nuair is clásal aidiachtach sa Ghaeilge *tá sé ina lánrith arís* agus aidiachta i mBéarla ('he's as active as ever'); nó *tá léas ar a shaol aige* ('he bears a charmed life'); nuair is ainmfhocal a úsáidtear i nGaeilge mar a bhfuil aidiacht i mBéarla; *thug sé sceimhle den teanga dó* ('he gave him a severe talking to'); *le haon chorp eagla* ('through sheer terror'), nó *le barr contráilteachta*, ('through sheer perversity'); nuair is briathar eile ar fad a úsáidtear ó theanga go teanga: *prátaí a thoghadh* ('to sort/gather potatoes'). Tá abairtí freisin a bhfuil éagsúlacht leagan ag gabháil leo, mar shampla san abairt Bhéarla 'he beat me hollow'. Tá leagan nach n-athraíonn ach an aidiacht: *bhuail sé caoch mé*; tá leagan a athraíonn an briathar agus an aidiacht agus a dhéanann an briathar neamhaistreach: *bhuaigh sé caoch orm*; agus tá an tríú leagan a théann níos faide arís: *rinne sé ciseach díom*. Tá an briathar athraithe, tá ainmfhocal in ionad na haidiachta agus is modh neamhaistreach é chomh maith.

Is ar éirim an aonaid atá san abairt atá brí an aistriúcháin le haimsiú. Ní ceist eolais ar an teanga cheann scríbe, is é sin an sprioctheanga, ná tuiscint ar shaibhreas na teanga sin amháin atá tábhachtach ach an ghéarchúis, an t-airdeall, an síorfhaireachas. Tá teangacha an domhain sa mhullach ar a chéile chomh mór sin ar na saolta seo nach fios don ghnáthdhuine i gcónaí cá bhfuil tús agus deireadh a theanga féin. Agus ní hionann acmhainní gach teanga ná líon na bhfocal ná solúbthacht na comhréire. Sa Fhraincis tá an foclóir faoi smacht níos déine agus is cúinge an raon atá ceadaithe maidir le hord na bhfocal. Tá an ghramadach níos údarásaí ná an Béarla mar shampla. Agus anuas air sin, tá a fhealsúnacht féin ag gach teanga, cuid acu níos teibí, níos meitifisiciúla, níos teimhní ná a chéile. Is mó an bhearna freisin idir an teanga bheo agus an teanga scríofa, idir damhna na teanga agus a hinniúlacht laethúil. Tá a gcuid aonad féin ag gach teanga. Ní hionann sin is a rá nach mór na focail féin a aithint freisin. Luíonn sé le ciall nach n-aithneofar an t-aonad mura n-aithneofar an focal. Má dhéantar tagairt don *olltáirgeacht intíre* ní mór a aithint gur 'siontagma' atá ann agus nach féidir na heilimintí san aonad a dheighilt óna chéile. Caithfear na héagsúlachtaí a dhealú ó na cosúlachtaí go háirithe nuair is dhá theanga dhifriúla ó thaobh staire agus saíochta iad an Ghaeilge agus an Béarla.

Is dócha go bhfuil an caidreamh céanna a bheag nó a mhór idir an Béarla agus an Ghaeilge agus an caidreamh atá idir aon dá theanga chomharsanacha. Tagann siad le chéile anois is arís agus is maith ann na cosúlachtaí ach is minic nach mar sin atá. Nuair atá dhá theanga róchosúil le chéile, mar an Spáinnis agus an Iodáilis, is rófhurasta na comharthaí coiteanna eatarthu a mheascadh suas. Is míbhuntáiste é cosúlacht an ionannais. Ach níl ceachtar den dá theanga faoi bhagairt ag na cosúlachtaí. Níl ceachtar acu faoi ionsaí buan ag uirlis idirnáisiúnta agus ar maos san impireacht ollmhór chultúrtha ó mhaidin go hoíche. Tá gnátheolas an ghnáth-Ghaeilgeora ar an mBéarla chomh maith sin go bhfuil gnátheolas an ghnáth-Ghaeilgeora ar an nGaeilge ar sileadh gan fhios dó. Caithfidh sé bheith san airdeall faoi na focail is iondúla ina bhéal agus chuige sin ní miste greim a fháil ar ais ar chumhacht na Gaeilge.

Ar an drochuair is é an Béarla an pointe tagartha. Is doiligh don Ghaeilgeoir an pointe tagartha sin a fhágáil ina phointe tagartha amháin agus gan smacht iomlán a fhágáil aige ar bhríonna uile na Gaeilge. Más féidir leis de réir a chéile an córas tagartha sin a chlaochlú, cló agus cruth na Gaeilge a chur ar chló agus ar chruth an Bhéarla, aonaid aistriúcháin Ghaeilge a chur in ionad na n-aonad aistriúcháin Béarla, bheadh ábhar dóchais ann. Mar a thuigeann sé gurb ionann bheith *ar mhuin na muice* agus rath agus suaimhneas a bheith air, tuigfidh sé gan mhoill nach bhfuil comhréir na Gaeilge agus dúchas na teanga ag dul sa mhuileann air a thuilleadh. Cad é mar is féidir an cuspóir sin a bhaint amach?

(c) Cur Chuige Díreach

Tá seacht mbealach ann, trí cinn a bhaineann leis an aistriúchán díreach agus ceithre cinn atá indíreach. Is féidir in amanna sleamhnú go díreach ó theanga amháin go teanga eile toisc go bhfuil siad comhthreomhar maidir le struchtúr nó maidir le coincheap de. Mura bhfuil siad ar aon dul le chéile go baileach, tá seans ann an t-aonad aistriúchán a iompú le habairt atá ar comhbhrí. Ceaptar go bhfuil an-chosúlacht idir na gnáthmheafair i gcuid mhór de theangacha na hEorpa toisc go bhfuil a bhformhór fréamhaithe sa talmhaíocht. Feic mar shampla *eileatram* ón Laidin 'feretrum' arbh ionann agus an *cróchar* féin a bhí seasmhach. Ach toisc go raibh sé cosúil le *bráca* nó *cliath fhuirste* i gcruth, tugadh 'herse' ('harrow') sa Fhraincis air agus dá thoradh sin 'hearse' i mBéarla. Os a choinne sin, áfach, tarlóidh sé minic go leor nach bhfuil aon droichead idir an Ghaeilge agus an Béarla, nach féidir focal ná aonad a aimsiú a théann caol díreach go dtí bunchiall na teanga eile. Ní hionann sin is a rá nach féidir rialacha a cheapadh chun cuidiú leis an díreach a chur ar an gcam. Bíodh an bealach ag dul ar fiarlaoid féin, is ionann é agus an fear atá ag iarraidh fuarlach a sheachaint. Feiceann sé an ceann scríbe, feiceann sé nach fiú an cosán díreach a ghlacadh ach baineann sé an sprioc amach mar sin féin.

(i) Bealach na hIasachta nó an Traschuir ('transference')

Tá gach teanga lom lán d'fhocail iasachta. Feic mar shampla an liacht samplaí a thugtar in *Stair na Gaeilge* (1994). Tá cur síos freisin in *Teangeolas* (uimh. 30 agus 31, lch 12) ar nua-iasachtaí sa nuathéarmaíocht ag Íosold Ní Dheirg. Tháinig cuid mhaith chugainn uile ón bhfoinse chéanna. Bhí an teacht isteach chomh formhothaithe sin de ghnáth nár tuigeadh don úsáidire go raibh focal iasachta ina bhéal, mar shampla *ceist, údar* agus *ór* ('quaestio', 'auctor' agus 'aurum' na Laidine) agus *bainne, nós* agus *saint* (ón mBreatnais). Le tamall de bhlianta anuas is de sciúird reatha anall chugainn atá siad ag teacht agus cuireann siad eagla orainn. I 1900, ceaptar go raibh míle focal nua ag teacht isteach sa Bhéarla in aghaidh na bliana. Anois tá suas le fiche míle. Ní focail iasachta amach is amach a théann i gcion mar sin orainn ach focail a dtugtar ciall nua dóibh. Cloistear go minic an tagairt i mBéarla do 'that awful word *subsidiarity*' (*The Irish Times*, 4 Samhain 1995, mar shampla) mar a bhí ardsagart an Bhéarla, H. W. Fowler ag tabhairt 'an ugly word' ar 'television' i 1936, amhail is dá mba ghá an béal a sciomradh i ndiaidh é a rá. Tugann Diarmaid Ó Sé 'monstrosity' ar *an Ciúin-Aigéan* (*Teangeolas*, uimh. 29, 44). Ní hé an focal a scanraíonn ach an coincheap taobh thiar de, an comhartha a chuireann sé in iúl. I dtaca le ceolmhaireacht de is aoibhne i bhfad mar fhocal é ná 'asceticism' agus chomh haoibhinn céanna le 'embryotoxicity'. Is é an chiall úr atá ag cur as do dhaoine go háirithe i ndomhan an Bhéarla. Aon Ghaeilgeoir a raibh cur amach aige ar imlitreacha an Phápa sna tríochaidí, b'eol dó go raibh an focal *coimhdeacht* ann agus an chiall a bhí leis. Tagann sé ó *coimdiú* (*tiarna*) agus is gealchroíoch an chiall a cheanglaítear leis, mar shampla san *aingeal coimhdeachta*.

Tá na focail iasachta ag teacht isteach chomh sciobtha sin anois nach bhfuil caoi ag aon phobal iad a thaithí agus a thástáil. Thar oíche tá focail nua ar na gaobhair, i mbéal an phobail, gan an pobal an t-ionú a fháil iad a chriathrú mar a rinneadh riamh anall agus cruth na teanga féin a bhualadh orthu. Tá sé seo fíor ach go háirithe ó tharla forbairt chomh hiontach sin ar na meáin chumarsáide agus ar chúrsaí ríomhaireachta. D'fhoilsigh An Gúm *Téarmaí Ríomhaireachta* i 1990 ach níl 'internet' ná 'web' ann. Ceapadh téarmaí nua ansin chun an domhan nua a rianú toisc gur ceapadh nár leor an foclóir a bhí ar fáil cheana agus anois tá an gnáthshaol á bhá ag an teanga aduain seo nach dtuigeann gach duine a úsáideann chomh fonnmhar í. Agus tá an foclóir seo ag méadú gan staonadh, teanga nua ar fad nach bhfuil ciall ar bith sna focail ach amháin gur téarmaí iad, lipéid sho-aitheanta, comharthaí iad don eolach.

Is modh an-áisiúil mar sin modh na hiasachta. In amanna fanann an focal faoina chulaith féin. Ba thearc an duine a thuigfeadh fiche bliain ó shin cad is ciall le *solidarnosc, glasnost, perestroika* ach tá siad chomh gradamach sin gur cuid de theanga uilíoch iad nach gá a aistriú. Má dhéantar iad a aistriú, ceaptar go gcailltear an blas coimhthíoch ar leith sin a thugann ciall don chomhartha sainiúil atá lonnaithe iontu. Is amhlaidh don iliomad téarmaí ón bhFraincis: 'amour propre', 'arriviste', 'impasse', 'démarche', 'reprise', nó ón Laidin: 'a fortiori', 'erga omnis', 'sui juris'. Ní chuirtear an doicheall céanna roimh fhocail iasachta seachas an Béarla. Is leor traslitriú ansin. Ní furasta 'sideburns' a thraslitriú óir tagann sé ón sloinne 'Burnside' a iompraíodh droim ar ais in imeacht na mblianta. (Tharla an t-iompú céanna idir 'walkie-talkie' an Bhéarla agus 'talkie-walkie' na Fraincise ag tús an dara cogadh domhanda).

Ar ndóigh tá an Ghaeilge breac le focail iasachta go háirithe ó tá an Coiste Téarmaíochta ar a dhícheall cló na Gaeilge a chur ar théarmaí teicniúla den uile chineál ón talmhaíocht go dtí an eolaíocht. Ní hionadh ar bith an méid seo ó Dhónall Ó Baoill:

> Tá an-chuma ar fad ar na téarmaí a bhaineann le cúrsaí farraige, feirmeoireachta agus bia. Is léir mínádúrthacht a bheith ag baint le téarmaí sna réimsí seo a leanas - codanna de rothar/ghluaisteán, páirteanna stiúideo agus téarmaí spástaistil. (*Teangeolas*, uimh. 28, 23)

Is é an deacracht anois na focail sin a tharraingt isteach i ngnátheolas na teanga agus iad a chur á láimhseáil faoi chuingeacha na gramadaí. Toisc go bhfuiltear ag plé go minic le foclóir teicniúil nach dtuigtear go hiomlán ar an gcéad dul síos, ní furasta an focal Gaeilge a bhrú anuas ar chnapán an neamheolais. Tá deacracht eile ann i dtaca le Gaeilge de fad a bhaineann le focail iasachta. Tá fadhbanna deilbhíochta sa Ghaeilge nuair atá tús agus foirceann an fhocail faoi réir ag rialacha gramadaí ionas gur lú an mhínádúrthacht a bhaineann leo. Déanann sé an-deacair focail nua a shú isteach i ngnás na Gaeilge, go háirithe nuair nach dtugtar aon treoir mar gheall air. Is dócha nach dtugtar aon treoir toisc nach n-oirfeadh rialacha amscaí ghramadach na Gaeilge don oiriúnú atá le déanamh chun na téarmaí nua seo a lonnú go nádúrtha sa teanga. Tugtar neamhaird ar an oiriúnú gramadúil agus comhréire a bheadh riachtanach agus fágtar leathcheann ar ghnó na téarmaíochta.

Na focail a tháinig chugainn ón Laidin tá siad caillte faoi mhúnla na Gaeilge féin. Is beag duine inniu a thabharfadh *feascar* ar an tráthnóna, cé go bhfuil *feascar* agus *feascardha(cht)* ('late(ness) in the evening') i

bhFoclóir an Duinnínigh, mar aon le *coinfheascar* a bhfuil teacht air in
FGB faoi *coineascar*. Tá rian na Laidine báite faoi riocht na Gaeilge agus
ní léir go bhfuil baint idir *coineascar* nó *feascar* agus 'vespers' an Bhéarla.
Tá lorg an chreidimh ar na hiasachtaí ón Laidin go minic agus mar a
tharla i gcás *coineascar* tá gné an chreidimh ar iarraidh san fhocal atá
ar eolas againn. Tá an focal *eadra* bainteach le saol na tuaithe. Tá roinnt
abairtí dúchasacha *cuid an daimh den eadra* nó *codladh go headra* nó *ní
théann na paidreacha agus na headraí le chéile* a chuireann síos ar
fhealsúnacht an phobail a chleacht an Ghaeilge agus a thaispeánann na
pointí tagartha a bhí acu. Ach taobh thiar den chiall tuaithe tá rian den
chreideamh atá caillte. Sular tugadh an t-am eadra ar uair bhleán na
mbó bhí na trátha ann, paidreacha na maidine. Ansin bhí an tráthnóna
ann chomh maith leis an gcoineascar: tráth 'nones', naoú huair an lae
agus am don urnaí arís. Tá dhá chúlra an traidisiúin fite fuaite ina chéile
sna focail iasachta anallód: an creideamh agus an talmhaíocht. Ba
chomhartha shláinte na Gaeilge dá mbeadh ar a cumas na focail nua a
shlogadh isteach sa chóras teanga chomh sciobtha agus is gá ar na saolta
seo. Ar ndóigh níl sé cinnte go nglacfaí anois le focal a bhfuil seasamh
na gcéadta acu dá dtiocfaidís isteach thar oíche. An nglacfaí le *bean rialta*
anois a bhfuil impleachtaí na mírialtachta ann nuair ab fhusa *bansagart*,
dá dheacra féin fós na constaicí diagachta? Cén fáth a leithéid de chur
síos díomhaoin sa bhreis go háirithe nuair is mná atá i gceist? Os a
choinne sin, tá focail amhail *banaltra* nó *banóstach* faoi amhras ar na
cúiseanna céanna. Agus féach mar a ceanglaíodh tréithe áirithe na
seandachta amháin le *cailleach* (bean go *caille*) agus gur beag naofacht
a ghabhann leis an bhfocal níos mó.

Níl aon fhoinse is flúirsí d'fhocail iasachta le tamall de bhlianta ná an
tAontas Eorpach. Ní focal nua atá ann dáiríre ach ciall nua a thabhairt
d'fhocail a bhí ann nó béarlagair a dhéanamh díobh. Bhí *comhfhogasú*
('approximation') agus *comhchuibhiú* ('harmonization') agus
coimhdeacht agus *léirscaoileadh* ('liberalization') agus *beartas* ann
cheana ach tá ciall sheasta ag gabháil leo feasta, go háirithe i
gcomhthéacs na hEorpa. Ní féidir iad a sheachaint. Is é an trua fós é gan
stádas níos fearr a bheith ag an nGaeilge i ndáil chomhairle na hEorpa
agus bheadh na cáipéisí den uile chineál (agus ní na doiciméid
thromchúiseacha amháin) á n-aistriú go Gaeilge. Is é cuspóir an Choiste

Téarmaíochta focail agus téarmaí nua-aoiseacha a chur ar fáil chun freastal ar an riachtanas ba chóir a bheith ann. Ní téarmaí nua i gcónaí a sholáthraíonn sé mar a tharla gan amhras i gcás na dtéarmaí ríomhaireachta nach raibh ann i dteanga ar bith fiche bliain ó shin. Ach i gcásanna eile, amhail an *Foclóir Talmhaíochta* (1987) ón nGúm, is seantéarmaí den chuid is mó atá á n-aisiriú aige, cuid de shaibhreas mion na téarmaíochta ársa á cur ar ais i ngnáthúsáid.

(ii) Bealach na Rianaireachta

Déantar múnla na bunteanga a leanúint go dílis sa sprioctheanga mar a dhéanfaí imlínte léarscáile a rianú ó pháipéar amháin go páipéar eile. Ag aithris ar an mbunteanga atá an dara teanga. Is aithris friotail é óir níl teacht ag an dara teanga ar an gcoincheap atá á chomharthú. Má deirtear sa Phléimeannais go bhfuil polaiteoir éigin tar éis 'spectacular comeback' a dhéanamh ní gá aon eolas ar an Ollainnis chun a thuiscint nach Pléimeannais é. Ní fada go gcuirfear cruth na Pléimeannaise air mar théarma agus beidh an rianú curtha i gcrích go foirfe.

Tá dhá shórt rianaireachta ann, rianaireacht an fhriotail agus rianaireacht an struchtúir. Féachann rianaireacht an fhriotail le meon na bunteanga a bhreith trína rianú ar an dóigh chéanna sa dara teanga. Is anseo is fusa na botúin Bhéarla-Gaeilge a dhéanamh. Má tá an abairt Bhéarla chomh seanchaite agus an leagan Gaeilge chomh seanchaite céanna ní thuigtear a ghreannmhaire atá an rianaireacht atá déanta. Líontar bearnaí na teanga go minic le múnlaí rianaithe.

Is é an siontagma nó an comhaonad is minice a dhéantar a aistriú ar bhealach na rianaireachta. Is ionann an siontagma agus aonad cainte a bhfuil níos mó ná focal amháin ann ach nach féidir aon chiall a lonnú in aon fhocal ina aonar, ná aon chiall nó an chiall cheart a shuíomh go dtí go bhfuil an t-aonad ar fad cloiste. Is aonad comhréireach é a bhfuil an-tábhacht leis i gcomhthéacs ghramadach na Gaeilge. D'fhéadfaí cuid mhaith de dheilbhíocht agus d'infhilleadh na Gaeilge a sheachaint ach béim níos mó a chur ar ról an tsiontagma. Tá cuid mhaith de shamplaí na rianaireachta le feiceáil i dteanga nuachumtha na ríomhaireachta agus an gheilleagair. Seo roinnt samplaí as *Téarmaí Ríomhaireachta* (1990) agus *Foclóir Staidéir Ghnó* (1989) a léiríonn an fhadhb:

córas monatóireachta ampháirtiúcháin ('time sharing monitor system') *córas bainistíochta bunachar sonraí comhtháite* ('integrated database management system')

comhairc aschuir nialasaigh ('zero output signal')

léaráid imdhála mhiondíola ('retail distribution diagram')

beartas bochtaithe na gcomharsan ('beggar-my-neighbour policy')

trealamh laghdaithe saothair ('labour-saving equipment') nó

aireagán duasheachanta ('labour-saving invention')

Ní fios cá bhfuil na comhpháirteanna. Is ionann iad agus an téarma 'criterion reference testing' nach bhfuil ciall leis ach sa chomhaonad. Is léir gurb ionann an deacracht a bhaineann leo agus a bhaineann le focail amhail 'week-end', 'fast food' agus a leithéidí i gcás na Fraincise. Níl ciall leo ach faoi riocht an tsiontagma. Is é luas na nua-aoise a chuireann leis na deacrachtaí seo. Níl an deis ag aon teanga na habairtí idirnáisiúnta a imeascadh go nádúrtha agus go comhleanúnach, ach is deacra míle uair an próiseas fáilte sa Ghaeilge toisc riachtanais na deilbhíochta. Is maith ann iad na téarmaí coibhéiseacha ar bhonn na rianaireachta, ach is baolach nach rachfar ina muinín ar chúiseanna comhréire.

(iii) An Bealach Litriúil

Seo an bealach is fusa maidir le haistriúchán de. Corruair tá an focal (téarma) céanna sa dá theanga, *cnámhleisciúil* ('bone-lazy') nó beagnach mar an gcéanna, *cruamhuinéalach* ('stiff-necked'). Corruair tá an iasacht ón nGaeilge imithe as radharc sa Ghaeilge féin, tá *sionnachuighim* (óna dtagann 'shenanigan') sa Duinníneach ach níl sé in FGB, agus níl *uailleachán* ('hooligan') i gceachtar acu. De ghnáth, tá focal amháin nó níos mó sa sprioctheanga a fhreagraíonn go díreach don fhocal sa bhunteanga: *chuaigh mé chuig an aonach* ('I went to the fair'); *cá bhfuil an fuisce?* ('where is the whiskey?'); *an bata lena bhuaileadh é* ('the stick he was beaten with'). Is réiteach simplí an bealach litriúil. Is féidir na habairtí a iompú droim ar ais gan aon phioc den chiall a chailliúint. Níl aon chuid den rogha ag baint leis. Níl le déanamh ach focal a aimsiú don fhocal eile. Ba leor an foclóir chuige sin ach an t-eolas a bheith agat cad iad na focail nach bhfuil ach aistriúchán litriúil oiriúnach dóibh. Agus sin leoga an buntáiste a bhaineann leis an gcéad fhoclóir, an foclóir nach bhfuil ann ach na focail a fhreagraíonn go litriúil d'fhocail sa teanga eile. Tá deacrachtaí ceilte anseo freisin gan amhras mar is léir ón úrséal de chuid John Updike, *Memories of the Ford Administration*, nuair a bhíothas ag iarraidh teacht ar leagan Fraincise. Níor oir an leagan litriúil mar gheall ar chúrsaí tráchtála. D'fhéadfaí mar sin '*Banríon an Mhí-eagair*' ('Queen of Disorder') a thabhairt air (mar a thugtar ar an gcéile san úrscéal) ach 'La Parfaite Épouse' ('The Perfect Wife') a thugtar mar aistriúchán, toisc gur fearr, arís ó thaobh tráchtála, an bhéim a chur ar shíocháin na lánúine. Aistríodh teideal an scannáin 'Chariots of Fire' go lom díreach litriúil go dtí 'Chariots de feu', a thugann *tralaí* le tuiscint agus ní *carbad*. *feu*

Ach is sa ghné seo den chaidreamh idir an Ghaeilge agus an Béarla atá an baol is mó. D'fhéadfaí a shamhlú na laethanta seo gur síolraíodh an dá theanga bonn ar bhonn agus gur tearc an cás nach bhfuil cúlra sochultúrtha an dá theanga mar an gcéanna. Níl aon amhras ná gur tréimhse dhátheangachais (sa chiall is ginearálta) atá ann i dtaca leis an dá phobal le céad bliain anuas nó níos mó. Is é is ciall leis sin gur beag athnuachan a bhí ar siúl laistigh den Ghaeilge i gcaitheamh an ama sin. Pé athnuachan a bhí ar siúl, ba athnuachan sa chiall is bunúsaí den fhocal é, athdhúiseacht. Ach cuisle inmheánach na Gaeilge ní raibh sí ag preabadh ach ar éigean. Ba bheag neamhspleáchas intleachtúil nó urlabhrúil a bhí sí in inmhe a fhorbairt san am sin. An t-aon éacht atá déanta ó bunaíodh an stát a chuir go mór le treise agus seasamh na Gaeilge agus nár tugadh aird ar bith uirthi nuair nár caitheadh drochmheas uirthi, ba é bunú agus forbairt na teanga foirmiúla in obair Rannóg an Aistriúcháin. Is ceart a lua gur saothraíodh an téarmaíocht nua-aoiseach sna nuachtáin, sna hirisí agus sna téacsleabhair scoile freisin agus gur foinsí an-luachmhara iad de théarmaí in úsáid.

Ach pé cosúlachtaí atá ann maidir le smaointe agus struchtúir idir an dá theanga toisc an urlabhra cheannann chéanna a bheith á roinnt eatarthu le tamall áirithe, ní mór bheith an-chúramach gan dul thar fóir leis an nóisean go bhfuil na cosúlachtaí ann i gcónaí. Aithnítear go coitianta nach gá gurb ionann smaoineamh agus struchtúr an Éireannaigh agus an tSasanaigh agus iad i dtaobh leis an bhfocal céanna i mBéarla. Ní thuigfeadh gnáth-Bhéarlóir abairtí amhail 'he put in on me when I was talking', 'go there any more so', 'we made out the back door'. Is dócha nach dtuigfeadh gach Éireannach iad ach oiread ar ndóigh. Ach tá na bundifríochtaí sochultúrtha le feiceáil ansin. Sin an fáth go bhfuil an bealach litriúil chomh tarraingteach ach sin an fáth freisin nach mór bheith san airdeall agus tú ina bhun. Tá saibhreas dá chuid féin ag gach teanga. Tá codanna den fhriotal atá níos fairsinge ná a chéile. Má tá an focal 'flood' agat i mBéarla is cinnte go bhfuil an t-uafás uisce i gceist. Ach chun é a aistriú go litriúil go Gaeilge an fearr *díle* nó *tuile* nó *fuarlach* nó an bhfuil difear eartarthu? Agus tabhair faoi deara an bhundifríocht seo: ní foirm dhiúltach i dtaca le ciall de *ní foláir* (diúltach dúbailte atá ann 'it is not unnecessary') agus *ní mór*, ach ciall dhiúltach ag *is cuma*. Bhí *is foláir* féin ann tráth ach thit sé i léig. Is léir ó na samplaí sin gur neamhhionann go bunúsach saintréithe friotail na Gaeilge agus saintréithe friotail an Bhéarla.

Na trí bhealach sin, ní bhaineann aon deacracht ar leith leo. Ní hionann sin is a rá nach bhfuil gá le tuiscint don teanga agus dá fochialla agus dá cialla ceilte. Ní leor bheith in ann foclóir a bhreith ar láimh agus an t-aistriúchán focal ar fhocal a dhéanamh. Ach ní gá aon chur chuige speisialta. Is ar an mbonn sin amháin is féidir an t-aistriúchán uathoibríoch a bheartú. D'fhéadfaí é a shamhlú freisin i gcás roinnt áirithe téacsanna idirnáisiúnta mar nach bhfuil aon scéala i gceist ach an cur síos lom ar chruinniú, nach bhfuiltear ag iarraidh fobhríonna a léiriú agus nuair a thuigtear do chách roimh ré cad atá ann. Ní bheadh i gceist go litriúil ach culaith amháin a chur in ionad culaith eile. Cuirtear an buntéacs i dtoll a chéile go comhpháirteach, is ón réasúnú comhpháirteach a shíolraíonn an téacs agus má tá débhríocht ann is débhríocht d'aon turas é nó débhríocht a sháraíonn ar lucht déanta an téacs a sheachaint. Níl le déanamh ag an aistriúchán ansin ach an débhríocht chéanna a chinntiú. Agus níorbh fhearr chuige sin ná an t-aistriúchán uathoibríoch. Má theastaíonn ó gach teanga an téacs a fheiceáil ar an gcuma chéanna, ar an bhfad céanna, ar an leagan amach céanna, ar an líon céanna leathanach, míreanna agus abairtí, b'fhearr gan an t-aistriúchán a chur de chúram ar dhuine a bhfuil éirim aigne aige agus eolas measartha cruinn aige ar na teangacha i gceist.

(d) Cur Chuige Indíreach

Ach a thúisce deireadh a bheith tagtha le héifeacht an aistriúcháin litriúil, is gá an bealach indíreach a úsáid. Cad é mar is eol dúinn go bhfuil deireadh tagtha le héifeacht an bhealaigh dhírigh? Is léir nach bhfuil an t-aistriúchán litriúil so-ghlactha mura dtugann sé aon chiall, má bhaineann sé míchiall as, nach féidir é ar chúiseanna comhréire, nach luíonn sé le sainiúlacht an dara teanga nó má tá sé cosúil ar dhóigh áirithe leis an dara teanga gan gur leor an chosúlacht chun iomláine na céille a ghabháil.

Má amharcaimid ar na samplaí seo a leanas: 'they came to the house' agus 'they came to blows', is léir gur féidir an chéad cheann a aistriú go litriúil: *tháinig siad chuig an teach* ach gur fearr gan *tháinig siad chun buillí* a thabhairt mar aistriúchán ar an dara ceann, ach amháin mar scigaithris. Chun an teachtaireacht atá sa Bhéarla a chur go Gaeilge agus blas na teanga a bhreith leat, níor mhiste leagan amhail *bhí sé ina scléip eatarthu* nó *bhí siad ag éirí cnagach le chéile.* Is minic gurb iad na briathra (focail) is coitianta agus na focail mar sin a chuireann an foghlaimeoir eolas orthu i dtosach báire nach bhfreagraíonn go furasta don aistriúchán litriúil. Is féidir 'he goes and comes as he pleases' a aistriú le *imíonn sé agus tagann sé mar is mian leis* agus is cinnte go dtuigfí an abairt toisc gur dócha go n-aithneofaí an nath Béarla faoi riocht na Gaeilge. Ach féach ar aistriúchán Gaeilge indíreach a thugann léargas ar chur chuige eile na Gaeilge ar chúrsaí an tsaoil: *tá a cheann is a chosa leis.* Feicfimid ar ball na deacrachtaí a bhaineann leis an mbriathar Béarla 'get' ach is fiú anois amharc ar shampla mar 'his eagerness got the better of him'. Tugann an abairt 'get the better of' le fios an lámh in uachtar agus níl aon ghanntanas téarmaíochta i nGaeilge chun an forlámhas nó a mhalairt a chur in iúl. Ach dá ndéarfaí *fuair a dhíograis* nó *a dhúthracht an lámh in uachtar* air nó *sháraigh a dhíograis air*, cuirtear nóisean in iúl, tugtar pictiúr nach luíonn le teilgean na Gaeilge. Loiceann meon na Gaeilge roimh an íomhá sin atá chomh nádúrtha i mBéarla. I nGaeilge déarfaí, *chuaigh ag an bhfonn ar an bhfaitíos aige.* Ní féidir an leagan sin a aistriú go litriúil go Béarla agus an chiall a chaomhnú. Baineann an dá leagan leis an gcoibhéis idir na teangacha nach ionann agus cosúlacht. Dá mbeadh an Ghaeilge ag tosú as an nua ní fhéadfadh sí an cineál nuála sin a cheapadh.

Cad é mar a thiocfaidh an foghlaimeoir ar an gcomhionannas seo? Ní cead dó a rialacha féin a cheapadh. Bíodh is go dtig leis focal nua a chumadh atá bunaithe ar aidiacht agus 'mí/neamh' roimhe mar mhír dhiúltach, *neamhálainn* nó *míthirim* mar shampla, le súil go dtuigfí iad, ba dheacra comhfhocal nua a chumadh le *adh/for* agus briathar, *adhchosain* nó *forthosaigh* mar shampla. Ní mór na seanbhealaí a

leanúint. Féach mar shampla an focal *ainéasca*. Bíodh is gur minice 'easy'
mar ghnáthaistriúchán ar *éasca*, ní thugtar in FGB ach 'slow, inactive'
mar aistriúchán ar *ainéasca*. Is amhlaidh i ngach teanga.   Nuair a
mhaígh an Meiriceánach Webster gur cheart 'lengthy' a úsáid mar
aidiacht arna bhunú ar 'length' rinneadh ceap magaidh de. Cá mbeadh
deireadh leis? Ach bhí deireadh leis ansin féin óir glacadh le 'lengthy' agus
'weighty' sa ghnáthchaint ach níor tháinig 'strengthy' ná 'breadthy' ar a
shála.   Scríbhneoirí/iriseoirí is cúis le foirmeacha nua.   Ní raibh an
aidiacht 'apolitical' ann go dtí 1952, ach má bhí *dímhorálta* 'amoral'
sásúil, cén fáth nach dtabharfaí duine *dípholaitiúil* ar sheansaighdiúr?

Fiú i gcás comhchiallach ní ceadmhach a cheapadh go mbaineann an
chomhréir chéanna leo i gcónaí.   Is é an chomhréir leoga a dhéanann
deighilt eatarthu.   Mar shampla sa Fhraincis, an dá fhocal 'sûr' agus
'certain'.   Deirtear 'sûr' faoi rudaí nó daoine a bhfuil tú ag brath orthu,
agus 'certain' faoi nithe atá ar do chumas a chinntiú. Réamhfhocail eile
a ghabhann leo beirt: 'de' agus 'dans' le 'sûr' agus 'de' amháin le 'certain'.
An abairt eile 'casser sa pipe', níl sí inathraithe.   Ní ceadmhach 'sa jolie
pipe' nó 'une pipe' nó 'cette pipe' a rá nó an abairt a chur san iolra.   Is
féidir aimsir an bhriathair amháin a athrú.   Cad chuige a ndeirtear
'workmen' ach 'walkmans', 'spick and span' ach ní 'span and spick', 'beo
beathach' agus ní a mhalairt? Baineann siad uile le dúchas na teanga.
Múintear an difear sa Ghaeilge idir *eolas* agus *aithne* agus *fios*, agus idir
iarr agus *fiafraigh* don fhoghlaimeoir féin. Ba leor foclóir na bhfocal
coibhéiseach, nach ionann agus an gnáthfhoclóir, chun an leagan ceart a
aimsiú. Tuigtear an difear idir *tost* agus *ciúnas* sa mhéid nach féidir *tá
sé ina chiúnas* a rá. Ach is féidir an cuspóir céanna a bhaint amach ach
rialacha áirithe a leanúint.   Má ghlacaimid na focail nó na haonaid
aistriúcháin agus má chuirimid faoi réir nósanna imeachta áirithe ba
cheart go dtiocfar ar an leagan ceart de réir a chéile. Má amharcaimid
ar an gcéad abairt thuas: 'they came to blows' is léir nach *teacht* sa
bhunchiall atá i gceist ach gluaiseacht san am agus pléascadh san intinn.
Bhí siad cairdiúil tráth, b'fhéidir, níl siad cairdiúil a thuilleadh agus tá
an caidreamh ag dul chun donais, chomh dona sin go bhfuil fonn troda
orthu.   Ba leor *bhí sé ina throid eatarthu* mar ní thugann an briathar
'come' sa Bhéarla aon bhreis eolais dúinn ach amháin gur tháinig
deireadh leis an tsíocháin nó an cairdeas eatarthu.   Ní mór mar sin an

coincheap a lorg, an bhunchiall atá comharthaithe sa bhunteanga agus
friotal a aimsiú sa sprioctheanga a fhreagraíonn dó. Tá bealaí éagsúla
ann chun an próiseas sin a éascú. Agus is ar na bealaí seo a leanas is mó
atá an saothar seo dírithe.

(i) Bealach an Trasuímh

Athraítear cuid den fhriotal faoin mbealach seo gan ciall na habairte
a athrú. Is féidir é a úsáid laistigh den teanga chéanna. Ní hionann na
ranna cainte atá i ngach teanga. Tugann an teangeolaíocht *saghsanna*
ar na ranna éagsúla amhail an t-ainmfhocal agus na cothroim
ainmfhocail (féach *Graiméar Gaeilge na mBriáthre Críostaí*, 12-15)
(forainm, clásal ainmfhoclach agus abairtín ainmfhoclach), saghsanna
cúnta ar an aidiacht, an dobhriathar agus saghsanna gaolmhara ar an
réamhfhocal agus an cónasc. Níl na saghsanna sin neamhspleách, áfach,
óir tá siad inathraithe i bhfianaise na hinscne agus na huimhreach (an
t-ainmfhocal, an forainm agus an aidiacht). Tugtar aicmí orthu siúd. Is
léir gur féidir deacrachtaí a eascairt sna difríochtaí idir an Ghaeilge agus
an Béarla maidir le saghsanna agus aicmí, na ranna cainte i gcoitinne,
toisc nach ionann an úsáid a bhaineann an dá theanga as na ranna cainte
éagsúla. Is é is trasuíomh ann mar sin saghas nó aicme i ngramadach
teanga amháin a chur in áit saghas nó aicme eile sa teanga eile (aonad
gramadúil amháin a chur in ionad aonad gramadúil eile): aidiacht in
ionad ainmfhocail, abairtín in ionad briathair agus mar sin de.

Tá dhá chineál trasuímh ann: an trasuíomh éigeantach agus an
trasuíomh neamhéigeantach. Tá sé éigeantach nuair nach dtig le teanga
amháin an abairt mar atá sí sa teanga eile a aistriú lom díreach mar atá
sí. Ní féidir 'whose is this' a aistriú mar atá sí ach *cé leis é seo* a rá, agus
cé aige a bhfuil an leabhar a thabhairt ar 'who has the book'. Tá sé
neamhéigeantach nuair atá rogha agat an abairt mar atá sí a leanúint
nó cruth eile a chur uirthi. Is féidir 'on rising in the morning' a aistriú le
ar éirí dom ar maidin nó le *nuair a d'éirigh mé ar maidin* ach ní féidir *ar
éirí sa mhaidin* a rá. Is minic gur leor athrú sna ranna cainte chun
trasuíomh gleoite a chur i gcrích, mar shampla: ainmfhocal in ionad
aidiachta: *bhí scóip chun reatha orthu* ar 'they were eager to race', nó
briathar in ionad aidiachta: *shantaigh sé an aimsir mhaith* ar 'he was
eager to take advantage of the good weather', nó arís ainmfhocal eile ó
theanga go teanga: 'criticising people behind their backs' i mBéarla agus

i nGaeilge *ag cáineadh daoine ar chúl a gcinn* (cé gur modhnú atá i gceist anseo freisin). Nuair a deirtear *stad sa chaint* ar 'impediment of speech', ní hamháin go bhfuil an tabharthach sa Ghaeilge in ionad an ghinidigh sa Bhéarla, ach tá friotal na Gaeilge i bhfad níos gonta mura bhfuil sé giorraisc féin. Ní féidir ord gramadúil an Bhéarla a leanúint go minic toisc go dtugtar tús áite don ainmfhocal pearsanaithe. Na habairtí seo a leanas, mar shampla: 'the year saw many changes', 'my suggestion is that you go home now', 'supper was followed by games', léiríonn siad an deighilt chomhréire idir an dá theanga nach féidir a réiteach ach le cleas aistriúcháin de shaghas eile.

(ii) Bealach an Mhodhnaithe

Seo an áit a bhfuil éagsúlachtaí na dteangacha le feiceáil níos soiléire toisc go bhfuil a pointe tosaithe féin ag gach teanga. Amharcann sí ar eachtraí an tsaoil faoi choimirce na dtionchar a d'oibrigh uirthi riamh anall. Ciallaíonn sé sin go gcaithfidh an t-aistriúchán cuisle an dara teanga a shroicheadh. Má theipeann air teacht i dteagmháil le meon dílis an dara teanga nó má chuireann sé an dara teanga as a riocht, is cinnte gur drochaistriúchán atá ann, bíodh sé chomh ceart baileach ó thaobh gramadaí agus is féidir. Tá fógra trítheangach le feiceáil sa Bhruiséil ó thús na bliana 1995 chun aontachas na dtíortha nua a chomóradh agus léiríonn sé go beacht cuid den mhodhnú agus cuid den trasuíomh: '15 in Europe/Europe à 15/Europa met 15'. Is léir cheana úsáid dhifriúil an réamhfhocail agus ord na habairte ag athrú ó theanga go teanga.

Mar atá sa trasuíomh, tá an modhnú éigeantach agus an modhnú neamhéigeantach ann. I gcás na Gaeilge, mar shampla, ní mór an briathar a chur ag tús na habairte de ghnáth, ord áirithe a leanúint sa chuid eile den abairt agus na haonaid ghramadúla a choimeád i gcoibhneas le chéile ar dhóigh nach ionann agus an Béarla. Má chuireann an oibleagáid seo isteach ar fhoghlaimeoirí na teanga ní fada gur furasta leo an t-eagar sin na Gaeilge a chleachtadh. Ach ní bhaineann an modhnú le deilbhíocht na teanga. Baineann sí le fealsúnacht na teanga, ní sa chiall go bhfuil aon fhealsúnacht fhoirmiúil i gceist, ach sa mhéid go bhfuil dearcadh ar leith i gceist, gur tosca ar leith a mhúnlaigh an Ghaeilge agus a d'fhág na saintréithe uirthi is eol dúinn, go bhfuil peirspictíocht shainiúil aici. Má bhaineann an trasuíomh le ranna cainte, baineann an modhnú leis an aigne féin, le dúchas na teanga, leis an dearcadh sainiúil áirithe a chuirtear in iúl trí mheán na teanga sin ar dhóigh nach ionann agus aon teanga eile. Modhnú intinne (meoin) atá i gceist ansin.

Má deirtear 'suppression of truth', is é *ceilt na fírinne* atá ann i nGaeilge. Más é 'lustiness of health' atá sa Bhéarla is ó aird eile ar fad a thagann an leagan Gaeilge *fothram na sláinte*. Más 'Sunday observance' atá i mBéarla, is *forchoimeád an Domhnaigh* an leagan Gaeilge. Níl aon athrú sna ranna cainte, is ainmfhocal/ainmfhocal atá ann ach is cultúr eile ar fad atá laistiar den abairt. Cé déarfadh i mBéarla go raibh *na prátaí ag gáire* toisc amháin gur phléasc siad a gcraicne nó go raibh *na barra prátaí ag dul in uabhar*. Cuireann an Ghaeilge mothú an duine in iúl in abairt mar *coirce cumhra* ('new oats'). Feictear ársacht intleachtúil na Gaeilge in abairtí mar *ag costadh síthe* ('maintaining the peace' - cé go bhfuil seasamh áirithe anois *ag coimeád na síochána*), agus *an dlí a chumhdach* ('to uphold the law'). Samplaí eile is ea: *ag cumadh* ceannairce/ceilge ('plotting/hatching'), *breitheamh lom* ('strict judge'), *bréag lochtach* ('wicked lie'), *grá mailíseach* ('illicit love'), *pósadh neamhfhiannaithe* ('clandestine marriage'), *bealach loingseoireachta* ('ocean lane'), *an creideamh a admháil* ('to profess the faith'), *i gcúirt phoiblí* ('in open court'), agus *riail agus reacht* ('law and order').

Is leor smaoineamh ar an bhfocal 'free'. Tá na cialla a bhaineann le *saoirse* i gcoitinne, agus na saghsanna cainte éagsúla a leanann ón nóisean féin. Ina dhiaidh sin, áfach, úsáidtear an focal 'free' i mBéarla san iliomad cásanna nach mbaineann ar dhóigh ar bith le *saoirse* ná leis an turas ionsar an t*saoirse*. Tá an dara gnáthchiall le 'free' a chuireann in iúl easpa costais. Ní chosnaíonn earra a dhath ar bith. Tá sé saor. Tá sé le fáil agat saor in aisce. Maidir le *saoirse* mar cháilíocht pholaitiúil, aigne, cainte nó eile, nó mar riocht eacnamaíoch, is ionann é sa dá theanga bíodh is nach ionann an chiall theibí a thug an Gaeilgeoir don nóisean saoirse agus a thug an Béarlóir, agus ní áirím an Sasanach. Ach ina dhiaidh sin, tá deireadh le comhthuiscint. 'He's free with his promises' nó 'to make free with someone', sin dhá leagan nach mbaineann le saoirse. Ní fiú smaoineamh ar aon fhoirm den fhocal *saoirse*. Aidiacht eile ar fad a úsáidtear i nGaeilge: *tá sé maith faoina ghealltanas* agus *bheith dána le duine*. Toisc nach bhfuil ann ach aidiacht eile a úsáid, is léir gur cosúla le haistriúchán litriúil nó le trasuíomh féin ná leis an mbealach modhnaithe iad. Feictear an modhnú ceart san aistriúchán *chuirfeadh sé thar an abhainn tirim thú*, mar aistriúchán ar an gcéad abairt nó ar a mhalairt d'abairt 'he'd promise you the moon' agus *teann a bheith agat le daoine*. Is léir cultúr na Gaeilge san abairt *d'aithneoinn beirthe i bpraiseach thú* atá fréamhaithe i dteanga fhódúil an ghnáthshaoil i gcomparáid leis an leagan Béarla 'I'd recognize you anywhere' nach bhfuil ann ach lominsint. Ba dheacair déine na híomhá sa Ghaeilge a shárú, féith an ghrinn ann agus pas beag den íoróin ag roinnt leis freisin. Agus féach arís a ghontacht atá an abairt *an té nach gcomhairlíonn Dia*, meascán den bhriathar aistreach agus den úsáid neamhaistreach ag cur síos ar an gcaidreamh déthoiseach idéalach idir Dia agus an duine, a d'fhéadfaí a aistriú le habairt mar *an té nach n-éisteann le briathra Dé* ('he who will not listen to God's word'). Ach tá gaois as cuimse na Gaeilge ar iarraidh, an spléachadh iontach ar ghairm an duine agus é i dtuilleamaí Dé. Ní thugtar le tuiscint gur lú a acmhainn a bhealach féin a dhéanamh ach é a thumadh i gcríonnacht an chreidimh.

(iii) Bealach na Coibhéise

Coibhéis atá ann nuair a bhaineann an dá theanga feidhm as modhanna stíle agus as bealaí comhréire difriúla chun cur síos a dhéanamh ar an gcor ceannann céanna. Iomláine go minic atá sa choibhéis. Is é sin gur abairt iomlán amháin í, aonad aistriúcháin amháin, siontagma foirfe. Is cuid inmheánach den teanga na nathanna seo, óir léiríonn siad buanchríonnacht na teanga maidir le cora crua an tsaoil. Abairtí baoise, abairtí ársa nó seasta nó seanchaite nó smolchaite, natháin, seanfhocail, abairtíní ainmfhoclacha nó aidiachtacha, is iad sin a thuigtear sa choibhéis. Abairtí Béarla amhail 'procrastination is the thief of time', a bhí gonta fódúil tráth, aistrítear ábhar na gontachta mar *caitear an cairde agus ní mhaitear na fiacha*, nó 'it's hard to work on an empty stomach' mar *ní sheasann sac folamh*, agus 'as like as two peas' mar *tá siad mar a sceithfeadh fíogach fíogach eile*. Anois is arís tá an-chosúlacht idir na teangacha mar atá sa chás: 'a rolling stone gathers no moss', *ní thagann caonach ar chloch reatha* nuair is modhnú atá ann, nó 'strife is better than loneliness', *is fearr an t-imreas ná an t-uaigneas* nuair a d'fhéadfadh aistriúchán litriúil a bheith ann. Ach ní ceart bealach na rianaireachta a chur i bhfeidhm orthu. Is luachanna na habairtí sin i ngach teanga agus nuair nach bhfuil an choibhéis ann níl le déanamh ach athinsint nó achoimre a thabhairt ar ábhar na gaoise. Béarlachas amach is amach a thabharfaí ar aon iarracht coibhéis nua a cheapadh do cheann de na habairtíní seo go fiú na habairtí baoise.

Má tá focal amháin sa Bhéarla chun 'turncoat' a rá, tá rogha sa Ghaeilge idir cat breac ar chineál sineicdicé é agus *Tadhg an dá thaobh* ar cineál abairtín aidiachtach é. Níl aon róchríonnacht ag gabháil le habairt amhail 'you could have knocked me down with a feather' nó 'he's as light as a feather' ach is sean-nathanna nó ráitis athláimhe iad a bhfuil a gcruth féin orthu i ngach teanga; nó le habairt amhail 'to leave no stone unturned', *dóigh agus andóigh a chuardach*. Fainic an foghlaimeoir, áfach, a d'fhéachfadh le leagan nua dá chuid féin a chur ar fáil. Cad é mar a d'aistreofaí go Gaeilge 'second cousin once removed' gan eolas a bheith agat ar *col seachtair*. Léirítear loighic lom na Gaeilge sa chomhthéacs seo. Is leor a thuiscint go bhfreagraíonn *leagfá le tráithnín mé* sa Ghaeilge agus *ní mheánn sé brobh* don dá abairt i mBéarla thuas. Feictear an difear sa chultúr idir an tagairt do 'feather' i dteanga amháin agus do *tráithnín* sa teanga eile agus gur gonta i bhfad úsáid an bhriathair sa Ghaeilge. Tá an difríocht chultúir chéanna le feiceáil in abairt mar 'the fat is in the fire' a aistrítear go Gaeilge mar *tá an brachán doirte* nó *tá an madra marbh*. Is dócha go bhfreagraíonn an nath sin don abairt 'the writing is on the wall' a raibh tagairt di thuas. Agus tá an-léargas ar mheon an Éireannaigh sa leagan Gaeilge *créatúr nár choirigh is nár cháin* ('a poor fellow who never harmed anyone'). Ar an drochuair is iad na seoda sainiúla teanga mar sin is túisce a chailltear agus is deacra a aisghabháil agus a chuireann síos go dílis ar staid na Gaeilge inniu i gcomórtas le staid na Gaeilge inné.

(iv) Bealach an Oiriúnaithe

Fíordheacracht atá anseo óir níl aon chur amach ag an sprioctheanga ar an riocht atá á ríomh sa bhunteanga. Feictear an deighilt go minic i gcúrsaí spóirt. Cad é mar is féidir mionphointí an chruicéid a aistriú go Catalóinis nuair atá comharthaí sóirt agus taithí an chluiche ar iarraidh. Tá sé chomh fíor céanna go bhfuil 'fine square leg' agus 'silly mid-on' do-aistrithe go Gaeilge. Tá siad beagnach dothuigthe ach amháin aige siúd a bhfuil dúil aige sa chluiche. Níl aon cheangal acu leis an mbunteanga féin. Níl síol a mhíniúcháin ag neadú iontu. Nuair atá an fhadhb seo le sárú ag teangaire ag comhdháil idirnáisiúnta níl an dara

rogha aige go minic ach dul i muinín théarmaíocht a chluiche náisiúnta
féin.

Nuair atá cora ann nach féidir a shroicheadh sa dara teanga trí
bhealach an trasuímh, an mhodhnaithe ná na coibhéise, ní mór an cor a
athshamhlú agus a athchruthú i gcomhthéacs an dara teanga chun
teacht ar aistriúchán ar an dóigh sin. Má dhéantar iarracht an focal nó
an abairt a aistriú tríd an mbealach litriúil nó rianaireachta, tiocfar ar
aistriúchán atá cruinn gramadúil ach nach mbaineann ar dhóigh ar bith
leis an aonad tosaigh. Is dócha gur i gcáipéisí a chumtar in eagraíochtaí
idirnáisiúnta is mó a fhaightear an cineál tuaiplisí teanga atá i gceist
anseo toisc gur mian le gach teanga aistriúchán rianaireachta a chur ar
fáil. Tá an baol ann go minic i gcúrsaí teicniúla nach dtuigtear go beacht
an abairt atá le haistriú, ní toisc aon easpa tuisceana san aistritheoir ach
toisc nach bhfuil mórán céille san abairt atá le haistriú. Deirtear gurb é
sin ceann de na fáthanna nár chuir na Meiriceánaigh aon spéis i
gConradh na Náisiún sna tríocháidí, gur aistríodh an Béarla ón
bhFraincis agus nach ndearnadh na haistriúcháin a mhodhnú agus a
oiriúnú mar ba cheart. Bhí macalla na bunteanga orthu.

Tá sampla an-mhaith sa Chonradh ar an Aontas Eorpach den
leibideacht chainte seo. Sa Phrótacal maidir leis an trasdul chuig an tríú
céim den Aontas Eacnamaíoch agus Airgeadaíochta tá an abairt seo i
mBéarla: '.. all Member States shall ... respect the will for the
Community to enter swiftly into the third stage'. Ní botún cló ná
drochaistriúchán atá ann ach an friotal a theastaigh ó lucht a scríofa. Is
é an réamhfhocal go minic a léiríonn fíoreolas na teanga agus sa chás seo
is léir nár tuigeadh nach raibh ciall ar bith leis an réamhfhocal 'for'. Toisc
go raibh an-tábhacht leis an leagan Béarla níor ceadaíodh aon fheabhsú
a dhéanamh ar an ábhar. Ní mór gach aonad a aistriú, focal ar fhocal
más gá. Níl aon deacracht sa Ghaeilge: 'urramóidh na Ballstáit ...toil an
Comhphobal trasdul go sciobtha chuig an tríú céim' ach amháin gur
aistriúchán cruinn ceart ar an mBéarla é. Ní 'toil an Chomhphobail' atá
i gceist ach 'toil an Comhphobal trasdul'. Is faisnéis in abairt chopaileach
an chuid d'abairt: 'an Comhphobal trasdul go sciobtha', agus b'fhéidir
gurbh fhearr 'a thrasdhul' a rá ach níl ansin ach mionphointe. De réir
intinn na habairte níl aon cheangal gramadúil idir 'will' agus
'Community'. Bheadh an toil ann i dtosach báire agus a luaithe an toil

sin daingnithe ba leor sin chun go bhféadfadh an Comhphobal dul ar aghaidh chuig an tríú céim. Más droch-Bhéarla féin é níl aon amhras faoin gcuspóir polaitiúil. Is é an Comhphobal a rachaidh ar aghaidh chuig an tríú céim bíodh is nach bhfuil toil an Chomhphobail sa chiall iomlán den dáréag ann. Caithfidh cách aird a thabhairt ar an toil (nach toil Chomhphobail í) agus ligean don Chomhphobal triall ar aghaidh. Ní fios ar cheart comhréir agus gramadach (ach amháin sa Ghaeilge) a chur as a riocht an oiread sin ar mhaithe le cuspóir polaitiúil, áfach.

Is fiú a mheabhrú an díobháil atá déanta do gach teanga thar na blianta go háirithe sa chomhthéacs idirnáisiúnta atá ann anois toisc nach bhfuil na haistritheoirí éagsúla atá bainteach leis an scéal, i ngach cineál slí bheatha, misniúil go leor chun an modh indíreach a leanúint. An orthu atá an locht má tá 'démarche', 'la dolce vita', 'frisson' 'schadenfreude' do-aistrithe anois? Féach freisin go bhfuil *oifigeach liaison* san *Fhoclóir de Théarmaí Míleata*. Tá tuairiscí nuachtáin, lámhleabhair scoile, leabhair staire, scannáin, tá siad uile faoi cheannas ag aistritheoirí ag pointe áirithe. Scéalta ó gach cearn den chruinne, tugtar dúinn iad i dteanga amháin amhail is dá mba sa teanga sin a fuineadh iad. Ní fios dúinn ar cuireadh an scéal as a riocht ar fad nó an leagan é a bhfuil mionchosúlacht aige leis an scéal bunaidh. Sin mar atá an Ghaeilge á tanú leis na blianta faoi thionchar an Bhéarla agus an aistriúcháin nár chuir éirim an Bhéarla in oiriúint do shainiúlacht na Gaeilge. Is é an toradh atá air go gcailltear cuid mhaith dár meas féin ar shaintréithe agus saibhreas na Gaeilge agus go bhfeictear in urlabhra an Bhéarla scoth an fhriotail agus taisce na críonnachta.

Feicfimid sa saothar seo liacht samplaí den mhúnla Gaeilge a aistríonn go dílis meon an Bhéarla gan, áfach, bealach na rianaireachta ná na bealaí díreacha eile a leanúint ach ó am go chéile, agus go bhfuil fíorshaibhreas na Gaeilge le feiceáil sna bealaí indíreacha ach eolas a chur ar na haistriúcháin a oireann don abairt/focal tosaigh. Caithfear dul i muinín níos mó ná bealach amháin ó am go chéile ach is cuma faoi sin ach an fheasacht a dhúiseacht ar dhifríochtaí an dá theanga, ar na cairde bréagacha teanga, ar na cosúlachtaí neamhthuartha agus ar an gcultúr agus an fhealsúnacht eile atá laistiar díobh araon.

Caibidil 2 - Inchomparáideacht na dTeangacha

Claochlú an Fhocail ó Theanga go Chéile

Tá a saintréithe féin ag gach teanga agus ní féidir le gach teanga ná le haon teanga saintréithe gach teanga eile a aistriú. Tá teangacha atá níos tugtha do mhodh na tuisceana agus teangacha ar fearr leo an bhéim a chur ar an íomhá ná ar an aigne. Tá teangacha arís agus is fearr leo cumhacht an cheoil agus cinn eile ar fearr leo na mionsonraí ná an pictiúr leathan. Arís tá teangacha a bhfuil mionfhoclóir acu maidir le gnéithe áirithe den saol ach atá ar an ngannchuid maidir le gnéithe eile. Ní cúis áthais ná a mhalairt cáilíochtaí áirithe a bheith ag teanga nó cáilíochtaí eile bheith in easnamh uirthi. Níl ann ach eolas a chur ar na cáilíochtaí sin chun go dtuigtear sainairíonna na teanga agus eolas a chur freisin ar na ganntanais inti ionas nach mbítear ar thóir cáilíochtaí nach bhfuil ar fáil.

Tá sé an-tábhachtach maidir le cúrsaí aistriúcháin de nó maidir le riocht dátheangachais de, teorainneacha na teanga a shamhlú agus a thuiscint. Ní mór a thuiscint freisin cad iad na focail i dteanga amháin atá díomhaoin i dteanga eile. Rinneadh tagairt cheana don *fhiosrúchán isteach i*. Is follasach nach gá an 'isteach' sin óir ní bhaineann an ghluaiseacht fhisiceach sin le meon na Gaeilge. Pé isteach nó amach atá le déanamh maidir le fiosrúchán de, is leor an focal féin chun an idé a aistriú. Feicfear ar ball an bhundifríocht idir an Ghaeilge agus an Béarla maidir le húsáid an bhriathair agus a mhinice a dhéantar an faisniú le hainmfhocal i nGaeilge mar a mbeadh briathar i mBéarla: *bhí sé ina fhuairnín sa leaba* ('he was coiled up in bed') nó, *tá an tuile shí as a béal ar fad* ('she keeps babbling away all the time') nó *duine a ligean ar a shnáithe* (to let someone proceed undisturbed) nó *bhí ruibh chainte air* ('he couldn't stop talking').

roll

Is teanga an-íomháíoch í an Béarla. Is teanga í a thugann tosaíocht do na céadfaí. Maidir le fuaimeanna de, mar shampla, tá an Fhraincis an-teoranta ach tá an Béarla agus an Ghaeilge in ann réimse leathan fuaimeanna a chur in iúl. Tá an Béarla ach go háirithe an-saibhir maidir le draíocht na bhfuaimeanna. Is féidir mar shampla *díoscán* a cheangal le fuaim fidile, rothaí, bróga, fiacla ach tá i mBéarla 'scraping', 'grinding',

senses

'creaking', 'gnashing'; is amhlaidh le *siosarnach*, fuaim atá ceangailte le friochadh, gaoth, gé ach tá 'buzz', 'sizzle', 'hiss' agus 'rustle' i mBéarla. Ach ina dhiaidh sin tá *criongán* sa Ghaeilge ar 'creaking of wood' nach *creaking* ionann ó thaobh fuaime de agus 'creaking of a gate', agus *gliúrascnach* a oireann don dá fhuaim. Sin idirdhealú a chliseann ar an mBéarla. Arís is leor ann féin an focal *fíréan* chun 'whirring sound' an Bhéarla a aistriú agus tá *seabhrán* ann freisin mar chur síos ar bhogadh eiteoige. Tá focail mar *gliogar*, *gliogram* agus *gliotram* ar cosúil gur malairtí iad den fhuaim chéanna ach a bhfuil an-difear eatarthu: *gliogar* níos caoile mar fhuaim, *gliogar na gclog*, ach gliogram níos toille, ag tagairt do *gliogram na gcos* agus *gliotram* ag cur síos ar thorann níos mó ná fuaim. Níl an Ghaeilge chomh híogair leis an mBéarla maidir le fuaimeanna ainmhithe. Ceanglaítear *grág* le préachán, fiach, bonnán, cearc agus asal mar a bhfuil 'caw', 'croak', 'boom', 'cackle' agus 'bray' i mBéarla.

Dá fheabhas é Foclóir Uí Dhónaill ní thig leis níos mó samplaí a thabhairt ná mar is gá chun ciall an fhocail a thabhairt. Ní hacmhainn dó céimiúlacht na bhfocal a bhunú. Is doiligh dó a mhíniú cén fáth go bhfuil an chiall seo ag focal amháin agus an chiall eile ag focal eile. Ar ndóigh níor chuidiú ar bith é an neamhfhorbairt sa Ghaeilge le trí chéad bliain ó thaobh scríbhneoireachta de ar an gcéad dul síos ach ó thaobh foclóireachta agus sanasaíochta chomh maith. Toisc gur beag litríocht *subtlety* chruthaitheach a cumadh, níor tháinig forás ar chaolchúis na teanga agus ní raibh na saineolaithe oibiachtúla ann ach oiread chun na hathruithe caolchúiseacha a bhreacadh síos agus a thaifeadadh. Sa teanga fhoirmiúil amháin atá iarrachtaí á ndéanamh le tamall de bhlianta anuas chun difríochtaí foirmiúla a dhéanamh idir fhocail áirithe chun ciall theicniúil éigin a ghreamú díobh. Is é an toradh atá air sin go bhfuil an t-uafás téarmaíochta ann ach nach fios go baileach cén difear atá idir na comhchiallaigh. Má tá sé deacair na comhchiallaigh sin a idirdhealú i nGaeilge is deacra fós idirdhealú idir na comhchiallaigh sa dá theanga. Tagann luachanna i gceist a bhaineann le teanga amháin níos mó ná le teanga eile nó nach bhfuil ar fáil in aon chor sa teanga eile. Tá an focal 'skin' ann a bhfuil *craiceann*, *cneas* ag freagairt dó ach ní dhearnadh briathar de cheachtar acu nar a rinneadh de 'skin' an Bhéarla. Os a choinne sin déantar briathar de gach dath i nGaeilge. Mar a fheicfear ar ball tá téarmaíocht an-fhairsing sa Ghaeilge ar chúrsaí

sláinte agus ar choimhlint an duine leis an dúlra mar is léir ón abairt
bhreá atá ar 'skin irritation caused by exposure', ceann de ghalair mhóra
na haoise, *(seacht) máchailí an tsléibhe*. Ní hé an sliabh is cúis leis ar na
saolta seo ar ndóigh. Ach tá an obair seo ar siúl anois ag an gCoiste
Téarmaíochta, ciall shainiúil theicniúil a thabhairt do na seantéarmaí
ionas gur féidir leis an teanga nua-aoiseach iad a bhreith isteach inti féin
agus iad a chur in oiriúint do riachtanais an duine ina ghnáthshaol.

Is doiligh deighilt iomlán a dhéanamh idir an teanga theicniúil agus
an teanga neamhtheicniúil. Ach nuair is teanga theicniúil atá ann, ba
cheart nach mbeadh ach aon fhocal amháin a fhreagraíonn dó in aon
teanga eile má úsáidtear é sa chomhthéacs céanna ag an gcineál céanna
duine. Tá na téarmaí teicniúla ag teacht ar an bhfód ina mílte le tamall
de bhlianta agus tá an Ghaeilge ag coinneáil bord ar bord leo a bhuí sin
don Choiste Téarmaíochta. Is iomaí focal teicniúil atá ilchiallach, áfach.
Is ionann *gailseach* agus 'earwig' ach tá ciall 'foreign woman' leis freisin.
An focal 'resistance' i mBéarla, is *friotaíocht* an focal ceart teicniúil air
ach sa gháthchaint tá rogha agat i bhfianaise an chomhthéacs agus is
frithbheartaíocht an téarma ceart staire. Seachas an obair atá curtha i
gcrích ag an gCoiste Téarmaíochta san iliomad réimsí, tá bonneagar
suntasach de théarmaí dlí leagtha thar na blianta ag Rannóg an
Aistriúcháin sa Dáil.

Ach is leithne an teanga theicniúil nó chaighdeánaithe ná téarmaí
teicniúla féin sa chiall is cruinne. Folaíonn sé freisin gach meafar,
teilgean cainte, seanfhocal, fógra poiblí, abairt shóisialta, eascaine,
tagairtí don am, don dáta, don bhliain, toisí agus mar sin de. Ba cheart
nach mbeadh ach leagan bailí amháin ar 'pay as you earn', *íoc mar a
thuillir*, 'to poke your nose into something', *do chaidéis a chur i rud*, 'to
rob Peter to pay Paul', *sraith na háithe a chur ar an muileann*. Níor
cheart go mbeadh rogha ann maidir leis an réimsí sin a bhaineann le
gnáthshaol an ghnáthdhuine: réamhaisnéis na haimsire, oidis, leagan
amach miontuairiscí agus tuarascálacha, gnéithe den bhreoiteacht, den
bhia, den spórt, den súgradh.

Ní hionann na luachanna atá sna focail a fhreagraíonn dá chéile sa
dá theanga toisc gur fairsinge in amanna an focal i dteanga amháin ná
sa dara teanga. Tá samplaí gleoite ag Flann Ó Riain in *The Lazy Way to
Irish* (1984, 43, 48, 51, 53, 55 mar shampla) a léiríonn an deacracht seo.

Má thugtar an focal 'adopt' gan aon chomhthéacs ní fios an mbaineann sé le rún a glacadh nó le leanbh a uchtú. Ní fusa an focal 'affection' a thomhas ná 'affect' féin. 'The trees were affected by the storm', 'the music affected him', 'the drink was beginning to affect him', 'his health was affected by his son's death', 'certain external factors affect the economy', gach ciall acu sin ag lorg téarma eile Gaeilge. Féach chomh héagsúil is atá na leaganacha Gaeilge: *rinne an stoirm difear/díobháil do na crainn, bhog an ceol é, bhí an deoch ag boirbeáil chuige, d'fhear bás a mhic go dona air/chuaigh bás a mhic go dona dó, bíonn tionchar ag fachtóirí seachtracha ar an ngeillegar.* Agus cad faoi 'affection' arb ionann é i mBéarla nuair atá *grá* agus *cion* i gceist agus nuair atá galar nó fiolún ann. Is féidir an gnáthfhocal 'health' a úsáid i mBéarla ag cur síos ar dhuine, geilleagar, plandaí. I nGaeilge, áfach, is fearr *dea-bhail* an gheilleagair agus *folláine* phlandaí a rá. Ní hionann ceachtar den dá fhocal *sláinte* nó *folláine* agus 'health' an Bhéarla. Nuair atá 'aid' agat i mBéarla, ní fios an *áis* nó *cúnamh* nó *cabhair* atá ann. An difear idir *áis* agus *cabhair* tá sé soiléir go leor, óir is uirlis nó fearas de shaghas éigin an *áis*. An difear idir *cabhair* agus *cúnamh* agus *cuidiú* baineann sé le caolchúis na nuathéarmaíochta. Tugtar *cúnamh dlíthiúil* ar 'legal aid' in *Téarmaí Dlí* agus tugtar *cabhair airgeadais* ar 'financial aid' in *Foclóir Staidéir Ghnó*. Féachtar le *cabhair* a thabhairt sa chomhthéacs Comhphobail ar aon 'help' nó 'aid' nó 'assistance' a bhfuil tacaíocht airgeadais ag gabháil leis. Is mar sin atá an focal á úsáid le fada i reachtaíocht an Oireachtais. D'fhéadfaí a rá go bhfuil sainchiall ag gabháil leis an bhfocal *cabhair* sa teanga fhoirmiúil ar a laghad. Ceist eile ar fad í ar ndóigh an bhfuil an gnáthphobal Gaeilge ar an eolas faoi na miondifríochtaí sin atá á mbunú sa teanga fhoirmiúil.

Tugann an éagsúlacht téarmaí sin léargas eile dúinn ar chomharthaí sóirt teanga. Tá cuid mhaith focal comhchiallach i ngach teanga chun bunchomharthaí a chur in iúl. Tugtar *dátheangachas páirteach* ar a leithéid sa mhéid go dtuigtear ciall na bhfocal bíodh is nach n-úsáidtear an focal áirithe sin de ghnáth. Is ionann ciall do *doiligh* agus *deacair, cabhair, cuidiú* agus *cúnamh, láí/rámhainn/spáid, feiliúnach/fóirsteanach/oiriúnach, fosta* agus *freisin, barraíocht* agus *an iomarca, bomaite* agus *nóiméad, ionraic* agus *macánta, taisme* agus *tubaiste,* gan ach iad a lua. Níl fáth ar bith nach ndéanfadh an Ghaeilge brí ar leith a

thabhairt do cheann amháin de na comhchiallaigh sin mar chomhartha
sonrach chun é a dhealú ó aon chomhartha eile a bheadh i gceist.
Déanann Robert Burchfield cur síos in *The English Language* (1987) ar
an dá fhocal 'baggage' agus 'luggage' arb ionann ciall dóibh. Deir sé go
bhfuair sé amach nach fíor go hiomlán go bhfuil focal amháin á úsáid i
Meiriceá agus an focal eile sa Bhreatain ach go bhfuil an dá fhocal á
n-úsáid mar shainchomharthaí i gcora ar leith agus nach ceadmhach i
gcónaí iad a mhalartú ar a chéile. Tá 'excess baggage' agus 'baggage
handler' ach 'left luggage' agus 'luggage rack'. Maidir le húsáid
mheafarach de, áfach, is 'emotional/ideological baggage' amháin a
deirtear. Glactar leis na hathruithe seo faoi bhrú an ghnáthaimh.

Is ceist mhaith í an saibhre an teanga a bhfuil éagsúlacht
téarmaíochta de dhíth uirthi ná an teanga atá neamhchasta. Má
dhéantar tagairt i mBéarla do 'crisis' ní fios cad atá i gceist mura dtugtar
comhthéacs, ach má deirtear *aothú* is follasach gurb é an tsláinte atá i
gceist agus tugann *géarchéim* le tuiscint go bhfuiltear ag plé le cúrsaí
eacnamaíocha. B'fhéidir go bhfuil feidhm leis an tsanasaíocht. B'ionann
faoithighe agus *téarnamh* tráth. D'eascair *aothú* ('crisis') agus *faoiseamh*
('relief') araon uaidh. Más fíor nach féidir an focal 'solution' a aistriú i
gcónaí ar an dóigh chéanna ach go gcuirfear in iúl sa chomhthéacs an
réiteach nó *tuaslagan* atá ag teastáil, tá an iliomad focal i nGaeilge ann
chun an focal 'fit' a aistriú. Is leor *rabhán* chun an 'fit' a mhaireann tamall
a aistriú. Ní hionann *tonn thaoscach* ('fit of vomiting') agus *scailp uaignis*
('fit of loneliness'). Agus más mian leat 'blowing of nose' a chur go Gaeilge
ní gá *srón* ná *séid* a úsáid ar eagla go gcaillfí an cloigeann ar fad; is leor
an focal *caothartaíl* a úsáid. Sin gníomh nach mór a chleachtadh chomh
minic céanna leis an gcupán tae nó deoch an dorais. Os a choinne sin,
níl ach an t-aon fhocal amháin, *cúram*, ann chun an raidhse focal Béarla
('care', 'task', 'charge') a aistriú. Agus cad faoin bhfocal 'abortion'.
Folaíonn an Béarla gach riocht ina dtarlaíonn an gníomh más duine nó
ainmhí atá i gceist. Déanann an Ghaeilge idirdhealú eatarthu. Is
'induced abortion' é an *ginmhilleadh*, ach *ainbhreith* nó *cailleadh gine* nó
mairfeacht nuair is gníomh ainneonach é agus cuirtear a leithéid i leith
an ainmhí mar is léir ón téarma eile *forlao*, a thuairiscíonn an cor go
beacht. Go stairiúil tugadh *mí-ionbhaidh* (*mí-ionú* anois) air san *Acht
um Scrúdóireacht Fhoillseacháin, 1929*. *Ginmhilleadh* a thugtar air in

EID ('procured abortion') agus *breith anabaí* nuair is cailleadh nádúrtha é. Sin focal a bhí ag griogadh na n-intinní i bhfad sular thosaigh sé a bheith tráthúil ó thús na n-ochtóidí i leith.

Is fiú dhá fhocal a mheabhrú i mBéarla: 'heat' agus 'immunity' chun an éagsúlacht bhríonna a fheiceáil. Chun 'heat' a aistriú go Gaeilge ní mór dul ó *teas* agus *teocht* agus *goradh* agus *bruth* agus *gríos* agus *brothall* (sa ghnáthchiall) go dtí an chuid de rás a dtugtar 'heat', réimse na mothúchán ansin agus ar deireadh go dtí riocht na n-ainmhithe (oestrus) mar a bhfuil a théarma féin ag gach ainmhí agus réamhfhocal ar leith ag gabháil le gach téarma: *faoi láth, faoi / in adhall, faoi shoidhir, ar dáir / faoi dháir, faoi imreas / reith, faoi / ar reithíocht, faoi eachmairt, faoi chlíth / lath, catachas.* Baineann an éagsúlacht sin leis an talmhaíocht ach léiríonn an focal 'immunity' an cineál céanna éagsúlachta. Tá *díolúine* mar atá ag taidhleoir, tá *díonacht* ar ghalar, tá *saoirseacht* ó chánacha, tá *diosmaid* ó fhógairt an phósta, tá *faoiseamh* i gcomhthéacs na staire, tá *dispeansáid* ó throscadh, tá *imdhíonacht* agus *turbhaidh* (focal ón tSean-Ghaeilge a chiallaíonn 'temporary exemption from fulfilment of legal obligations' agus a bhfuil neart samplaí dá úsáid tugtha ag an Duinníneach).

Ní fios an féidir saibhreas seo na teanga a aisghabháil. Deirtear gur leor focal amháin ar 'crisis' nó 'solution', gur fearr simplíocht téarmaíochta a bhrostú. Feictear dom, má tá rogha le déanamh, gur fearr an ghramadach a shimpliú oiread agus is féidir mar níl ansin ach córas rialacha a ceapadh d'aon turas ag am amháin. Ach caolchúis agus íogaireacht na teanga a chaomhnú, sin cuspóir agus dúshlán i bhfad níos fónta mar is iontu siúd atá múnla stairiúil an chine, aigne an duine á foilsiú féin thar na céadta. Os a chionne sin, áfach, b'fhéidir gur ceadmhach mioncháineadh a dhéanamh sa chomhthéacs seo san obair as cuimse atá ar siúl ag an gCoiste Téarmaíochta. Tugtar in *Foclóir Staidéir Ghnó* (agus tuilleadh in *Tíreolaíocht agus Pleanáil*) os cionn daichead samplaí d'ainmfhocail a dtéann an focal 'economic' leo de ghnáth. Tugtar trí fhocal: *eacnamaíoch* agus *geilleagrach* a bhfuil daichead focal roinnte eatarthu, agus *eacnamúil* nach gceanglaítear le hainmfhocal ar bith. Ba chríonna an mhaise don té a thuigfeadh cén fáth ar cheart *eacnamaíoch* a cheangal le *aibíocht*, le *smachtbhanna*, le *dul chun cinn* ach *geilleagrach* a cheangal le *gníomhaíocht*, le *géarchéim*, le *cúlchríoch*.　Feictear dom, más fiú an t-idirdhealú féin a mholadh, gur doiligh a thuar go nglacfar leis i gcónaí bíodh is gur léir an chiall atá le *gabháltas somhaoineach* ar 'economic holding' óir tugann an téarma Gaeilge ciall sa bhreis.

Tá sampla maith eile le feiceáil sna leaganacha éagsúla atá ar fáil i nGaeilge don Bhéarla 'modify'. I gcomhthéacs dlí is *leasaigh* an focal a úsáidtear nuair is ionann an Béarla agus 'amend', agus *modhnaigh* nuair is mionathrú neamhfhoirmiúil a dhéantar. *Modhnaigh* is fearr i ngach cás eile nach beag ach ní mór bheith cúramach. In *Téarmaí Ríomhaireachta* tugtar *bunathraigh* gan aon mhíniú, ach is léir go dtuigtear gur athrú buan atá i gceist sa chomhthéacs sin. Tá an míniúchán le fáil áfach in *Foclóir Eolaíochta*. Nuair is ionann ciall dó 'modify' agus 'moderate', tugtar *maolaigh* air, nuair is ionann ciall dó agus 'alter without transforming', tugtar *mionathraigh* air ach nuair is ionann ciall dó agus 'make important or basic change to', tugtar *bunathraigh* air. In *Foclóir Talmhaíochta* tugtar *duillí modhnaithe* ar 'modified leaves'.

An Gnáthfhocal ina Fhocal Teicniúil

Cad is focal teicniúil ann? Is focal é nach bhfuil an dara ciall aige de ghnáth. Is deacair go minic a bheith cinnte an bhfuil focal teicniúil fós ina fhocal teicniúil amháin nó an bhfuil sé ag athrú ina ghnáthfhocal. An comhcheol iomlán idir friotal agus coincheap, an ball atá comharthaithe agus é sin amháin le tuiscint san fhocal a chomharthaíonn é, is féidir leis an ngnáthdhuine an chiall iomlán sin a úsáid ina ghnáthchaint tar éis tamall tástála. Leanaí amháin nach dtuigfeadh an focal agus is iad na focail theicniúla is fusa a fhoghlaim i dteanga iasachta. Is focal teicniúil é *casúr* a thuigfeadh an leanbh go luath ina shaol, agus is focal teicniúil é *leicneach* a thuigfeadh sé gan rómhoill. Má tá ceardaí ag plé le printíseach óg, níor mhaith leis casúr a fháil más dréimire atá uaidh, agus ba dhíomailt ama don dochtúir dá ndéarfadh an t-othar leis go raibh daitheacha fiacaile air más pian chluaise a bhí ag cur as dó.

Níl ansin ach tagairt don eolas teicniúil atá ag cách. Agus is eolas teicniúil ársa é sin a bhaineann le gnáthchúrsaí an tsaoil. Is beag atá le foghlaim againn faoin tsláinte. Sin a ceapadh. Cé nár leomhadh na blianta ó shin tagairt don eitinn b'eol do chách cad a bhí i gceist. Níor ghá an focal teicniúil a úsáid. B'amhlaidh don ailse agus tugadh *an bhreoiteacht mhór* ar an *titimeas* tráth. Faigheann daoine bás fós de dheasca taom croí nó timpiste ach ní thagraítear don ailse más é ba thrúig bháis. Tá an focal teicniúil ann agus níl sé róchasta mar fhocal ach sáraíonn an scanradh ar an eolas. Le deich mbliana anuas tá galar eile ann a bhfuil focal chomh teicniúil air nach n-aithnítear ach na hinisealacha. Ach tuigtear do chách cad is brí leis an bhfocal teicniúil *SFIE*. Feictear ó am go chéile i bhfógraí an focal *soláthairtí* ('provisions') nuair is léir gur *forálacha* (focal teicniúil) a bhíonn i gceist. Ní focal teicniúil é *grafainn*, ach toisc gurbh é ba chiall leis i dtosach 'shouting of ... spectators at a horse-race', d'oirfeadh sé gan amhras do dhordán lucht féachana ag cluiche peile nó taispeántas ceoil.

Maidir le cúrsaí eolaíocha is i réimse na ríomhaireachta atá an t-athrú is suntasaí le feiceáil. Na gnáthfhocail atá i mbéal an phobail inniu agus atá á n-úsáid go minic i gcomhthéacs nach bhfuil baint ar bith aige le comhthéacs na ríomhaireachta, is cuid de réabhlóid iad a thit de phlimp ar gach cine. Ní fios de ghnáth do chainteoir aon teanga cá huair a tháinig focal isteach sa teanga ach deirtear gur gá ar a laghad céad bliain chun go mbeadh an seasamh sin ag focal, is é sin nach dtugtar faoi deara a thuilleadh gur focal iasachta é. Bhí ar gach cine san aois seo, áfach, dul i dtaithí ar an bhfoclóir nua seo agus bhí orthu uile ar nós na Gaeilge téarmaí dá gcuid féin a cheapadh dóibh. Féach mar shampla sa Ghaeilge go ndeir FGB go bhfuil an focal *earnáil* 'Lit.' agus tá sé á úsáid sa ghnáthchaint anois. An Béarla amháin a tháinig slán óir is i mBéarla a fuineadh nó a cumadh mórchuid na dtéarmaí seo. Is fiú a lua go bhfuil nuathéarmaí sa Fhraincis nach furasta Béarla a chur orthu, mar shampla 'banaliser', 'globaliser', 'mondialiser'. Agus is baolach ansin féin go gcuirfear as a riocht an Béarla féin ag an idirnáisiúnú atá á dhéanamh ar an teanga. Níl sé cinnte gur leas aon teanga a rinneadh mar níl sé cinnte go bhfuil bunchiall ar bith i gcuid mhaith díobh. Ach luas na haoise ba chiontach leis an réabhlóid. Tá ceardaíocht nua ann nach bhfreagraíonn do dhul chun cinn ar bith a rinne an duine riamh. Ní mór teanga nua a ghiniúint óir ní féidir maireachtáil cheal teanga, foclóireacht, téarmaíocht. Is léir go bhfuil deighilt an-mhór idir réaltacht na heolaíochta, réaltacht na tuisceana agus réaltacht na teanga.

Sin go díreach an deighilt nó an mhínádúrthacht a chonacthas riamh san iarracht a bhí ar siúl chun teanga theicniúil a sholáthar i nGaeilge. Ba leor an teanga mar a bhí sí chun teacht slán. Ach ní féidir déanamh gan teanga theicniúil. Nuair a cuireadh clabhsúr leis an gcluiche iomráiteach idirnáisiúnta sacair Éire-Sasana i mBaile Átha Cliath ar 15 Feabhra 1995 toisc clibirtí agus scliúchas sa lucht leanúna, dúradh i mBéarla go raibh sé 'abandoned'. D'fhéadfaí *failléan* (*faid-léan*) a shamhlú sa bhunchiall ach ní hé sin go beacht é. Ní hé gur tréigeadh é, mar a dúirt an teangaire Polannach faoin Uachtarán Carter 'that he had abandoned the USA' an lá sin féin nuair ba cheart dó *fág* a rá. An bhfuil focal teicniúil sa Ghaeilge chun an riocht sin a thuairisiciú? Ní féidir a rá gur *fágadh / tréigeadh* an cluiche, ná gur cuireadh *stop / stad* leis (ní chiallódh sé sin nach dtosódh sé arís), ná gur cuireadh ar athló é. Tá raidhse téarmaíochta sa Ghaeilge a bhaineann le ham ach ní bhaineann sé le samhlaíocht na Gaeilge an t-am a bhriseadh suas mura faoi choimirce an lae féin mar is é an t-am fóillíochta atá faoi mheas. Ach ní mór go leor téarmaí den chineál sin a shainiú chun na focail éagsúla Béarla (nó teanga eile) a aistriú i gcomhthéacs foirmiúil. Ní hionann *an chúirt a chur ar atráth* agus *an chúirt a chur ar athló*; tá seisiún na cúirte faoi lán seoil nuair a chinntear é *a chur ar atráth*, is é sin aga machnaimh a bheith ann sula gcuirtear ar siúl arís é; ach rud *a chur ar athló / athlá*, níl i gceist ach 'postponement', in ionad rud a dhéanamh inniu é a dhéanamh amárach. Más gá 'defer' a aistriú, is féidir *cur siar* a rá. Tugtar *iarchur* ('deferment') agus *iarchurtha* ('deferred') (*íocaíocht iarchurtha*) in *Foclóir Staidéir Ghnó*.

Ní cinnte go bhfuil fíordhifear idir na focail ama sin i mBéarla ach amháin téarmaí éagsúla a bheith á gcleachtadh de réir chúlra na cainte agus de thoradh raon cuimsitheach na ngníomhaíochtaí sa Bhéarla. Nathanna seanbhunaithe iad arb ionann agus béarlagair go minic. Ní fiú i gcónaí aithris a dhéanamh air i nGaeilge. Ba thubaisteach an mhaise don Gharda Síochána bheith ag iarraidh aistriúchán litriúil a dhéanamh ar chaint theicniúil na bpóilíní. Níl cead ag péas 'go' a rá ach 'proceed', 'catch' a rá ach 'apprehend'. Is caint theicniúil í sin nach gá a leanúint. Ach má tá gnáthfhocail ann a bhfuil ciall theicniúil leo i gcomhthéacs áirithe, tá tearmaí teicniúla ann nach bhfuil aon ghnáthchiall leo. Déanann an Coiste Téarmaíochta na bearnaí déanacha sin a líonadh, ach is leasc le Gaeilgeoirí a admháil gur féidir ciall theicniúil a cheangal le gnáthfhocal. Ach féach gurb ionann *feall* de ghnáth agus focal teicniúil; is féidir mar sin féin *chuirfeadh sé feall ort é a fheiceáil* nuair is ionann agus *ba thrua*. Bhí an gnáthamh sin ar siúl riamh sa teanga, bíonn sé ar siúl i ngach teanga fós ach amharctar air sa Ghaeilge mar mhallacht nó mínádúrthacht.

Bíonn ciall ar leith ag roinnt le focal i nGaeilge a thugann tábhacht ar leith dó toisc go minic go raibh sé bainteach le cúrsaí creidimh. Chonacthas thuas go bhféadfaí athbheocht a chur i bhfocal mar *coimhdeacht* ach is focal seach-chreidmheach é sin. Ach cén fáth nach n-úsáidfí focal mar *íobartach* sa ghnáthchaint, ciall an fhocail a fhairsingiú chun cur síos a dhéanamh ar gach íobartach sa ghnáthshaol? Ansin tá na téarmaí teicniúla féin. Ní deirtear *cothromaíocht* ach *comhardú na n-íocaíochtaí* ('balance of payments'). Is fada an comhardú sin ó *comhardú na drochaimsire*. Tá *mí-ionramháil cuntas* ('manipulation of accounts') a chuireann an ghné mhímhacánta in iúl cé go bhfuil an téarma Béarla neodrach. Tugtar *caimiléireacht* air in EID ach tá an téarma sin curtha in áirithe anois chun 'graft' a chur in iúl. Sa ghnáthchaint, tá an tseanchiall le *caimiléireacht* a bhí riamh, is é sin mímhacántacht sa ghníomh, ach tá ciall theicniúil leis feasta. Tá sé suimiúil go bhfuil *dúmas (mar dhúmas)* in *Sean-Chaint na nDéise II* agus 'pretending' mar chiall leis: *dúmas go mb'é a' coileach a bheadh a' glaoch* ('pretending it was the cock crowing'). In FGB ní thugtar mar mhíniú ach 'Jur. Pretence'.

Sampla an-suimiúil eile is ea an focal 'corrupt' nó 'pollute' i mBéarla. Tá sé soiléir gur beag difear atá eatarthu i stair an Bhéarla ach tugtar ciall mhorálta do 'corrupt' agus ciall níos ginearálta do 'pollute'. Déantar difear arís idir 'pollute children's minds' agus 'corrupt children's minds'. Más idirdhealú é sin nach mbaineann le sanasaíocht na teanga, is cuma más mar sin atá sé anois. Ní raibh trácht fiche bliain ó shin ar 'pollution' i gcomhthéacs na timpeallachta nó má bhí níor bhain sé le cúrsaí éiceolaíocha. Tá sé chomh soiléir céanna gur beag difear a rinneadh riamh anall idir na comhchiallaigh sa Ghaeilge sa chomhthéacs seo ach oiread. Go fiú i bhfoclóirí na haoise seo tugann O'Neill Lane/Mac Cionnaith/EID *truailligh* ar an dá fhocal. Tá raidhse focal ann ar an gcoincheap sin, áfach: *coirt, éilligh, lobh, morg, trochlaigh, truailligh,* agus ba dheacair idirdhealú úsáide a aimsiú eatarthu. Agus tá gach ceann acu á ghreamú de réir a chéile de chiall theicniúil ar leith. Tugtar *morgadh* ar 'gangrene' (téarma míochaine é anois, ach tá an abairt *tá na seanteangacha ag morgadh* ag Niall Ó Dónaill (1951, 22)); *lobhadh* ar 'decay' i gcomhthéacs an choirp, (tá *fínigh* ann freisin chun lobhadh feola nó éisc a chur in iúl ar dhóigh níos beaichte, agus *meath* a úsáidtear ar 'tooth decay'); *éilligh* a úsáidtear i gcomhthéacs dlí: finné a *éilliú*, 'to suborn a witness', agus tugtar *cleachtais éillitheacha* ar 'corrupt practices'. Ach ina dhiaidh sin is uile, in *Acht Eadrána an Oireachtais* (Arbitration Act, 1980) tá *tharla corbadh ar thaobh comhalta den Bhinse* ('there was corruption on the part of a member of the Tribunal') nuair is léir gur imeacht ó na caighdeáin is uaisle iompair atá i gceist; is focal seanbhunaithe é *corbadh* a thagann ó *corb* (fabht sa charbad) a ndearnadh *cuirpeoir* de in *Trompa na bhFlaitheas,* ar chuir Cecily O' Rahilly eagar air, a thugtar ar 'profaner', duine a bhfuil na bríonna 'corrupt', 'defile', 'pollute', 'violate' ag gabháil dó. Is dócha gur sa chiall dheiridh sin a úsáidtear é chun cur síos ar chomhalta den Bhinse a sháraíonn an conradh dílseachta atá air. Bhí focal *anfolad* ann tráth chun cur síos ar mhí-iompar duine a bhfuil freagracht phoiblí air ach tá sé imithe as úsáid. Is dócha gur fearr cloí le *éilliú* más gá téarma amháin a roghnú mar is ionann é agus *corbadh* ó thaobh staire de. Is féidir *trochlaigh* a thabhairt ar ní atá ag dul ó mhaith go hinmheánach ar nós na hithreach agus cuirtear an íomhá sin i mbaint leis an ngeilleagar chun 'deterioration' a chur in iúl; níl fágtha ansin ach *truailligh* chun gnáthchiall 'pollute' a aistriú, agus is féidir a rá go bhfuil an focal *truaillithe* ceangailte go docht in aigne na Gaeilge le haicíd na haoise seo. Dhá fhocal nua atá ann dáiríre. Cé thuigfeadh go baileach tríocha bliain ó shin cad ba chiall le *truailliú an chomhshaoil* atá ar cheann de phríomhpheacaí na linne agus a thuigfeadh foghlaimeoir gan deacracht ar bith inniu? Is sampla maith é sin den dóigh inar éirigh leis an nGaeilge saintéarmaí teicniúla a oibriú amach agus a chur á n-úsáid toisc go bhfuil siad minic go leor i mbéal an phobail. B'éigean focal a nuachumadh nuair ba léir nár leor *timpeallacht* chun impleachtaí uile 'environment' sa chiall nua a bhreith leis. Bhí *imshaol* i ndeabhaidh leis ar feadh tamaill ach is cosúil go bhfuil glactha le *comhshaol* anois.

Aisteach go leor, bhí baint ag *lobhadh* leis an dlí tráth agus tugann an Duinníneach 'temporary forfeiture, deprivation of use'; mar chiall leis fós. Tá an chiall sin gar go leor don Bhéarla 'distraint' a bhfuil *tochsal* air. De réir Kelly (1988, 179) thagadh an lobhadh i ndiaidh an tochsail sa seanchóras dlí. Tugann sanasaíocht an fhocail *meath* léargas dúinn ar éabhlóid na Gaeilge. B'ionann *meath* agus *lobhadh* tráth agus ag an am sin bhí sé neodrach agus firinscneach araon. Tá an tuairim ann gur athraigh sé ciall nuair a athraíodh go baininscneach é agus gur meá a bhí ann agus tá dhá chiall leis siúd, 'weighing, balancing' agus 'fishing-ground'. Más fíor an míniú sin is sampla maith é den chasadh sa bhreis atá i ndán don Ghaeilge gur féidir léi ciall nua a cheapadh tríd an inscne a athrú. Tarlaíonn na hathruithe sin i ngach teanga a bhfuil inscní inti. Féach sa Fhraincis *le/la page, le/la livre, le/la tour, le/la mousse*. Tarlaíonn an t-athrú go minic de thoradh aineolas an úsáidire. Feic mar shamplaí focail mar 'anticipate' a chiallaigh *an tosach a bhaint de dhuine* mar atá in EID ach a bhfuil glactha leis an gciall *bheith ag súil leis* anois, 'meticulous' a chiallaigh *deismíneach, mionchúiseach* mar a bhí in EID, is é sin bheith róchúramach nuair nach raibh gá lena leithéid ach a chiallaíonn anois *cúramach* sa chiall is uaisle den fhocal.

Is cuid de ghnáthfhás teanga an úsáid shainfheidhmithe sin mar is léir arís ón bhfocal 'graft' féin i mBéarla ón tseanFhraincis *greffe* a thagann ón Laidin *graphium*. B'ionann é agus 'inoculate' (*galraigh*) tráth toisc a chosúla a bhí cóir leighis an duine agus an phlanda. Is focal gairneoireachta é ó cheart, cuid de phlanda a nódú ar phlanda eile, agus gaireadh den áit é a raibh an cumar idir an stoc agus an beangán. Beart mínádúrtha a bhí ann agus níorbh iontas ar bith gur baineadh úsáid as an téarma chun cur síos ar mhíchleachtas gnó. Bhí an dara ciall leis a bhí bainteach leis an ithir freisin, bheith ag tochailt faoin gcré. Tá sé suimiúil stair an fhocail a fheiceáil sna foclóirí Béarla-Gaeilge sa chéad seo. Tugann O'Neill Lane (1921) an chiall ghairneoireachta amháin. Is amhlaidh do Mhac Cionnaith (1935) ach tugann EID (1959) an dá chiall, an tseanchiall ghairneoireachta agus an chiall nua. Tugtar *cúbláil* agus *breabaireacht* mar théarmaí. Tá *breabaireacht* ceangailte a bheag nó a mhór le 'bribery' anois cé go bhfuil sárfhocal ann *comha* a théann i bhfad siar agus atá ar aon dul le *pot de vin* na Fraincise nó 'backhander' an Bhéarla nó 'bung/kickback' mar a deirtear i ndomhan an spóirt, breabaireacht faoi rún nó faoi cheilt gan amhras (agus nach bhfuil neamhdhleathach mura mbeirtear ort). Deir FGB gurb ionann *cúbláil* agus 'manipulation' nó 'defalcation' nó 'misappropriation'. Tá feicthe cheana cad é an téarma atá in *Foclóir Staidéir Ghnó* ar 'manipulation'

ach is fiú amharc ar na tearmaí atá ann ar 'defalcation' agus
'misappropiation'. Níl aon téarma don chéad cheann ann agus má tá
'defalcation' cosúil le 'embezzlement' sa chiall theicniúil, tá *claonchasadh*
(nach bhfuil in FGB ach a tugadh an chéaduair in Mac Cionnaith agus
dá éis sin in *Téarmaí Dlí* (1959)) agus *cúigleáil* atá in FGB. Maidir le
'misappropriation' tá sin ann ón tús. *Míothógáil* a tugadh in O'Neill Lane,
agus cuirtear i gcomparáid le 'rob', 'wrong' nó 'peculate' é in Mac
Cionnaith (*gadaíocht* a thugtar ar 'peculation' in O'Neill Lane) ach ó
foilsíodh *Téarmaí Dlí* i leith níl ach *mídhísliú* mar thearma teicniúil air.
Ar ndóigh, bhí téarmaí dá cuid féin ag an nGaeilge: tá *teol* ('theft without
concealment') agus *táidh* ('theft with concealment') agus *íogán* nó
falcaireacht ar 'deception/cheating'.

  Maidir le 'extortion', tugtar *sracadh* air de ghnáth agus freagraíonn
sé do fhréamh an fhocail ag dul siar don Laidin. Ach tá *cíos dubh* ann
freisin, ní mar théarma teicniúil ach mar fhocal a thugann spléachadh
dúinn ar mheon an phobail ar an míghníomh sin ar chúiseanna staire.
Is ionann *dorn dubh* ('dishonest dealing') nó *éirí slí* ('cheating') sa
ghnáthchaint agus na téarmaí teicniúla sin uile mar is léir ó na habairtí,
rinne sé an dorn dubh orm, tá sé ag déanamh éirí slí orm. Ar ndóigh ní
hiontas ar bith é nach bhfuil Gaeilge ar 'graft' más ionann é agus
earraíocht a bhaint as cúram poiblí ar mhaithe leat féin nuair ba bheag
caoi le fada an lá a bhí ag lucht na Gaeilge bheith in inmhe cúram poiblí
a chasadh chun a leasa féin. B'fhéidir gur mithid *anfolad* a athbhunú.

  Is féidir trí fhíoras a thabhairt faoi deara. Dá fheabhas é mar fhoclóir
ginearálta, is foclóir ginearálta é FGB. Níor cheart a bheith ag súil le
cruinneas ann maidir le téarmaí teicniúla ach amháin nuair atá an
téarma teicniúil seanbhunaithe cheana agus glactha leis i gcoitinne. Tá
formhór na dtéarmaí dlí ann agus 'Jur' lena n-ais mar chomhartha ar a
luach teicniúil agus cuid mhaith téarmaí míochaine gan aon chomhartha
teicniúil in aice leo. Ansin tá corrcheann amhail *réadaigh* ('realize') sa
chiall *sócmhainní a réadú* (féach an t-idirdhealú gonta a dhéanann
Foclóir Staidéir Ghnó idir an úsáid aistreach sin agus an úsáid
neamh-aistreach: 'the assets realized $1000' (*tháinig na sócmhainní go
luach $1000*, sampla maith de bhealach an trasuímh) nó *réal* agus ciall
'develop' leis i gcomhthéacs grianghrafadóireachta. Agus an dara fíoras,
tá an Ghaeilge ag feabhsú de réir a chéile sa mhéid go dtuigtear di anois

nach féidir an beachtas a sheachaint sa téarmaíocht theicniúil má tá sí chun ceisteanna teicniúla na linne a phlé go ciallmhar. Ní dhéanann FGB idirdhealú idir *cion* ('offence') agus *coir* ('crime') toisc gan amhras nach ndéantar an t-idirdhealú sa ghnáthchaint ach tá an t-idirdhealú teicniúil ann ó foilsíodh *Téarmaí Dlí*. Ar ndóigh tá an tríú fíoras: gur mithid foclóir nua Gaeilge-Béarla a shonraíonn go soiléir na téarmaí teicniúla, an chiall atá leo agus an comhthéacs ina n-úsáidtear iad. Beagnach fiche bliain atá imithe tharainn ó foilsíodh FGB agus tá lear mór téarmaí teicniúla sofaisticiúla curtha amach ag an gCoiste Téarmaíochta san aga aimsire céanna.

Ba cheart mar sin *Foclóir Téarmaí Teicniúla* (G-B, B-G) a fhoilsiú ina mbeadh téarmaí uile an Choiste Téarmaíochta mar aon le téarmaí teicniúla as reachtaíocht an Oireachtais agus an Aontais Eorpaigh. Ina éagmais sin, tarlóidh an mearbhall céanna leis an téarmaíocht i gcoitinne agus atá le feiceáil i stair an fhocail 'disturbance'. Tugtar *díshocracht* air in *Téarmaí Dlí* (1959); *suaitheadh* (suaití) a thugtar ar 'market disturbance' i ndlí an Chomhphobail; agus in *Foclóir Staidéir Ghnó*, tá *airgead corraíola / ciotaíochta* ar 'disturbance money'. Chun raon na faillí a thuiscint is fiú a shonrú go raibh 50,000 focal nua i bhfoclóir Béarla Random House i 1987 thar mar a bhí i 1966. Bhí orthu, ina theannta sin, sainmhíniú nua a thabhairt ar 75,000 focal a raibh an chiall athraithe beagán idir an dá linn.

Easnaimh

Níl gach teanga in ann chuig an bhfoclóir, na teilgin chainte, an urlabhra, an gliceas agus an ghontacht atá i dteanga eile. Bíonn a cuid easnamh nó ganntanas nó folúntas ann. Rinneadh miontagairt don ghné seo den teanga cheana. Tá cúiseanna staire, cultúir, fealsúnachta, béas freagrach astu. Ní mór a thuiscint gur mar sin atá agus go bhfuil focail i mBéarla nach bhfuil a gcoibhéiseach ann i nGaeilge agus a mhalairt. Rinneadh neamhshuim chomh mór sin de ghnéithe áirithe den saol nach ndearnadh forbairt mar a rinneadh i dteangacha eile den fhoclóir sin.

Feictear go minic go bhfuil easnamh i nGaeilge i gceisteanna a bhaineann leis an saol polaitiúil, socheolaíoch nó deimeagrafach agus ní áirím na bearnaí i bhfoclóir na gramadaí, na comhréire agus na teangeolaíochta féin. Is féidir a rá, maidir le cúrsaí polaitiúla, nach raibh na hÉireannaigh riamh gan suim a léiriú iontu. Ach ceird na polaitíochta

mar chóras acadúil a raibh scagadh léannta le déanamh uirthi, rinneadh
i mBéarla amháin í ó bunaíodh an stát. Agus is amhlaidh do go leor
réimsí eile den ghnáthshaol. Liosta le háireamh a bheadh ann leis na
bearnaí uile i dtéarmaíocht na Gaeilge a líonadh nó a liostú féin. Maidir
leis an teanga ársa a mhéad a chuireann sí síos ar an gcineál saoil a bhí
ann ar fud na cruinne go dtí lár an chéid seo, ní hamháin nach bhfuil
bearnaí ann ach tá an Ghaeilge róshaibhir ar dhóigheanna. Agus tá an
saibhreas sin ag imeacht uainn. Sin an fáth gur ceadmhach a shamhlú
go n-éireodh leis an nGaeilge ach dlús a chur léi dáiríre ag tús na bhfichidí
nuair a bhí an domhan simplí neamhchasta. Anois is é an fhadhb uige
na teanga a aisghabháil, múnlaí na teanga a athbhunú agus aithne nua
a thabhairt do lucht úsáidte na Gaeilge ar bhealaí sainiúla na teanga.

Agus tá easnamh mór i righneas agus i ndolúbthacht na Gaeilge. Deir
Niall Ó Dónaill (1951, 47) go bhfuil:

> mórán briathar le cumadh go fóill as ainmfhocal agus as aidiachta sul
> a raibh an Ghaeilg chomh forbairte i gcúrsaí litríochta le teangacha
> eile - murab fhuilimid ag brath fanacht i mbun na mbriathar *déan*
> agus *tabhair* agus cuir le himeachta nimhe agus talún a thuairisc dár
> bpoibleacha.

Tá an-dul chun cinn déanta i mBéarla maidir le briathra a dhéanamh
as ranna cainte eile, i gcomhthéacs na ríomhaireachta ach go háirithe.
Ach tá seantaithí sa teanga ar an ngnás sin. Bhí an tráth ann nuair nach
raibh focail amhail 'chair', 'experience', 'telephone' ina mbriathra. Anois
is féidir abairtí mar 'they can grocery-shop from behind the wheel of their
car' a rá gan deacracht. An féidir leis an nGaeilge an bealach céanna a
leanúint. Rinneadh amhlaidh riamh anall. Cén deacracht a bhainfeadh
le *teileachomhdhálaigh* ('to teleconference')? Tá briathar déanta as
dobhriathar, *anonnaigh* sa chaint faoi mar atá *duinigh* in *Desiderius* le
Flaithrí Ó Maolchonaire (1616) sa chiall *go ndearnadh duine de*. Tá
briathra eile amhail *fuirigh* ('hold back, delay'), *geimhrigh* ('make
gloomy'), *grianbháigh* ('eclipse, submerge') nár mhiste a athbhunú. Os
a choinne sin tá focail amhail *faisnéis* ar ainmfhocal/briathar é ach gurb
annamh a úsáidtear mar bhriathar é. B'fhiú réamhfhocal comhshuite
amhail *ar olca le* chun freagairt do *ar mhaithe le*. Tá ciall le righneas
agus dolúbthacht i dteanga mar atá ciall le caighdeán agus caighdeánú.
Ach as an ró-righneas tagann seisce agus as an dolúbthacht tagann
aimride agus críonadh. Ó aimsir Chomsky anall, b'fhéidir gur cheart an

righneas agus an riteacht agus an dolúbthacht agus an cruinneas a lonnú sa chomhréir agus aird níos lú a thabhairt ar mhionrialacha gramadaí nó iad a shimpliú féin. Is ar réimse na comhréire a dhearcfaimid feasta.

CUID II
An Cleachtas san Fhocal
Caibidil 3 - An Briathar

Deir Anthony Burgess in *A Mouthful of Air* (1992) nach bhfuil briathar i mBéarla a úsáidtear níos minice ná 'get'. Is amhlaidh do bhriathra eile, go háirithe briathra neamhrialta. Is doiligh don eachtrannach iomadúlacht na húsáide seo sa Bhéarla a thuiscint. Agus mar bharr ar an donas déantar idirdhealú san úsáid trí réamhfhocal a chur leis ; 'give over', 'get on', 'put up', 'take after' agus mar sin de. Bhí Ernest Gowers ag gearán caoga bliain ó shin in *The Complete Plain Words* (1976, 97) faoin 'tendency to form phrasal verbs to express a meaning no different from that of the verb without the particle', agus deirtear 'to do this is to debase the language, not to enrich it'. Agus tugann sé na samplaí 'drown out', 'sound out', 'lose out', 'rest up', 'miss out on'. Gnáthchaint sa Bhéarla anois iad na samplaí sin uile. An leanann an Ghaeilge an gnás sin go minic, ó am go chéile, riamh? An bhfuil an claonadh sa Ghaeilge nua-aoiseach atá rianaithe an iomad ar an mBéarla aithris a dhéanamh air? Tá cathú ann gan amhras 'blow in' a aistriú le *buail isteach* nó *séid isteach* agus 'it's blowing up for rain' le *tá sé ag bualadh / séideadh suas le haghaidh fearthainne*. Tá níos mó ná fadhb amháin ansin. Tá fadhb an aistriúcháin i dtosach báire: an féidir an abairt a aistriú go litriúil agus murar féidir cén modh is ceart a úsáid chun dúchas na teanga a aithris.

Amharcfaimid sa chaibidil seo ar an gcomhcheol is féidir a aimsiú idir briathra na Gaeilge agus briathra an Bhéarla le neart samplaí a léiríonn gur den imirt an coimhéad. Más féidir an léitheoir a chur ar an airdeall maidir leis na cleasanna difriúla a úsáidtear i ngach teanga, a spéis a dhúiseacht agus a spreagadh chun an modh meafarach a lorg agus an modh litriúil a sheachaint, beidh rath ar an obair. Sa chaibidil seo, áfach, ní thugtar aird ar an idirdhealú trasuíomh/modhnú óir, má tá na samplaí bunaithe don mhórchuid ar an trasuíomh gramadúil, is meascán den dá bhealach atá le feiceáil de ghnáth sna samplaí go minic agus is tábhachtaí ag an bpointe seo an bhéim a chur ar an athrú meoin is gá chun an deighilt idir na teangacha a mheabhrú.

Ní chuirtear na hiontrálacha in ord aibítreach óir ní gluais ná foclóir
é seo. Is é is aidhm leis cúirialtacht an léitheora a mhealladh isteach in
urlabhra na Gaeilge.

BEAR

Is annamh is gá an briathar 'bear' a aistriú lasmuigh den chomhthéacs
litriúil. Tá bealaí éagsúla sa Ghaeilge chun an focal a aistriú ach rud
beag machnaimh a dhéanamh ar an gcomhthéacs agus ní hionann iad ó
shampla amháin go sampla eile.

(a) briathar eile ar fad

- bear that in mind: cuimhnigh air sin/coinnigh cuimhne air sin
- to bear out the story: de dhearbhú an scéil
- before their distress becomes harder to bear: sula dtromaí ar a n-anachain
- bear up the heavy side for me: fulaing an leatrom dom
- I won't be able to bear it no matter how hard I try: ní sheasfaidh mé é a thréan
  ná a threas/thrua
- if my pocket could bear it: dá dtéadh mo phóca faoi díom

(b) briathar > ainmfhocal

- we had to bear the brunt of the fight: bhí luí na troda orainn
- he bears a charmed life: tá léas/fad ar a shaol aige
- he got as much as he could bear: fuair sé iompar a chraicinn
- he was dissipated and bears the marks of it: bhí sé drabhlasach agus tá a lear
  air

(c) feidhm eile den bhriathar

- all truths will not bear telling: ní bhíonn an fhírinne ininste i gcónaí

(d) briathar > réamhfhocal

- my pocket couldn't bear the expense: ní raibh mo phóca faoi dom

(e) briathar > meafar

- let the beneficiary bear the expense: an té a d'ith an barr íocadh sé an féarach.

BEAT

Níl aon ghanntanas briathra i nGaeilge mar aistriúchán litriúil ar
'beat' seachas na cinn atá ar eolas ag cách mar *buail, cnag, gread, liúr* sa
chiall litriúil, agus focail ar nós *cáith, léirigh* i gciall theicniúil. D'fhéadfaí
a mhaíomh gur cuid de mheiturlabhra na teanga an focal/coincheap féin
sa mhéid go dtugann sé léargas ar leith ar dhúchas na Gaeilge. Níl le
fáil ina dhiaidh seo, áfach, ach na cásanna nuair nach dtuigtear an Béarla
go litriúil.

(a) briathar eile ar fad

- the sun beating down on the peaks: an ghrian ag doirteadh ar na beanna
- it beat me completely: chinn sé dólámhach orm
- he beat them soundly: léirigh sé go binn iad
- beating about the bush: ag baint boghaisíní ar cheist/ag iomlatáil le scéal
- he didn't beat about the bush: ní dheachaigh sé i leith ná i leataobh leis
- don't beat about the bush: ná bí ag spreotáil mar sin
- beating the air: ag iomramh an aeir
- to beat someone into a helpless condition: bogmharú a thabhairt ar/do dhuine

(b) briathar > ainmfhocal

- my heart was beating fast: bhí fuadach ar/faoi mo chroí
- my heart was beating faster after the run: bhí athbhuille ar mo chroí i ndiaidh na reatha
- he beat me hollow: rinne sé ciseach díom
- to beat someone unmercifully: duinní a dhéanamh ar dhuine

(c) briathar > meafar

- there is nothing to beat it: is é bas é

Is fiú a thabhairt faoi deara gur féidir aistriúchán níos litriúla a dhéanamh ar chuid de na habairtí sin ach trasuíomh a dhéanamh, mar shampla: *bhuail sé caoch mé/bhuaigh sé caoch orm* ('he beat me hollow'). Níor mhiste tagairt a dhéanamh anseo d'abairt an-choitianta 'off the beaten track', *ar leathimeall,* nó *cosán dearg* ar 'the beaten track' é féin.

BECOME

Seo ceann de na briathra is úsáidí i mBéarla agus is deacra i nGaeilge. Go fiú abairt chomh neamhchasta le 'if you become a member of the club' ní furasta é a aistriú gan dul i muinín abairte amscaí amhail 'má thagann tú chun bheith i do bhall den chumann'. Cuirtear leis na deacrachtaí nuair a úsáideann an Béarla 'become' i dteannta aidiachta nó aidiachta briathartha. Is fiú tagairt a dhéanamh do leaganacha áirithe: *d'éirigh sé (colgach),* mar shampla, 'he became (angry)' agus d'úsáid ainm teibí: *chuaigh sé i bhfuaire* 'it became cold', *chuaigh an fhadhb in olcas* 'the problem became worse'.

Ina theannta sin, tá an-tábhacht fealsúnachta leis an mbriathar 'become' i mBéarla (*devenir* sa Fhraincis) ó thús an chéid seo ach go háirithe. Cuireann sé síos ar an ngluaiseacht ó riocht amháin go riocht eile, an riocht ar a dtugtar éabhlóid go coitianta: 'he became an outlaw/rake/man', is é sin gur athraíodh a chomharthaí sóirt agus tugadh comharthaí sóirt nó féiniúlacht nua dó. Níl aon chur amach ag an nGaeilge ar an éabhlóid neamhchasta sin mar is léir ón leagan Gaeilge ar na habairtí sin: *thug sé an choill air féin, d'imigh sé ina réice, rinne fear de.* Pointe tosaithe ar fad eile atá ag an nGaeilge mar is ríléir san abairt *tá an sceir/trá ag scamhadh.* Níl aon chlaochlú ag tarlú ar an sceir nó ar an trá, níl ann ach gur féidir leis an mbreathnóir iad a fheiceáil. An té a thugann an choill air féin, tá sé intuigthe go bhfuil athrú éigin i gceist ach ní mian leis an nGaeilge tabhairt le fios go bhfuil aon 'becoming' nua ann. Athrú staide amháin é agus ní furasta i gcónaí an leagan ceart Gaeilge a aimsiú.

(a) briathar + aidiacht/ainmhfhocal > briathar eile ar fad

- they are becoming friends again: tá siad ag titim isteach ar a chéile arís
- becoming very friendly with each other: ag dul i móireacht le chéile
- I became hot and nervous: théigh faoi dtaobh díom
- to become obscure: dul faoi dhlaoi
- to become obstreperous: ag éirí ar do chosa deiridh
- to become pensive: dul ar staidéar
- to become pitch-dark: dul ó dhúsholas
- the cough is becoming persistent: tá an chasachtach ag righniú
- he became a rake: d'imigh sé ina réice
- to become rare: ag dul chun fánaí
- they are becoming reticent with one another: tá siad ag dorchú ar a chéile
- weavers are becoming scarce: tá na fíodóirí ag fánú
- to become subordinate to someone: bheith/teacht laistíos de dhuine
- he became terrified: dhubhaigh agus dheann air
- it's becoming a source of anxiety to her: tá sé ag teacht chun imní uirthi
- the reef is becoming exposed: tá an sceir ag scamhadh
- the weather is becoming really settled: tá an aimsir ag daingniú
- it became stormy: chuaigh sé chun uaire móire

(b) briathar + aidiacht > briathar eile ar fad + ainmfhocal

- he became agressive: chuir sé cuil troda air féin
- he became annoyed with me: tháinig meirg air chugam
- it became blurred in my mind: chuaigh sé ó léargas orm
- the child became convulsed: tháinig an baoth-thonn ar an leanbh
- he became bow-legged: tháinig cuan ina chosa
- to become confused: dul ar an bhfóidín mearaí
- to let yourself become confused about something: ligean do rud dul sa fhraoch ort
- the people at the meeting became agitated: tháinig coipeadh ar lucht an

chruinnithe
- his cold became chronic: chuaigh an slaghdán i bhfastú / in achrann/ainseal ann
  / i ngadhscal dó / dhaingnigh an slaghdán ann
- the day is becoming disagreeable: tá an lá ag dul chun anaitis
- to become frenzied: dul le dúchas
- to become furious with someone: bheith/dul ar an daoraí le duine
- he became fractious: chuir sé suas stailc
- it became indescribable: chuaigh sé thar insint scéil
- he became stuck-up: chuaigh sé in airdeoga
- he became suspicious: bhain amhras dó

(c) nuair nach gá briathar eile
- he's becoming addicted to gambling: tá sé ag luí le cearrbhachas
- silence would become you better: b'fhiúntaí duit a bheith i do thost
- it ill becomes you: is cloíte an mhaise duit é
- it would ill become me not to: b'olc an mhaise dom gan
- it has become confused in my mind: tá sé imithe in agar orm
- he has become a by-word: tá sé ina sceith bhéil
- it has become chronic with him: tá sé i bhfeadánacht ann
- the matter has become nauseating: tá an scéal ina dhomlas

(d) briathar > réamhfhocal
- before the pain becomes unbearable: sula dté an phian thar fulaingt

(e) briathar > abairt mheafarach
- if you keep at it it will become a habit: má leanann tú de, leanfaidh sé díot
- he has become the topic of conversation: tá sé tógtha i mbéal
- it was then things became really serious: ba chuma riamh é go dtí sin
- he became resolute: chuir sé a dhá chos d'aon taobh
- he is becoming decrepit/stooped with age: tá sé ag titim ar a bhata

BEGIN
Cheapfaí gur beag deacracht a bheadh le haistriú an fhocail 'begin'.
Tá sé le fáil i ngach teanga agus is léir cad is ciall leis. Ach tá fonn
cruinnis ar an nGaeilge go háirithe toisc nach tús dáiríre a bhíonn i gceist
i gcónaí nuair atá 'begin' i mBéarla.

(a) briathar eile ar fad
- they began to discuss the state of the country: tharraing siad orthu staid na tíre
- I can't begin to place any confidence in him: níl muinín ar bith ag teacht agam
  as
- they began to converse in earnest: luigh siad amach ar an gcomhrá
- he began to blubber: chuir sé streill chaointe air féin

- he began to sulk: chuir sé breall air féin
- they began to shout at one another: d'éirigh siad callánach le chéile

(b) briathar + briathar eile > briathar amháin eile

- the drink was beginning to affect him: bhí an deoch ag boirbeáil chuige
- he's beginning to fancy himself: tá sé ag teacht aniar as féin
- I was beginning to feel hungry: bhí an t-ocras ag druidim liom
- he's beginning to frequent his former haunts: tá sé ag teacht abhaile ar a dhúchas
- he was beginning to realise his strength: bhí a neart á thaibhreamh dó
- I am beginning to understand you: tá mé ag teacht ort

(c) briathar > ainmfhocal

- he's beginning to look old: tá an seanduine ag teacht air
- he's beginning to think himself a great fellow: tá méadaíocht ag teacht ann
- beginning to look like soldiers: tá aithne saighdiúirí ag teacht orthu

(d) briathar > meafar

- what begins as a joke often becomes serious: is minic a thagann an magadh go leaba an dáiríre
- since time began: ó chuaigh an saol ar suíochán
- charity begins at home: baist do leanbh féin ar dtús
- my head began to swim: tháinig meadhrán ionam/i mo cheann

Léiríonn na samplaí sin a mhinice nach gá don Ghaeilge nóisean an tosaigh a lua go díreach. Tá blas beag den amhras, den díchreideamh féin maidir le tús an domhain.

BLOW

Níl ach glaicín samplaí anseo chun an úsáid mheafarach den bhriathar seo a léiriú.

(a) briathar eile ar fad

- he blows hot and cold: beireann an fuacht ar an teas aige
- his hat blew off: d'fhuadaigh an hata de
- to blow in: teacht ar dhroim na gaoithe

(b) briathar > ainmfhocal

- he's blown up like a balloon: tá sé ina lamhnán
- it's blowing up for rain: tá géarbhach báistí ann

BREAK

Tá an briathar 'break' chomh cinnte gonta sin gur doiligh an úsáid mheafarach atá leis go minic a mheabhrú. Ach nuair is gá an focal a aistriú go teanga eile agus go dtí an Ghaeilge ach go háirithe, ní mór a fhiafraí an briseadh atá ann in aon chor bíodh is go bhfuil sé cóngarach

go leor dó san abairt 'he broke into a smile', *mhaígh sé a ghean gáire air*.
Níl aon amhras faoi gur bhris sé an fhuinneog ach feicfear sna samplaí
thíos cad é mar a roinntear leis an tuairisc sin sa Ghaeilge.

(a) briathar eile ar fad

- may it make you break wind: go seinne sé siar ort
- to break into a run: síneadh chun reatha
- to break cover: éirí as a leaba dhearg
- every bone in your body will be broken: roinnfear do cheithre chnámha ar a
  chéile
- we have broken the back of the work: tá an obair brúite againn
- breaking his heart laughing: ag cur a anama amach ag gáire

(b) break + réamhfhocal > briathar eile

- he was ready to break out in tears: bhí sé luchtaithe le deora
- I broke out in a cold sweat: tháinig fuarú allais orm
- he had broken out in a sweat: bhí braic allais as

(c) leagan eile ar fad

- he was unable to break his fall: thit sé gan chosaint

Is fíor a rá leoga gur ceadmhach *do chroí a bhriseadh a rá* i nGaeilge
agus go n-úsáidtear *bris* san abairt 'to break the ice'. B'annamh a bhí an
t-oighear le briseadh in Éirinn ach ba mhinic an cath, sin an fáth gan
amhras gur fearr *an cath a bhriseadh* a rá sa chomhthéacs seo.

CAN

Is ar an bhfocal 'can' is túisce a chuireann an foghlaimeoir eolas ar an
nGaeilge nuair a éiríonn leis an bhunghramadach a fhágáil ina dhiaidh.
An abairt dar tús *is féidir liom seo a dhéanamh* nó *ní thig leis sin a
dhéanamh* is ea an abairt is mó a chloistear sa chaint agus a fheictear ar
phár. Tá sé mar chuid de dhlúth agus d'inneach na Gaeilge anois nach
mór ach is aistriúchán lom díreach ar an mBéarla é. An bhfuil sé
inleigheasta nó an fíor 'what can't be cured must be endured', *an rud nach
féidir a leigheas ní mór cur suas leis*, nó *beart gan leigheas foighne* is fearr
air? Dá bhféadfaí athmhachnamh a spreagadh ar ionad agus úsáid an
bhriathair is fearr a fhreagraíonn sa Ghaeilge do 'can', is cinnte go gcuirfí
barr maise áirithe ar athghabháil an dúchais.

(a) an briathar cúnta sa choinníollach + briathar eile > an
briathar eile sa choinníollach

- you could hear him anywhere: chluinfeá sa domhan thoir é
- he could beat all five of you: bhuailfeadh sé lán an chúigir agaibh

- no man alive could do it: níl aon fhear beirthe a dhéanfadh é
- I couldn't bring myself to do it: ní bhfaighinn i m'aigne é a dhéanamh
- if she could hold her tongue: dá mbeadh scáth aige ar a teanga
- no one could be up to him: ní thiocfadh an saol suas leis
- I could no more lift it than I could eat it: d'íosfainn é sula dtógfainn é
- I would lift it if I could get at it properly: thógfainn é dá bhfaighinn cothrom air
- if I could find time for it: dá bhfaighinn aon eatramh air
- you could have knocked me down with a feather: leagfá le tráithnín mé
- I couldn't live without it: ní bheadh beo orm gan é
- if I could pick and choose: dá mbeadh breith agus dhá rogha agam
- you couldn't possibly stay here: ní bheadh sé inrásta agat fanacht anseo
- if I could rely on my health: dá mbeadh an tsláinte ag feitheamh dom
- you couldn't satisfy them: ní bhfaighfeá iad a shásamh
- nothing could shift him: ní bhogfadh seacht gcatha na Féinne é
- he couldn't kick snow off a rope: ní bhainfeadh sé an cúr den leamhnacht
- she could twist him round her little finger: dhéanfadh sí súgán de
- I could wring his neck: gheobhainn an muinéal a chasadh aige
- if he could undo what he had done: dá mbeadh breith/greim ar a aiféala aige
- you'd think he could tell in advance: shílfeá gur fios a bhí aige
- nobody could fathom him: ní rachadh an saol amach air

(b) an briathar cúnta sa láithreach/caite + briathar eile > an briathar eile (agus aimsir eile)

- it's more than you can do: ní dhéanfadh do dhícheall
- he can work wonders: dhéanfadh sé cat agus dhá eireaball air
- it cannot escape his ears: cluinfidh sé ar an gcluas is bodhaire aige é
- I couldn't hear my ears: ní raibh focal i gcluas le cloisteáil agam
- she couldn't be stopped from crying: níor baineadh fúithi ach ag gol

(c) briathar cúnta > ainmfhocal

- he can't compare with you: níl aon bhreith aige ort
- it's the best he can do: is é a bhang é
- he can't keep a secret: níl ceilt ar bith ann
- I can see that he is lying: fionnaim an bhréag air
- you could write volumes about it: tá léann agus leabhair air
- your face could do with a little washing: ba chomaoin ar d'aghaidh boiseog uisce a chur uirthi
- he can dance a bit: tá geáitse éigin rince aige
- there was as much as I could carry in both hands: bhí iompar mo dhá lámh ann
- she can't go out because of the children: níl gléas aici éirí amach ag na páistí
- can't you take it easy: nach ort atá an stró
- something that can't be averted: rud nach bhfuil fán air

- he's doing as well as can be expected: is leor dó a fheabhas
- as far back as I can remember: is é mo chianchuimhne/sheanchuimhne é
- a cat can foretell the weather: is maith an comharthaí an cat
- he flung it as far as he could: chuir sé fad a urchair uaidh é
- he could be hanged for that: tá coir/cúis a chrochta air
- I can't make head or tail of it: níl tóin ná ceann le fáil agam air
- we can't help being like that: fágadh an bua sin orainn
- it's the least I can do: is beag an dualgas orm/obair lae dom é
- I couldn't breathe: níor fhan smeámh/smid ionam
- he can hardly be so long gone: tá obair aige a bheith an fad sin amuigh
- it was as much as he could do: ba é lán a shnáithe é/thug sé a sháith/a theannsáith le déanamh dó
- I couldn't help laughing: d'imigh an gáire orm

(d) briathar cúnta > ainm briathartha

- he couldn't keep his eyes open: bhí na súile ag iamhair le codladh
- he's working as fast as he can: tá sé ag stróiceadh leis
- gathering everything he can lay his hands on: ag cruinniú roimhe agus ag bailiú ina dhiaidh
- I couldn't keep my eyes open: bhí mo shúile ag titim ar a chéile
- I couldn't prevail on him: ní bhfuair mé le spreagadh é

(e) briathar cúnta > réamhfhocal

- he can't settle down anywhere: níl sé ach ó phort go port
- one can only do one's best: is leor ó/do Mhurchadh a dhícheall
- I could do with it: níl mé as a fheidhm
- he can't content himself today: tá sé ar nós na beiche inniu
- it's more than I can do: tá sé thar m'fhoghail
- I can manage without it: tá teacht dá uireasa agam
- he could think of nothing else: ní raibh ar a mheanma ach é

(f) briathar cúnta > meafar/abairt mheafarach

- you cannot work without food: capall na hoibre an bia
- what cannot be cured must be endured: beart gan leigheas foighne is fearr air
- he dashed off as fast as he could: d'imigh sé de spalpadh reatha
- he was working away as fast as he could: bhí sé ag obair ar a thírim/ar tinneanas
- I was hurrying as fast as my feet could carry me: bhí deifir mo dhá bhonn orm
- he made off as fast as his legs could carry him: chuir sé sna cosa / d'imigh sé an méid a bhí ina chorp
- he can eat eanything: tá coimpléasc capaill aige
- everybody can do something for himself: aimsíonn an dall a bhéal
- he can't get things done fast enough: tá an fómhar ag leathadh air
- he dragged it along as best he could: tharraing sé leis é ar an iarach agus ar an

árach

- it was as much as I could do: fuair mé lá mo chliatháin de/ba é mo chloch nirt é
- if you can summon up the strength for it: má tá sé i do cheithre cnámha
- I can only regard you as trustworthy: ní mheasaim díot ach dóithín maith
- you can take it from me it's true: mura fíor é bain an ceann/an chluas/barr na cluaise díom
- he can't make up his mind whether to go or not: tá brath ann agus brath as aige
- few in life can compare with them: tearc i mbeatha a séad samhla

Is leor sracfhéachaint ar chuid de na samplaí thuas chun a fheiceáil nach é an briathar cúnta 'can' bheith ar iarraidh i gcónaí sa Ghaeilge an difear idir an leagan Béarla agus an leagan Gaeilge. Is cinnte nach ndéanfaí an Ghaeilge a chur as a riocht ná an múnla Gaeilge a shéanadh cuid de na habairtí a aistriú go litriúil. Ní bheadh aon locht ar *ní féidir leis a intinn a dhéanamh suas* ná *is beag duine atá inchomórtais le* mar leaganacha ar na cinn deiridh ach is leimhe loime iad. Ina theannta sin, ní baol dóibh. Fad atá daoine ag foghlaim na Gaeilge beidh rith an Bhéarla chun tosaigh. Ach b'fhiú an meon as ar fuineadh an leagan eile a athshealbhú.

COME

Is ionann go minic an dóigh a roinneann an Ghaeilge leis an mbriathar 'come' agus a roinneann sí le 'can', is é sin nach n-amharcann sí air mar ghníomh a bhfuil gluaiseacht i gceist ann i gcónaí. Is cur chuige i bhfad níos cruinne é ná an Béarla. Tá áis eile i mBéarla a chuireann leis an deacracht óir is minic réamhfhocal/dobhriathar ag gabháil leis an mbriathar 'come' chun ciall eile ar fad a thabhairt dó.

(a) briathar > briathar eile ar fad

- it will come against you some day: teagmhóidh sé duit lá éigin
- he came my way: bhuail sé i mo threo
- the night came on us: rug an oíche orainn
- it is coming to you: tá sé tabhaithe agat
- he hasn't come here for any good: ní hé an dea-rud a thug anseo é
- he will come to harm: cuirfidh sé é féin in angaid
- he came at a late hour: thug sé an deireanas leis
- if you could see what was to come: dá mbeadh fios agat
- I saw him coming slowly towards me: chonaic mé ag sraonadh chugam é
- not a penny of it came my way: níor shiúil pingin de orm
- he's coming to life: tá sé ag bíogadh

(b) briathar > téigh/imigh

- when it came to the crucial test: nuair a chuaigh an chúis go cnámh na huillinne
- if it comes to the test: má théann sé sna stacaí
- they'll come to a bad end: gabhfaidh droch-chríoch orthu
- they came to a sorry end: ba bhocht an íde a d'imigh orthu
- work must come before play: ní théann na paidreacha agus na headraí le chéile
- everything he said came to pass: d'imigh gach ní dá ndúirt sé

(c) briathar > ainmfhocal

- he'll never come to much: ní bheidh lá foráis air go héag
- to come charging at someone: bheith sa droimruaig ar dhuine
- he was there when I came along: bhí sé i mbéal an tsaoil romham
- the attempt came to nothing: bhí neamhthoradh ar an iarracht
- it will come soon enough for us: ní beag dúinn a luas/a thúisce
- they came to blows: bhí sé ina scléip eatarthu
- keep them from coming to blows: déan tarrtháil eatarthu
- they come nowhere near him: níl gair ná gaobhar acu air
- there'll be nobody to come after him: beidh sé gan iarsma ina dhiaidh
- nobody asked you to come: níor chuir aon duine tiaradh ort
- the day of reckoning has come: tá an cairde caite
- for fear of the wrath to come: ar eagla na fala thuas

(d) briathar > aidiacht/aidiacht bhriathartha

- I have come to detest them: tá mé gráinithe acu
- there's a lot of money coming to him: tá a lán airgid cosanta aige
- they are ready to come to blows: tá siad ag éirí cnagach le chéile

(e) briathar + réamhfhocal/dobhriathar > briathar eile (+ ainmfhocal)

- the hurt came against him: thóg an gortú ceann arís dó
- the knot came away with me: bhog an tsnaidhm liom
- I wouldn't come down to your level: ní rachainn ar aon rian leat
- a lie always came easy to him: níor thacht an bhréag riamh é
- it'll come in useful sometime: fóirfidh sé uair éigin
- he's coming into his prime: tá sé i mbéal a mhaitheasa
- he hasn't come near the house for a week: níor thaobhaigh sé an teach le seachtain
- with the Spring coming on: i mbrollach an earraigh
- what came over him?: cad a bhuail é?
- whatever came over him: pé rachmall/spreang a bhuail é/pé boc a buaileadh air
- he came through without a scratch: níor bhain béim chreabhair dó/ní dhearnadh deargadh an chreabhair air
- it will come to a fight between them yet: bruíonfaidh siad fós

- he looks as if he'll come to no good: tá drochthuar faoi
- it doesn't come up to expectations: ní cathair mar a tuairisc í
- the water came up to his middle: bhí an t-uisce go coim air

(f) briathar > meafar/abairt mheafarach

- it comes to the same thing: deartháir don sac an mála
- to come down in the world: dul ón rabharta go dtí an mhallmhuir
- he goes and comes as he pleases: tá a cheann is a chosa leis
- he'll be dead before the priest comes: níl cuid an tsagairt ann
- for ages to come: le saol na bhfear
- he always comes at meal-times: in aimsir a choda a rugadh é
- there's a shower coming: tá braon sa tsúil aige

DO

Is lú an difear idir úsáid an bhriathair seo sa dá theanga ach ní mian leis an nGaeilge i gcónaí dul an Bhéarla a leanúint. Toisc go gcuireann sé go mór le héascaíocht na stíle *déan* a sheachaint oiread agus is féidir agus go háirithe nuair is fearr an leagan eile atá sa Ghaeilge, tugtar anseo thíos cuid de na cásanna inar féidir teacht ar mhalairt.

(a) briathar > briathar eile ar fad

- to do someone a disservice: droch-chomaoin a chur ar dhuine
- it wouldn't do to anger him: ní fhóirfeadh sé fearg a chur air
- one of them would do me: gheobhainn leor le ceann amháin acu
- he did me the courtesy of excusing himself: thug sé de mhúineadh dom a leithscéal a ghabháil
- he did it behind my back: chuaigh sé laistiar díom leis
- I am better that way than doing nothing: is fearr mar sin mé ná bheith i mo thámh
- they will do anything for him: tógfaidh siad ar a mbosa é
- he is doing well at Latin: tá sé ag breith leis sa Laidin
- I won't have anything to do with it: ní dhrannfaidh mé leis
- it will give you enough to do to carry that load: oibreoidh sé thú an t-ualach sin a iompar
- a poor fellow who did neither hurt nor harm: créatúr nár chóirigh is nár cháin
- I had to do the heaviest share of the work: thit meáchan na hoibre orm
- to do an untidy job: eireaball a fhágáil/leathbhreall a chur ar rud
- you didn't do justice to the food: níor thug sibh a cheart don bhia
- let him do as he pleases: tabhair cead a chinn/cead a bhealaigh/a thoil féin dó

(b) (i) briathar > ainmfhocal

- if it were something I could do (to help): dá mba ar mo mhaith a bheadh

- it's your own doing: ort féin a bhuíochas
- I had to do my best: bhí gnó agam le mo dhícheall
- he couldn't do half enough for us: bhí anrud air linn
- he does extraordinary things at times: tá sracaí aisteacha ann
- it's all he ever does: is é a fhor is a fhónamh é
- he knows how to do wrong: tá ciall don drochrud aige
- there are many ways of doing things: is iomaí gléas ceoil ann
- it's easy to say you will do this and that: is réidh ag duine a theannfhocal a rá
- he has done well by it: tá a bharr go maith aige
- it is wonderfully good of you to do it: is é na fearta féile duit é
- it's the least I can do: is beag an dualgas orm é/is beag an obair lae dom é
- we made do with it for the night: bhaineamar cothrom na hoíche as
- I had nothing to do with it: ní raibh ladhar ná lámh agam ann
- he does it in fits and starts: tagann sé ina threallanna air
- he was undecided what to do: bhí cos thall agus cos abhus aige

(b) (ii) briathar + dobhriathar/réamhfhocal > ainmfhocal/aidiacht

- he did away with the money: chuir sé ceal san airgead
- he's badly done up: tá sé léirithe go maith

(c) gan é a aistriú in aon chor, ach é intuigthe in ainmfhocal/réamhfhocal

- I wouldn't dream of doing it: is fada a bheinn ag smaoineamh air
- I had the day to myself to do as I pleased: bhí an lá ar mo phraeic agam
- he may do as he pleases: tá pas a láimhe aige
- all he has to do is look after himself: níl de mhórtabháil air ach é féin
- you very nearly did it: chuaigh tú i dtánaiste dó
- he's doing nothing today: tá sé ina chónaí inniu
- he has no notion of doing it: níl lá iomrá aige air
- as he aspired to do: mar ba mheanmarc leis
- continue with what you are doing: lean ar do láimh
- he would not condescend to have anything to do with it: ní chromfadh sé leis
- it does you great credit: is mór an clú duit é
- he's doing as well as can be expected: is leor dó a fheabhas
- doing his best: i muinín a mhiota/ar a bhionda
- we have done a fair day's work: táimid i gcuid chothrom leis an lá
- it's the informed thing to do: is é an t-eolas é
- he's under no illusion as to what he is doing: níl meisce ná mire air
- there's a knack in doing it: tá cleas/dóigh air
- it does more harm than good: is mó an t-olc ná an tairbhe é
- they do as they like: tá siad ar a gcomhairle féin

- to have half a mind to do something: rud a bheith ar leathintinn agat
- to restrain someone from doing something: duine a fhuireach ó rud
- to refuse obstinately to do someone's bidding: dul chun diúnais ar dhuine
- that's a sensible thing for him to do: tá ciall dó ansin

(d) briathar > réamhfhocal/aidiacht
- it shouldn't be done in haste: níor bheite a bheith grod leis
- have nothing to do with that lot: ná bí mór ná beag leis an treibh sin
- it's the least you might do: (is é is lú) is gann duit é
- he sure can do it: is é atá deas air
- all you need to do is speak to him: níl agat ach labhairt leis
- I will have nothing to do with your affairs: tá mé bunoscionn ar do ghnóthaí
- keep your wits about you while you're doing it: ná bí maol ina bhun

(e) briathar > meafar/abairt mheafarach
- dire necessity compelled him to do it: bhuaigh an gá ar an gcoinníoll aige
- he was always sure to do the wrong thing: níor theip an tuathal riamh air
- when all was said and done: le gach uile údramáil
- everyone can do something for himself: aimsíonn an dall a bhéal
- easy does it: is é an buille réidh is fearr/ní bhíonn tréan buan
- you have done a grievous thing: is dubh ar d'anam é
- don't do things by half: iomair an bád nó fág é
- doing something to no purpose: ag fadú tine faoi loch
- let me do as I please but save me from the consequences: lig mé chun an bhodaigh ach ná lig an bodach chugam
- it was done like a shot: sin an guth a fuair an fhreagairt
- there'll be no more work done today: tá an lá inniu buailte

FEEL

Briathar eile a bhfuil éifeacht chuimsitheach aige i mBéarla ach a bhfuil an Ghaeilge níos cáiréisí faoi, is ea 'feel'. Seo roinnt samplaí a léiríonn nach féidir é a aistriú go litriúil gach uair.

(a) briathar + ainmfhocal > briathar eile ar fad
- you'll feel the benefit of that meal: aithneoidh tú agat an béile sin
- he wouldn't feel the loss of a pound: ní ghortódh punt é

(b) briathar eile ar fad
- I felt like speaking to him: chuir mé in amhail labhairt leis
- feeling his way forward: ag meabhrú a shlí roimhe
- I was beginning to feel hungry: bhí an t-ocras ag druidim liom
- we're feeling the pinch: tá an saol ag fáscadh/ag teacht cúng orainn
- he sat there feeling sorry for himself: bhí sé ina shuí ansin ag déanamh a ghearáin leis féin

- I didn't feel the kick: níor bhain sé béim asam
- he felt great pity on her account: ghabh trua mhór ina timpeall é
- that blow was sorely felt: chuaigh an buille sin go heasna

(c) briathar > ainmfhocal

- I don't feel right today: níl mé ar mo chóir féin inniu
- to make someone feel grumpy: mosán a chur ar dhuine
- to feel your flesh creep: fionnaitheacht a bheith ort
- I felt queer: tháinig greannmhaireacht orm
- it's not their loss I feel: ní hiad is díth liom
- he felt as though he were going to his death: ba gheall lena bhás aige é

FIND

Briathar eile a bhfuil ciall ábhartha ag gabháil leis go bunúsach ach a úsáidtear go forleathan i mBéarla chun bríonna meafaracha agus eile a chur in iúl. An abairt 'to find an excuse for someone', tugann sé le tuiscint go bhfuil tóraíocht i gceist sula n-aimsítear an *leithscéal* atá ar iarraidh. Téann an Ghaeilge i muinín an dúlra mar is dual di go minic agus tá an abairt ghleoite seo againn: *adhmad a thógáil de dhuine*. Seo roinnt samplaí eile a thaispeánann gur minic atá friotal na Gaeilge i bhfad níos giorra ná an abairt i mBéarla.

(a) briathar > ainmfhocal + réamhfhocal

- he finds it insipid: is fuar a bhlas air
- if you find it to your liking: más sult leat é
- you'll not find me an easy mark: ní dóigh agat mise
- to find something disagreeable: searbhas a bheith agat ar rud
- if you find time for it: má bhíonn breith agat air
- he'll find it strange to be alone: beidh ainchleachtadh air a bheith leis féin

(b) briathar > ainmfhocal

- you are good at finding things: is maith an sealgaire thú
- I made no effort to find them: níor chuir mé tiaradh ar bith orm

(c) briathar eile ar fad

- I found it hard to do the work: chuir sé crua orm an obair a dhéanamh
- we must take the world as we find it: caithfear teacht leis an saol/gabhaimis leis an saol mar a ghabhann an saol linn
- they found its trail: chuir siad a bhonn
- she found a poor match in him: ba leis a fágadh í

(d) briathar > aidiacht

- they won't find me as simple as that: níl mé chomh leamh sin acu

(e) nuair nach gá é a aistriú

- there's not a trace of it to be found: níl a luaith ná a láithreach ann

GET

Ba dheacair a shéanadh go gcuireann sé crua ar an ngnáth-Ghaeilgeoir briathar comhchosúil a aimsiú do 'find' agus 'get' araon ach *faigh*. Tá feicthe thuas gur féidir *faigh* a sheachaint go minic maidir le 'find'. Is tábhachtaí fós é a sheachaint maidir le 'get' go háirithe nuair a chuimhnítear ar an réimse ciall a ghintear i mBéarla nuair a chuirtear réamhfhocal i ndiaidh an bhriathair. Pé seans atá ann an gnáthbhriathar a aistriú le *faigh* loicfidh ar fad ar an té a théann ar a iontaoibh chun 'get at' nó 'get over' a aistriú. An gnás atá le feiceáil cheana, tá an baol ann go rachaidh sé i bhfeidhm ar ghlúin nua foghlaimeoirí agus go scriosfar go deo cleasanna na Gaeilge an múnla aisteach seo a aistriú. Cuireann Anthony Burgess a mhéar ar thiarnas uileghabhálach an bhriathair seo:

> Foreign learner and native speaker alike can get through a great part of the day with only one verb - 'get'. I get up in the morning, get a bath and a shave, get dressed, get my breakfast, get into the car, get to the office, get down to work, get some coffee at eleven, get lunch at one, get back, get cracking, get angry, get tired, get home, get into a row with my wife, get to bed (or get my head down). For some reason, 'get' is regarded as vulgar, perhaps because it can make life so easy. I may even have to regard this paragraph as a frivolous irrelevance. (1992, 117)

Agus ní thugann Burgess ach a leath. Thiocfadh leis i gcaitheamh an lae 'get a dressing down', 'get down to brass tacks', 'get set for action', 'get the meaning of something', 'get away with murder', 'get frustrated', 'get sacked', 'get stuck in traffic', 'get through the day', 'get plastered' agus ar deireadh thiar thall 'get his deserts'. An féidir le teanga atá faoi ghad ag an mBéarla córas coibhéiseach a shamhlú agus a chur ar bun chun dul san iomaíocht le briathar atá chomh tábhachtach uileghabhálach sin nó an bhfuil múnla smaoinimh sa Ghaeilge atá beag beann ar an bhforlámhas sin ach an múnla aigne sin a athshealbhú?

(a) briathar eile ar fad

(a)(i) téigh

- to get to the bottom of something: dul go dúshraith ruda (cé gur féidir 'fios fátha ruda a fháil' a rá freisin)

- to get down to brass tacks: dul go bun sprioc
- to get angry with someone: dul chun anaitis le duine (nó 'ag borradh chuig duine')
- to get drunk: dul ar na cannaí
- to get into a huff: dul le dod/imeacht ar fiarán/le fíbín feirge
- they are getting out of their fathers' control: tá siad ag dul ó lámhsmacht a n-aithreacha
- he got the better of me: chuaigh sé lastuas díom
- his eagerness got the better of him: chuaigh ag an bhfonn ar an bhfaitíos aige
- to get beyond the control of someone: dul thar chomhairle duine
- the cold has got a grip on him: chuaigh an slaghdán i bhfeadánacht ann (nó 'tá an slaghdán i ndaingean ann/ina chrioslaigh')
- the mornings are getting longer: tá na maidineacha ag dul i moiche
- it's getting late: tá sé ag dul chun deireanais (Is fiú tabhairt faoi deara a liacht leagan atá ar an abairt sin: 'tá an deireanas ag teacht', 'tá sé i leith na déanaí', 'tá sé ag crónú chuige', 'tá log (den oíche) caite', 'tá an lá ag dul chun síneadh' - féach Caibidil 7 thíos, faoi 'am')
- it's getting dark: tá sé ag dul chun dorchadais
- it's getting to be a violent night: tá an oíche ag dul chun doid
- matters are getting hot between them: tá an scéal ag dul chun teasaíochta eatarthu
- it's hard to get around that argument: is doiligh dul taobh thall den argóint sin
- you won't get away with it: ní rachaidh leat
- it's getting beyond my grasp: tá sé ag dul sa mhuileann orm
- he's getting the case all mixed-up: tá an cás ag dul chun siobarnaí air (tá leaganancha eile ar an abairt seo freisin: 'tá sé ina chéir bheach aige', 'rudaí a chur i bhfudairnéis')
- getting a bit old: ag dul i leith na haoise (nó 'tá sé ag dul/titim san aois')
- getting friendly with us: ag dul i dtláithínteacht linn
- they are getting high and mighty: tá siad ag dul chun uabhair
- you can't get far on slender means: ní théann an geall gearr i bhfad
- to get into an uncontrollable rage: dul as do chrann cumhachta
- to get out of hand: dul chun cearmansaíochta
- the priest got wind of it: chuaigh sé i gcluasa an tsagairt
- he got out of paying his share of the money: chuaigh sé óna scair den airgead a íoc
- the wetting he got brought on a fever: chuaigh an fliuchadh chun fiabhrais dó

(a)(ii) cuir

- to get something in your clutches: do chrúcaí a chur i rud
- they got the children off to sleep: chuir siad na páistí faoi chónaí
- to get something off your chest: rud a chur de do chroí

- to get going: crú a chur ina thosach
- I was only trying to get them to be patient: ní raibh mé ach ag iarraidh foighne a chur iontu
- to get down to it: feac na hoibre a chur ort féin
- get a move on: cuir bealadh faoi d'ioscaidí (nó 'bog do chos/lámh')
- to get to the bottom of something: rud a chur le bonn
- I got over that illness: chuir mé an tinneas sin díom
- get rid of it to blazes: cuir uait é in ainm na foirtile
- to get the better of someone: raitréata a chur ar dhuine
- to get down to something: duais a chur ort féin le rud
- he will get into trouble: cuirfidh sé é féin in angaid
- you'll get a pain in the side from laughing: cuirfidh tú arraing ionat féin ag gáire
- that was a reputation he got: sin clú a cuireadh air

(a)(iii) bain

- I got there before him: bhain mé tús de
- he got to the door before me: bhain sé an doras díom
- to get your own back on someone for something: éiric ruda a bhaint as duine
- I'll get even with him for that: bainfidh mé a shásamh sin as
- it's easier to get into an argument than to get out of it: is fusa snaidhm a chur ná a bhaint
- the devil himself wouldn't get the better of him: ní bhainfeadh an diabhal an bhearna de
- it's hard to get blood out of a stone: is doiligh olann a bhaint de ghabhar
- he'll get a cooling yet: bainfear an teaspach as go fóill
- she can get no good out of him: ní thig léi ceart ar bith a bhaint de
- get yourself a haircut: bain cuid den dlaoi díot féin
- to get along somehow: ag baint an lae as
- get on with your work: bain an builín ó d'ascaill/teann leis an obair
- get ready to go: bain do chipín
- to get on the soft side of someone: lag a bhaint as duine
- to get the wrong idea about something: éaduairim a bhaint as rud

(a)(iv) tar

- I got dazed: tháinig néal ionam
- I get dizzy spells: tagann néalta as mo cheann orm
- he gets those fits of spleen: tagann na rotháin sin air
- to get down to brass tacks: teacht i leaba an dáiríre
- he got a touch of cold: tháinig creathán slaghdáin air
- he is getting into his old ways: tá sé ag teacht abhaile ar a dhúchas
- don't get it into your head to do such a thing: ná tagadh aon teidhe duit a leithéid a dhéanamh

- you'll get over it: tiocfaidh tú uaidh/níl bás ná beagshaol ort
- he got on the soft side of me: tháinig sé ó thaobh na gaoithe orm
- you got out of keeping your promise: tháinig tú as do ghealltanas a chomhlíonadh
- you would get to like them: thiocfadh bá agat leo
- since he got the delusions of grandeur: ó tháinig an mhéadaíocht ann

(a)(v) déan

- may you not get much benefit out of it: nár dhéana sé geir duit
- he got the better of me completely: rinne sé cuimil an mháilín dom
- we'll get it over and done with: déanfaimid aon lá amháin air
- don't get the child all mixed-up: ná déan ciafart den leanbh
- to get round someone: ionramháil a dhéanamh ar dhuine

(a)(vi) beir

- get to close grips with him: beir isteach air
- it's getting on for nine o'clock: tá sé ag breith suas ar a naoi
- wait till he gets his grips: fan go mbeire sé ar a ghreamanna
- I got into difficulties: rug céim orm
- he got the better of them: rug sé a mbua

(a)(vii) tabhair

- to get a disagreeable task over and done with: ól na dí seirbhe a thabhairt ar rud
- he got that talent from his people: thug sé an éirim sin óna threabhchas
- to get home before sundown: an ghrian a thabhairt abhaile leat
- we got home by daylight: thugamar an lá linn abhaile
- don't get soaked in the rain: ná tabhair aimliú duit féin amuigh san fhearthainn
- he got clear away: thug sé an eang leis
- he got away with it: thug sé na cosa leis/rug sé na cosa leis
- I'll be glad to get rid of it: thabharfainn conradh ann

(a)(viii) tóg

- if you get his dander up: má thógann tú cochall air
- don't get the idea that I'm angry: ná tóg (samhlaigh) chugat féin go bhfuil fearg orm

(a)(ix) buail

- he got a good hiding: buaileadh leithead a chraicinn air
- whatever got in to him: cibé daol a bhuail é
- he got a relapse: buaileadh síos faoi athchúrsa é
- he got a sound thrashing: buaileadh go feillbhinn é

(a)(x) briathar eile

- you'll get plenty to eat here: ní chumfar do chuid anseo leat
- I'll get even with you when I catch you: cuideoidh mé leat nuair a gheobhaidh mé greim ort

- now that I have got going: anois ó tá mé luite chuige
- he got his dander up against me: d'éirigh coilichín air chugam
- I got a taste of something new: choisc mé mo nuacht
- he got stuck for want of help: fágadh é de dhíobháil cuidithe
- he got himself a good wife: shroich sé sonuachar dó féin
- he wanted very much to get his father's blessing: shantaigh sé beannacht a athar
- they're getting the better of us: tá siad ag éirí sa mhullach orainn
- don't let her get her knife into you: ná tarraing a faobhar ort

(b) briathar + aidiacht/dobhriathar > briathar eile ar fad

- the story got abroad: d'éirigh an scéal amach
- his sight is getting dim: tá a radharc ag leathadh air
- he's getting bald/thin on top: tá a mhullach ag maolú/tá blagaid ag teacht air/tá sé ag lomadh sa cheann
- he's getting fat: tá sé ag titim chun feola/boilg
- he got his breath caught: ceapadh an anáil ann
- the day got fine: bhreáthaigh an lá
- the fishermen are getting ready: tá na hiascairí ag mogallú
- it's time for us to get our things together: tá sé in am dúinn bheith ag glinneáil suas
- he'll have to get down to it this time: feacfaidh sé é féin an iarraidh seo
- the sea is getting calm: tá an fharraige ag sleamhnú
- it's time for us to get ready: tá sé in am againn bheith ag úmachán
- get yourself ready: léirigh ort
- that girl is getting handsomer all the time: tá an cailín sin ag breáthú léi
- isn't that boy getting sturdy: nach é an buachaill sin atá ag teachtadh
- he is getting hot and angry: tá sé ag téamh ina chuid fola/ina chraiceann
- I can't get my tongue round it: ní thig liom mo theanga a chasadh air
- the weather is getting milder: tá an aimsir ag bogadh
- to get rid of mice: lucha a dhísciú
- it's getting worse: ag éirí air atá an aimsir
- I keep getting recurrent colds: tá an slaghdán ag athchasadh orm
- their speech was getting thick: bhí an chaint ag leathadh orthu
- I've got you well taped: tá tú leabhraithe go maith agam
- he's getting thin and worn: tá sé á shnoí is á chaitheamh
- he was getting worked up: bhí sé á ghriogadh féin chun feirge

(c) briathar + réamhfhocal > briathar eile / réamhfhocal / aidiacht

- to get along with someone: cóstáil le duine
- they are not getting along together: níl siad ag treabhadh le chéile
- we can get along without them: bliain mhaith ina ndiaidh

- the damp has got at them: tá gafa fúthu
- it's you he's getting at: is leat atá sé
- there's no getting away from fate: ní choisctear cinniúint
- don't let him get away: ná lig as áit na mbonn é
- don't let him get away with it easily: ná lig laglabhartha leis é
- you can't get away from it: níl imeacht agat air
- he is impatient to get away: tá sé i mbroid gan a bheith ag imeacht/bruith láidir air ag imeacht
- to get down to work: do dhroim a chromadh
- don't get into the habit of swearing: ná cleacht duit féin a bheith ag eascainí
- he got off lightly: d'imigh sé i gcóiste/is beag an cháin a rinneadh air
- he has got on well in the world: is mór a bhorr sé
- time is getting on: tá an bhliain/ghrian/lá ag ársú
- I got on very badly with them: is dona mar a chaith mé mo bheart ina measc
- he's getting on in years: tá seithe righin air/tá tonn mhaith dá aois caite/tá sé ina bhog-seanduine
- get out of my way: chugat as mo bhealach/glan as mo líonta
- let's get out of here: chugainn amach as seo/déanaimis as seo
- did you get out the nail?: an bhfuair tú leat an tairne?
- he did it when he got out of his sulks: rinne sé é nuair a shásaigh sé é féin
- I haven't quite got over my illness yet: níl mé saor ón tinneas go fóill
- what I can't get over is: is é rud atá do mo mharú
- if I manage to get over this incline: má sháraím an mhala seo
- you have got through a lot of work: tá strácáil mhaith déanta agat

(d) gan é a aistriú in aon chor

- he got no more than he deserved: níorbh olc an diach dó é
- you'll catch it when you get home: cuideofar leat ag baile
- he got a double dose of original sin: tá fuíoll baiste air
- you have got what you fancied: tá aithne do shúl leat
- to be in a hurry to get things done: fómhar a bheith ort
- tell him to get out of here: fógair amach as seo é
- to get the worst of something: an drámh a bheith ort
- you've got it all wrong: níl sé thall ná abhus agat

(e) briathar > tá + ainmfhocal

- you'll get no more help from him: tá deireadh agat lena chabhair
- he gets round a lot: is iomaí áit a mbíonn a thriall
- aren't you very anxious to get around: tá siúl in bhur gcosa
- she's a woman who gets around: is í an coisí mná í
- you've got it all entangled: tá sé ina ghréasán agat
- they have got me all mixed-up: tá mé i mo bhall séire acu

- if they fight us we'll give as good as we get: má throideann siad linn ní bheidh acu ach a leath
- he holds on to what he gets: tá crúb ar a chuid aige
- to let someone get the better of you: do gheall a ligean le duine
- I have got the better of him: tá an barr agam air
- he had a crazy notion of getting married: bhí siabhrán pósta air
- I can't get near it: níl aon ghaobhar agam air
- if I get time off from work: má bhíonn ionú ón obair agam
- he has got the story all wrong: tá cúl a chinn leis an scéal
- I got the worst of the bargain: bhí meath an mhargaidh/na malairte/na mullóige agam

(f) briathar > tá + aidiacht/dobhriathar/réamhfhocal

- I hadn't got the hang of his speech: ní raibh mé istigh ar a chuid cainte
- I can't get it out of my mind: tá sé i m'intinn ar fad
- that dish is sure to get broken: tá an mhias sin in áirithe a briste
- it's time to get the priest: tá sé i gcruth an tsagairt
- he was unable to get it done: chuaigh sé ó dhéanamh air
- you have got that word wrong: tá an focal sin cam agat

(g) briathar > meafar

- he gets blamed for everything: dá dtitfeadh crann sa choill is air a thitfeadh sé
- the outsider gets blamed for everything: an mhaith is an t-olc i dtóin an choimhthígh
- he got more than he bargained for: is é fuadach an chait ar an domlas aige é
- he got the fright of his life: chonaic sé Murchadh nó an tor ba ghiorra dó
- I don't understand it but I get the message/the implication of it: ní thuigim é ach tuigim as
- I gave him as good as I got: mar a thomhais sé chugam thomhais mé chuige
- the son gets all the attention: an gruth do Thadhg is an meadhg do na cailíní
- trying to get each other at a disadvantage: ag faire na faille ar a chéile

Is fiú cuimhneamh nach bhfuil sa liosta sin ach na cásanna a bhfuil dúil ag an nGaeilge i mbriathar eile seachas *faigh* chun 'get' a aistriú. Ach is iomaí cás ina n-úsáidtear 'get' agus *faigh* ar an dóigh cheannann chéanna. Ní hionann sin is a rá go bhfuil an leagan iomlán den abairt ina bhfuil *faigh* ag freagairt go dílis do 'get' ina aistriúchán litriúil den Bhéarla. Níl caoi anseo an chuid sin den fhadhb a phlé ach is leor na samplaí seo a leanas a mheabhrú chun gnás na Gaeilge a chur i gcomparáid le gnás an Bhéarla, maidir leis an mbriathar de ar a laghad. Tugtar faoi deara gur idir na briathra amháin atá an dul mar an gcéanna sa dá theanga:

- he got his desserts: fuair sé breith a chionta
- he got what he asked for them: fuair sé rá a bhéil orthu
- he got what he asked for: fuair sé breith a bhéil féin
- he didn't get even a drop: ní bhfuair sé bá na beiche
- he got time to repent: fuair sé ea na haithrí
- she got a husband worthy of her: fuair sí a díol/a sáith d'fhear

Is deacair aon teagasc ródhocht a tharraingt as na samplaí uile faoi 'get' ach go mbaintear úsáid as *tar* níos minice nuair atá ceisteanna sláinte ann agus go bhfuil *cuir* agus *téigh* ceangailte le mothúcháin. Tá an pointe tosaithe maidir le *cuir* i bhfad níos deimhne amhail is dá mba é an t-ainmní ag *cuir* i gceannas ar an riocht. Tugann *téigh* gluaiseacht níos instinní le tuiscint, gur láidre an paisean ná féinsmacht an duine. Úsáidtear bain nuair atá díoltas nó sásamh i gceist agus tá sé intuigthe go bhfuil an fonn díoltais an-láidir.

Maidir leis an abairt áibhéiseach a luaigh Anthony Burgess, arbh ionmholta aistriúchán mar a leanas a mholadh:

Éirím ar maidin, déanaim mé féin a fholcadh agus a bhearradh, gléasaim mé féin, téim isteach sa ghluaisteán, cromaim mo dhroim, ólaim caife ar a haon déag, ithim lón ar a haon, fillim ar an oifig, cuirim duais orm féin leis an obair, téim as mo chrann cumhachta, éirím tuirseach, sroichim an baile, tagann tórmach orm chuig mo bhean, téim a luí agus i gcaitheamh an lae fuair mé mo dheisiú, tháinig mé i leaba an dáiríre, rug mé ar mo ghreamanna, bhain mé ciall as rud éigin, chuaigh feallmharú liom (chuaigh míbheart), bhí mé i mo bhambairne, fuair mé mo thópar, bhí mé cluichte i dtrácht, chuir mé an lá isteach, bhí mé caoch ar meisce agus ar deireadh thiar fuair mé breith mo chionta.

Is léir go bhfuil lán béil d'fhocail dhothuigthe sa Ghaeilge chun cur síos ar ghnátheachtraí an lae agus gur tearc an Gaeilgeoir, más ann dó féin, a thabharfadh an leagan Béarla mar aistriúchán ar an abairt Ghaeilge!

GIVE

Is briathar é seo a úsáidtear go minic chun snag sa chaint a líonadh agus nach bhfuil aon chiall ar leith leis. Ní gá an oiread sin samplaí a thabhairt den bhriathar 'give' ach chun a thaispeáint go n-oireann an briathar *cuir* go minic mar aistriúchán ar 'give' an Bhéarla agus go bhfuil éagsúlacht ann nuair is 'give' + réamhfhocal/dobhriathar atá le haistriú.

(a) briathar + dobhriathar/réamhfhocal > briathar eile ar fad

- the boots gave him away: rinne na bróga scéal air
- he started to give out to me: shéid sé orm
- you are always giving out to me: tá tú ar fad ag fógairt orm
- to make a fire give out more heat: tine a ghéarú
- the doctors gave him up: thóg na dochtúirí de
- I gave him up as a failure: bhain mé dúil dá rath
- he gave himself away: sceith sé air féin
- give up: éirigh as
- he gave it up as a bad job: chaith sé a chloch is a ord leis
- to give way to anger: fearg a dhéanamh
- the bank gave way under me: bhris an bruach liom
- the ladder will give way under you: stangfaidh an dréimire fút
- the sod gave way under my foot: thug an fód faoi mo chosa

(b) briathar + ainmfhocal > briathar eile ar fad

- give us the exact story: beachtaigh an scéal dúinn
- to give someone the gist of something: rud a chiallú do dhuine
- to give the ins and outs of a story to someone: scéal a cheartú do dhuine
- let him give vent to his emotion: lig dó a racht a chloí
- to give plausibility to a story: scéal a dhathú
- to give someone a helping hand: teanntú le duine
- don't give me your smart talk: ná bí ag eagnaíocht liom

(c) briathar > cuir

- to give authority for your statement: urra a chur le do chuid cainte
- he gave himself a workmanlike appearance: chuir sé fionnadh/fíor na hoibre air féin
- to give careful consideration to something: barainn a chur ar rud
- it would give you the creeps: chuirfeadh sé fionnaitheacht/mágra éadain ort
- it gave me a cold: chuir sé slaghdán orm
- he gave himself airs: chuir sé cumaí móra air féin
- they were given schooling and learning: cuireadh scoil is léann rompu
- to give someone a helping hand: lámh a chur i maide duine
- give me a hand with the trunk: cuir do lámh sa trunc liom
- to give yourself a lick and a promise: boslach/boiseog uisce a chur ar d'aghaidh
- to give your bones a rest: comhstraein a chur ar do chnámha
- he didn't give me a very gracious send-off: ní maith an phaidir a chuir sé i mo bhóthar
- I'll give him something to worry about: cuirfidh mé fail air
- to give yourself the trouble of doing something over again: athobair a chur ort féin le rud

(d) briathar > fág

- she gave him a proper dressing-down: níor fhág sí thuas ná thíos air é
- I'll give you best: fágaim an barr/an chraobh agat
- don't give them a chance to backbite: ná fág gléas cúlchainte acu ort

(e) briathar > déan

- to give someone a bit extra to eat: uiríoll a dhéanamh ar dhuine/dúthracht a dhéanamh le duine
- to give yourself the lion's share: roinnt an bhodaigh a dhéanamh ar rud
- to give someone a pasting: smeadar a dhéanamh de dhuine
- to give someone a treat: cineál a dhéanamh ar dhuine

(f) briathar > briathar eile

- he was given the amount he had earned: fuair sé cion a raibh cosanta aige
- I gave thought to it: chaith mé meabhair leis
- give it a thought: glac staidéar leis
- his heart gave a leap: bhíog a chroí air
- to give someone a hiding: dromadaraí/dual na droinne/duncaisí a bhualadh ar dhuine/fuimine farc a ghabháil ar dhuine
- pretending to give a helping hand: lámh ag bualadh agus lámh ag tarrtháil
- give him respite: lig cairde leis
- he gave himself a free rein: lig sé scód/ceann sreinge leis féin
- he gave vent to his feelings: lig sé amach a lucht
- a lucht
- he gave a violent start: baineadh an dúléim as
- he gave all sorts of excuses: bhí gach re leithscéal aige
- he was given a complete rig-out: tarraingíodh tríd an siopa é
- I was giving at the knees: bhí na hioscaidí ag lúbadh fúm

GO

Más fíor go mbaintear ró-úsáid as an mbriathar 'get', is doiligh a rá in amanna an bhfuil aon bhriathar eile ann i mBéarla seachas an briathar 'go'. Tríd is tríd, tá an Ghaeilge ar aon dul leis nuair atá gluaiseacht de shaghas ar bith i gceist. Tá an ceann is fearr ag an nGaeilge ar an mBéarla toisc go bhfuil dhá bhriathar *téigh* agus *imigh* agus gan aon difear eatarthu ach go bhfuil *imigh* neamh-aistreach amháin. Ach ar ndóigh ní thugann an briathar 'go' aghaidh ar ghníomhartha gluaiseachta amháin. Agus ní hionann gluaiseacht i ngach cás. Nuair a deirtear 'he let go the wheel', ní chiallaíonn an Béarla gur imigh an roth uaidh ná gur imigh seisean ón roth ach gur bhog sé ón roth. Nuair a úsáidtear an briathar le dobhriathar/réamhfhocal is ciall eile ar fad a thugtar dó agus tá gá le briathar eile ar fad i nGaeilge.

(a) briathar> briathar eile ar fad

- they're gone to the bad altogether: thóg an donas leis iad
- he's gone to the dickens: thug an gabhar leis é
- when he gets going he can't be stopped: nuair a bhaineann sé amach ní féidir é a stopadh
- going quietly along the road: ag bradú na slí
- to make something go far: rud a chur i bhfad
- the drink went to his head: d'éirigh an deoch ina cheann
- everything was going well for us: bhí sruth is gaoth linn
- everything is going well with him now: tá sé á fháil leis anois
- he is gone to the bad altogether: tá sé ligthe leis an olc ar fad
- it went to my very heart: ghoill sé orm go linn bhuí na gcaolán
- it went hard with him to do it: ba diachta dó é a dhéanamh
- he wouldn't go to the trouble of doing it: ní chuirfeadh sé de phionós air féin é a dhéanamh
- tell them to go to the devil: tiomain don diabhal iad
- let no offence go unchallenged: ná fág coir gan iomardú

(b) briathar > réamhfhocal

- I have enough to keep me going: tá tarraingt mo láimhe agam
- to let something go easily: rud a ligean uait ar boige
- he let him go unharmed: lig sé iomlán uaidh é

(c) briathar > ainmfhocal

- his health has gone awry: tá leathcheann ar a shláinte
- which goes to show you must be cautious: dá bhrí duit gur cheart duit a bheith faichilleach
- we let the day go to loss: ligeamar an lá ar ceal
- my work is gone to loss: tá mo chuid oibre (curtha) i bhfaighid
- to have things going nicely: rudaí a bheith faoi chiúir agat
- everything is going well for him: tá an saol ar aghaidh boise aige
- it's going to rain: tá braon air
- they make a penny go a long way: baineann siad fad as an bpingin
- a pound doesn't go very far: ní mór an teilgean punt
- they went at a great pace: bhain siad smúit as an mbóthar
- there's not enough of it to go round: níl cuid na ranna/díol a roinnte ann
- it's then they really let themselves go: is é an t-am teannaidh acu é
- as the old saying goes: mar a deir an duine aosta
- I am only going by report: níl agam ach ráiteachas
- he went scot-free: thug sé a cháibín saor leis
- they went their separate ways: thug siad a dhá gcúl dá chéile

- it's going to be a stormy night: tá scríob ar an oíche
- everything is going smoothly with us: tá gach aon rud ar sheol na braiche againn

(d) briathar > meafar/abairt mheafarach

- great deeds go unthanked: an té is mó gníomh is lú buíochas
- the weak go to the wall: gach uile dhuine ag luí ar an lagar
- as you've gone so far with it finish it: ó loisc tú an coinneall loisc an t-orlach
- to take much and give little: alpán chugat agus millín uait

(e) briathar + dobhriathar/réamhfhocal > briathar

- I had to go at it again from the beginning: b'éigean dom teacht ina imeall arís
- the swelling is going down: tá an t-at ag spealadh
- let it go down the drain: scaoil leis an abhainn é
- to go for a constitutional: do ghoile a dhéanamh
- they went for each other: d'éirigh siad chun a chéile (nó chuaigh siad i gcuircín a chéile)
- he has gone off his rocker: tá sé éirithe amach ón gcairt
- to go over every inch of a place: áit a shiúl ina fóid chaola/ina horlaí beaga
- don't go off with the idea that I'm angry: ná beir leat go bhfuil fearg orm
- the drink went to his head: d'éalaigh an braon air

(f) is minic gur *imigh* is fearr chun 'go + about/around/away/off' a aistriú:

- each of them went about his own business: d'imigh gach neach díobh lena thoisc féin
- going about looking like a beggar: ag imeacht i gcló bacaigh
- what prompted him to go away like that?: cad is ciall dó imeacht mar sin?
- you went away and left me to do your work for you: d'imigh tú agus a chead agamsa do chuid oibre a dhéanamh
- I didn't like to go away without him: is bocht liom imeacht air
- youths going around idle: ógánaigh ag imeacht bán
- he went off with the gang: d'imigh sé leis an dreabhlán
- he went off headlong: d'imigh sé i mbéal a chinn
- to go off in a huff: imeacht ar fiarán/le fíbín feirge

(g) ach tá bealaí eile ann chomh maith:

(g)(i) briathar eile nó aidiacht bhriathartha a úsáidtear nuair atá cuspóir i gceist:

- they are going about the race in earnest: tá siad ag díriú amach ar an rás
- he doesn't know how to go about his work: tá sé leáite timpeall a ghnóthaí

(g)(ii) nó ainmfhocal/aidiacht

- to go away in a huff: imirce uabhair a dhéanamh
- she can't go out because of the children: níl gléas aici éirí amach ag na páistí
- to go with an attire: de bhiseach ar fheisteas

- he's going on forty: tá sé ar ghob an daichid
- everybody in the locality goes to that shop: tá tarraingt na dúiche ar an siopa sin
- I don't like his way of going on: ní maith liom na bóithre atá faoi
- there's a terrible row going on between them: tá sé ina mhurdar dearg eatarthu
- they went through a terrible ordeal: fuair siad sceimhle
- alert to what goes on among the neighbours: braiteach ar imeachtaí na comharsan

HAVE

Nuair is seilbh atá i gceist, abair, 'I have enough to keep me going', *tá tarraingt mo láimhe agam*, go fiú seilbh i gciall mheafarach 'to have something to your liking', *rud a bheith ar do mhian agat*, nó dualgas 'I have a lot of preparation to make', *tá mórán le hinleadh agam*, nó an briathar cúnta a chuireann an aimsir chaite i bhfios 'I had nothing to do with it', *ní raibh ladhar ná lámh agam ann*, is beag deacracht atá ann an briathar 'have' a aistriú go Gaeilge ach amháin le 'tá...ag/ar/i'. Ní mór a bheith cúramach mar sin féin go háirithe nuair is úsáid mheafarach nó leathmheafarach den bhriathar atá ann. Sna cásanna sin imíonn an Ghaeilge ón ngnáthmhúnla agus téann sé i muinín teilgin eile.

(a) briathar > briathar eile ar fad

- he has a voracious appetite: d'íosfadh sé málóid/an ceathrúsheisiún
- to have a dig at someone: ordóg mhagaidh a chur i nduine/spear a chaitheamh le duine/gearróg/goineog a thabhairt do dhuine
- he had the audacity to contradict me: fuair sé de chroí mé a bhréagnú
- as long as I have eyes to see: go loice amharc mo shúl
- I had another go at it: chuaigh mé ina cheann athuair
- have a guess: caith do chrann tomhais
- to have good expectation of something: rud a bheith ag feitheamh duit
- he has a hard life: tá sé ag cur de a bhreithiúnas aithrí (ar an saol seo)
- to permit someone to have something: rud a fhulaingt do dhuine
- he had a runaway victory: bhuaigh sé go rábach
- he let me have it right between the eyes: chaith sé faoi chlár na súile chugam é
- I let him have it right in the eye: lig mé faoin tsúil aige é
- I have a violent headache: tá mo cheann ag éirí díom
- he'll have a fit: tiocfaidh an lí bhuí air
- I hadn't the heart to do it: níor lig mo nádúr dom é a dhéanamh
- I'll have your life: cuirfidh mé luí na bhfód ort
- to have second thoughts: athchomhairle a dhéanamh/teacht ar

athintinn/athsmaoineamh

- to have a tantrum: éirí suas i do choilichín
- he had one too many: d'ól sé braon thar an gceart
- my words had their effect on him: chuaigh mo chuid cainte i bhfód air

(b) briathar > ainmfhocal

- he has it almost completed: tá sé ag an dlaoi mhullaigh leis
- I haven't a care in the world: tá mé gan uídh gan óidh
- peace is worth having: is maith an t-earra an tsíocháin
- I have no claim to the place: ní áit buaile ná seanbhaile dom é
- you have slanderous tongues: is sibh an chléir chainte
- I have it in mind to speak to you: is meabhair liom labhairt leat
- he has to be helped to sit up in bed: tá sé ar tógáil sa leaba
- walls have ears: tá poll ar an teach

(c) briathar > aidiacht

- I've had enough of that work: tá mé dóthanach den obair sin
- I've had enough of this kind of food: tá mé tuartha den bhia seo
- to have a drop taken: bheith fliuch istigh
- they had a disagreement: tháinig siad crosach ar a chéile
- I have no feeling in my leg: tá mo chos bodhar

(d) briathar > meafar

- he has had his ups and downs: chonaic sé an dá shaol
- she has a charming voice: chuirfeadh sí na cuacha a chodladh
- you haven't an easy life: níl clúmh le bhur n-adhairt
- to have a narrow escape: imeacht idir cleith agus ursain
- youth will have its fling: ní thagann ciall roimh aois
- he has his nose to the grindstone: tá sé faoi dhaoirse na gcorr

    - one of the things life has in store for us: dán de dhánta an tsaoil

    - as ill luck would have it: faoi mar a bheadh an nimh ar an aithne

    - he may not have sense but he knows how to say the wrong thing:
mura bhfuil ciall aige tá an droch-chiall aige

KEEP

Tá an briathar seo ar aon dul sa Bhéarla leis na briathra eile thuas
sa mhéid go bhfuil a chiall bhunúsach agus an chiall níos leithne,
meafarach in amanna agus leathmheafarach in amanna eile. Ní hionann
an chiall atá le 'keep the cat in the bag', 'keep the peace', 'keep the home
fires burning', 'keep your eye on the ball' agus 'keep him guessing'. Tá
saibhreas an Bhéarla ag brath ag mór ar an tuiscint dhúchasach óir tá
sé an-deacair na cialla difriúla sin a thuiscint. Ní fhreagraíonn an

Ghaeilge dóibh uile toisc go bhfuil a cleasanna féin aici. Go minic is ionann 'keep' agus *coinnigh* nó *coimeád* nuair is riocht nó staid atá i gceist fiú nuair nach ciall litriúil amach is amach atá ann, mar 'keep someone on edge', *duine a choinneáil ar binb*. Is minice an chiall sin aige i mBéarla. Feicfimid na bealaí éagsúla atá ag an nGaeilge.

(a) briathar > briathar eile ar fad

- to keep the advantage over him: fanacht san ard air
- keep it dark: buail/leag/luigh cos air
- he kept changing colours: chuir sé dathanna/na seacht ndath de féin
- keep your jokes to yourself: ceil do ghreann orainn
- keep it to yourself: cuir do bhos ar do bhéal faoi
- he could not keep his eyes open: bhí na súile ag iamhair le codladh/bhí a shúile ag titim ar a chéile
- he kept pressing on until: níor bhain sé méar dá shrón go
- he keeps open house: níor dhruid doicheall a dhoras riamh
- to keep a tight hold of every penny: príosúnach a dhéanamh den phingin

(b) briathar > ainmfhocal/ainm briathartha

- she keeps babbling away all the time: tá an tuile shí as a béal ar fad
- I kept him away from the house: bhain mé seachaint an tí as
- he could hardly keep from hitting me: ba mhór an rud dó gan mé a bhualadh
- to keep harping on something: seanbhailéad a dhéanamh de rud
- he is intent on keeping it: níl scaradh aige leis
- I have no reason to keep out of your way: níl ábhar imghabhála agam ort
- to keep your lips sealed about something: béalrún a dhéanamh ar rud
- how are you keeping?: cén bhail atá oraibh?
- don't say a word you don't mean to keep: ná lig uait briathar gan chomhlíonadh
- he keeps nothing back/he can't keep a secret: níl ceilt aige ar rud ar bith/níl ceilt ar bith ann/is olc an rúnaí é
- keep your ears open: ná bíodh méar i gcluas agat
- her feet kept time with the music: bhí a cosa agus an ceol ar aon imeacht

(c) briathar > aidiacht/réamhfhocal

- he's a man who keeps his word: fear i mbun a fhocail é
- keep your wits about you while you're doing it: ná bí maol ina bhun

(d) gan aistriú ar bith

- don't keep hovering about me like that: ná bí ag cleitearnach thart orm mar sin
- he kept pestering me until: bhí sé ag gabháil dom go
- to keep them from fighting: iad a chosaint ar a chéile
- keep them from coming to blows: déan tarrtháil eatarthu
- they are keeping a watch on all our movements: tá siad dár mbuachailleacht
- keep your eyes peeled/skinned: bíodh na súile scafa agat

- to slap yourself to keep warm: faiteach a dhéanamh

(e) briathar + dobhriathar/réamhfhocal briathar eile

- if you keep at it it will become a habit: má leanann tú de, leanfaidh sé díot
- he strove to keep back the tears: theann na súile air
- trying to keep in with someone: ag fosaíocht le duine
- keeping up appearances: ag seasamh na honóra
- to keep your end up: buile a thabhairt agus a chosaint/sheachaint
- to keep up your spirits: meanma a dhéanamh

LEAVE

Is leor cúpla sampla a thabhairt anseo chun fíorúsáid 'leave' a léiriú.

(a) nuair nach gá é a aistriú in aon chor

- we won't be allowed to leave his house without refreshment: ní thiocfaimid tur as a theach
- you'll be left permanently nursing your leg: beidh do chos ina hiarlais agat
- to order someone to leave the house: duine a fhógairt as an teach
- if there's any manly spirit left in you: má tá aon deoir fola ionat
- to be left speechless: bheith i do dhiúra dheabhra

(b) nuair is gá briathar eile

- he left himself open to censure: chuir sé é féin ar shlí a cháinte
- face up to the troublemaker and he'll leave you in peace: druid le fear na bruíne agus gheobhaidh tú síocháin
- the cold hasn't left me yet: níor dhealaigh an slaghdán liom go fóill

(c) briathar > ainmfhocal

- while there was any life left in his body: fad a bhí sriotharnach ann

LET

Briathar eile is ea 'let' sa Bhéarla ar deacair é a chur i mbaint i gcónaí leis an mbriathar *lig* i nGaeilge, go háirithe nuair atá réamhfhocal ag gabháil leis. Ach is beag briathar a léiríonn chomh maith an cultúr sainiúil atá laistiar den Ghaeilge agus an caidreamh ar leith atá ann.

(a) briathar (+ dara briathar) > briathar eile ar fad (agus go minic ainmfhocal i nGaeilge in ionad an dara briathar i mBéarla)

- he let his father direct him: d'fhan sé ar chomhairle a athar
- I'll let his father deal with him: fágaim ar lámh a athar é
- to let someone be the judge of something: rud a fhágáil faoi mholadh duine
- don't let that bother/trouble/worry you: ná cuireadh sin mairg/aon chaduaic ort/ná déanadh sin béadán duit
- he let the story leak out: rinne sé poll ar an scéal

- let me alone and I won't interfere with you: tóg díom agus ní thógfaidh mé díot
- he let him have it between the two eyes: thug sé faoi na fabhraí dó é
- let that be an eye-opener to you: déanadh sin do shúile duit
- I let them graze the field: thug mé ithe na páirce dóibh
- let him alone: ceil do cheiliúr air
- let him sit by the fire for a while: tabhair dreas den tine dó
- he let everything slide of late: tháinig an bruth ar fad air le gairid
- let me say my prayers in peace: tabhair cead m'anama dom
- they won't let me sit in peace: níl suí suaimhnis agam leo
- let him do as he pleases: tabhair a thoil féin dó
- he let me have the car for a while: thug sé spailp den charr dom
- to let old enmities rest: seanfhaltanais a fhágáil thart
- let no offence go unchallenged: ná fág coir gan iomardú

(b) nuair nach gá é a aistriú nó nuair a aistrítear an gaol san abairt

- don't let them fool you: ná bí simplí acu
- let there be no two ways about it: ná bíodh anonn ná anall ann
- don't let those people have a hold over you: ná bí ar teaghrán ag na daoine sin
- let us get out of here: chugainn amach as seo / amach linn
- to let someone impose on you: bheith bog le duine
- you're letting your imagination run away with you: tá scailéathan ort
- he didn't let the opportunity pass: níor leis ab fhaillí é
- don't let yourself get carried away: ná bí ag rith leat féin mar sin
- he is letting himself go: is leis atá an scóip/tá sé ar a shon féin
- let every man guard his rear: faichill a thóna féin ar gach fear

(c) briathar + briathar > briathar amháin

- don't let me remain in sorrow: ná fulaing mé faoi bhrón
- to let the opportunity slip: failliú ar an deis

(d) briathar > meafar

- let bygones be bygones: fág na seanchairteacha i do dhiaidh
- he lets everything slide: beireann an fuacht ar an teas aige
- let sleeping dogs lie: ná hoscail doras na hiaróige
- to let your tongue wag: an tsreang a bhaint den mhála

(e) briathar + réamhfhocal > briathar amháin

- to let someone down badly: an dubh a dhéanamh/déanamh go dubh ar dhuine
- you let yourself down badly when you didn't score the goal: is dona a fágadh thú nár chuir tú an báire
- he let out a swear-word: stróic sé mionn mór
- he never let up (until): níor bhain sé méar dá shrón/níor stad sé den stáir sin (go)

- he let loose a torrent of speech: chuir sé railí cainte as
- he has been letting off steam all day: tá sé ag cur thairis ó mhaidin

LOOK

Is féidir leis an mBéarla feidhm ainmfhocail agus briathair a fháil san fhocal céanna agus cruth na nuaíochta nó na nuála féin a bheith uime. Níl sampla níos fearr den bhua seo ná an t-ainmfhocal/briathar 'look'. Ar an drochuair bíonn an Ghaeilge ag iarraidh aithris a dhéanamh air go minic go háirithe ó tá modh na Gaeilge ina rianaireacht dhíreach ar mhodh an Bhéarla. Abairt mar 'he is looking better' ní bheadh locht ar bith ar í a aistriú le *tá sé ag féachaint níos fearr*. Is cinnte go dtuigfeadh an gnáth-Ghaeilgeoir brí na cainte; ní gá go dtuigfeadh sé áfach dá ndéarfaí *tá sé ag bisiú ina ghné* nó *tá sé ag gnéithiú* féin. Is furasta a mhaíomh nach gcailltear an oiread sin de dhúchas na Gaeilge ina leithéid de chás. Nuair atá 'look' mar bhriathar agus aidiacht ina dhiaidh is leor *féach* agus an aidiacht oiriúnach. D'fhéadfaí 'he's looking sickly' a aistriú le *féachann sé go dona* nó fiú *tá sé go coinbhreoite/leice*. Ach tá fadhb ansin. Tugann an briathar *féach* le tuiscint gurb é an dearcadh ar an saol atá i súile an bhreathnóra atá á ríomh. Cad é mar is féidir a rá go bhfuil duine ag féachaint go dona? B'fhéidir go bhféadfadh sé a bheith ag féachaint go maith ach ba dheacair a mhalairt. Is fearr leis an nGaeilge féachaint ar an tinneas mar staid agus *go bhfuil deilbh bheag bhocht air* 'when he looks sickly', *go bhfuil gnúis rinneach air* nuair atá 'angry look on his face' agus *nach bhfuil an dea-ghnúis air* 'when he looks surly'. Is staid nó seilbh féin é. Tá neart samplaí eile den ghliceas agus den éagsúlacht atá sa Ghaeilge agus í ag iarraidh 'look' (briathar an Bhéarla) a chur in iúl.

(a) briathar + aidiacht > ainmfhocal

- the day looks threatening: tá drochribe ar an lá/níl aon dea-ribe ar an lá
- he looks deeply depressed: tá néal coscartha os a chionn
- it looks desirable: tá mian súl ann
- look alive/lively: cuir anam/smoirt ionat féin
- there was a frenzied look in his eyes: bhí gealach ina shúile
- he looks ghastly: tá dath na cré air
- he looked crestfallen: bhí cuma bhriste air
- he looks villainous: tá drochspéir os a chionn/tá néal crochadóra air
- to look sharply at something: bior a chur ar do shúile le rud
- he was made to look very foolish: fágadh breall air

- he's beginning to look old: tá an seanduine ag teacht air
- he looks well again: tá a dhath féin arís air/tá sé ina chló féin arís
- to make someone look silly: Síle chaoch a dhéanamh de dhuine
- it looks small indeed: is é deartháir an bheagáin é
- they make the place look ugly: tá míghnaoi ar an áit acu
- he looks the worse for wear: tá cuma anróiteach air
- he doesn't look well-fed: níl snamh na beatha air/lorg a choda air
- he's tougher than he looks: má tá sníomh bog air tá tochardadh crua air
- if he's rich he doesn't look it: má tá sé saibhir níl a aithne air
- it doesn't look nice on you: ní mór an deise duit é
- the day looks set for rain: tá stiúir bháistí ar an lá

(b) briathar + ainmfhocal > tá/briathar eile + ainmfhocal

- he looked daggers at me: bhí faobhar ar a shúile/tháinig rinn ar a shúile liom
- he looks the part: tá a chomharthaí lena chois
- you looked every inch a man: ba mhaith do chomharthaí fir
- to look with favour on someone: fabhar/lé a bheith agat le duine
- to look with favour on something: cuntanós a bheith agat do rud

(c) briathar + 'like' > ainmfhocal

- they're beginning to look like soldiers: tá aithne saighdiúirí ag teacht orthu
- it looks like rain: tá craobh fhliuch ar an lá
- he looked like a lost soul: rinne Dia duine dona de
- going about looking like a beggar: ag imeacht i gcló bacaigh
- he looked like death: bhí cruth an bháis air

(d) aidiacht/briathar nó briathar/aidiacht > ainmfhocal

- it's better than it looks: is mó a thairbhe ná a thaibhse
- it looks as if he'll come to no good: tá drochthuar faoi
- he looks as if he owns the place: níl aithne air nach leis féin an áit

(e) briathar + dobhriathar/réamhfhocal > ainmfhocal

- all he has to do is look after himself: níl de mhortabháil air ach é féin
- there are many ways of looking at it: is iomaí barúil air
- to look down on someone: súil a chromadh ar dhuine
- he is forever looking for mischief: tá an diabhal ina chosa
- I didn't bother to look for them: níor chuir mé tiaradh ar bith orthu
- that enabled him to look forward with confidence: thug sin an tsúil aniar chuige

(f) briathar + dobhriathar/réamhfhocal > briathar / réamhfhocal

- he who doesn't look after himself: an té nach gcreanann leis féin
- he's sure to look after himself: ní fhágann sé é féin ar deireadh
- looking for a needle in a haystack: ag tóraíocht táilliúra i mbruth faoi thír
- don't go looking for trouble: ná hionsaigh ágh

- he's only looking for an excuse: níl uaidh ach 'iarraim cúis'
- he was looking to his own interest: i bhfách leis féin a bhí sé

I gcás 'look', is fusa aithris a dhéanamh ar na samplaí a thugtar chun abairtí dá samhail a dhéanamh ina bhfuil an príomhionad ag an ainmfhocal in ionad an bhriathair.

MAKE

Bíonn aighneas idir 'do' agus 'make' i ngach teanga agus ní taise don Ghaeilge ach amháin gur measa an riocht atá ar an nGaeilge toisc nach bhfuil ach an t-aon bhriathar amháin inti chun an dá thrá a fhreastal. Ciallaíonn sé sin gur tábhachtaí fós géarthuiscint a fháil ar an dóigh ina roinneann an Ghaeilge leis na cásanna ina n-úsáidtear de ghnáth 'do' agus 'make' i mBéarla. Tá 'do' feicthe thuas. Feicfear na deacrachtaí is féidir a sheachaint ach dul taobh thiar de chraiceann na Gaeilge agus eolas ceart a chur ar an gcaolchúis atá ann.

(a) briathar + aidiacht/briathar > cuir (+ ainmfhocal)

- no attempt was made to stop them: níor cuireadh lámh lena gcosc
- it made my blood boil: chuir sé mo chuid fola agus feola trí chéile
- you made me lose count: chuir tú thar/trí mo chuntas mé
- they made him as bad as themselves: chuir sé ar an iúl leo féin iad
- it made my flesh creep: chuir sé caithníní ag rith ar mo chraiceann/chuir sé fionnachrith/fionnaitheacht orm
- to make yourself clear: tú féin a chur i bhfáth
- to make someone exert himself: dua a chur ar dhuine le rud
- he made no effort to find out about it: níor chuir sé bonn ná lorg air
- he made a frenzied speech: chuir sé dáir chainte de
- he was making faces at me: bhí sé ag cur cumaí air féin liom
- to make something go far: rud a chur i bhfad
- it's so hot it'd make the cattle take to the pools: tá sé chomh te sin go gcuirfeadh sé na ba chun fuaráin
- to make something easier to understand: rud a chur i mboige
- make that fellow shut up: cuir an boc sin ina chónaí/cuir corc ann/cuir clabhsúr air
- he made no bones about it: níor chuir sé snámh ann
- you won't make him change his mind: ní chuirfidh tú thar a thuairim é
- they made us hate the place: chuir siad gráin na háite fúinn
- to make something quite clear to someone: rud a chur ar an leac do dhuine
- I'll make you stop meddling: cuirfidh mise ó earraíocht thú

- you made him shake in his shoes: chuir tú eagla a choirp/chraicinn air
- I'll make him swallow his words: cuirfidh mise a chuid cainte ina ghoile dó
- to make someone laugh on the wrong side of the mouth: an magadh a chur ina dháiríre ar dhuine
- to make a place uncomfortable for someone: dealg a chur faoi chosa duine
- to make suitable use of something: rud a chur in ócáid
- don't make war on your friends: ná cuir treas ar do chairde
- I'll make him sit up: cuirfidh mise as a chigilteacht é
- make yourself scarce: cuir caol ort féin (nó 'dofháil ort')
- he made the story sound plausible: chuir sé craiceann ar an scéal
- you'll make your head reel: cuirfidh tú meabhrán i do cheann
- to make someone shudder: cradhscal a chur ar dhuine
- don't make me sick: ná cuir masmas orm
- to make a wry mouth at something: meill a chur ort féin le rud
- it made my heart throb: chuir sé líonrith orm
- to make an animal restive: beithíoch a chur le dod
- she made an unfortunate marriage: chuir sí a ceann in adhastar an anró

(b) briathar + briathar eile > bain + ainmfhocal

- he made him bleed profusely: bhain sé fuil mhairt as
- I can't make him budge: ní thig liom filleadh ná feacadh a bhaint as
- I'll make him comply: bainfidh mé admháil as
- I'll make you sit up: bainfidh mise an fhail díot
- he made them skedaddle: bhain sé geatar astu
- to make someone render an account: cuntas a bhaint de dhuine i rud
- he was made to mind his own business: baineadh a chinseal de
- I'll make you hop: bainfidh mé rampaireacht/sodar asat
- he was made to suffer for it: baineadh siar as a cholainn é
- to make someone lose his temper: míthapa a bhaint as duine
- to make someone suffer the consequences: an deasca a bhaint as duine
- that made him open his eyes: bhain sin na fachailí/faithní dá shúile
- making it a long-drawn-out illness: ag baint eangaíochta as
- they make a penny go a long way: baineann siad fad as an bpingin
- anyone can make a mistake: is beag duine nach mbaineann earráid dó
- it's hard to make sense of what they say: is doiligh abhras/bia a bhaint as a chuid cainte
- it's hard to make him talk: is deacair aighneas a bhaint as
- to make something serve your turn: dreas a bhaint as rud

(c) briathar > tabhair

- to make an attempt at something: feidhm a thabhairt ar rud
- he made an indecent attack on her: thug sé drochiarraidh uirthi

- I made a guess at it: thug mé ballaíocht dó
- don't make a habit of being late: ná bí tugtha do bheith déanach
- he made a hurried job of it: thug sé meilt na braiche air
- to make conversation with someone: caint a thabhairt do dhuine
- he made as if to get up: thug sé hob as éirí
- don't make a public show of us: ná tabhair aghaidh an phobail orainn
- to make someone see reason: duine a thabhairt chun céille
- he made a vile remark to me: thug sé an focal is measa ina bhéal dom
- he made a flying visit to the west: thug sé ráib siar
- he made a dash at the job: thug sé scrabha faoin obair

(d) briathar > beir/fág/tóg

- he made unfair use of what I said: rug sé buntáiste ar mo chuid cainte
- he was made to look very foolish: fágadh breall air
- he made me promise not to do it: d'fhág sé parúl orm gan é a dhéanamh
- to make a blistering verbal attack on someone: léasacha a thógáil ar dhuine
- she made a great fuss of me: thóg sí an t-oró romham
- to make someone jump with fright: duine a thógáil as a mháithreach
- it would make your hair stand on end: thógfadh sé an ghruaig de do cheann
- it would make you wonder: thógfá ina iontas é

(e) briathar > caith

- to make innuendoes about someone: truthaí a chaitheamh chuig duine
- to make a quip at someone: ciúta a chaitheamh le duine
- to make a smart remark to someone: carúl a chaitheamh le duine
- make them scramble for them: caith sa sciútan chucu iad

(f) briathar > briathar eile

- they drank and made merry: níor choigil siad ól ná aoibhneas
- I was only trying to make conversation: ní raibh mé ach ag iarraidh téamaí
- it would make the earth weep: chorródh sé clocha agus crainn
- to make a bed: leaba a chóiriú
- it's a loser's privilege to make excuses: bíonn cead cainte ag fear caillte na himeartha
- they made a run for it: chuaigh siad i muinín a reatha
- to make a long-drawn-out story out of something: dul chun seanbhróg le rud / paidir chapaill a dhéanamh de rud
- making a move to go: ag bogadh chun siúil
- he never made an unwise move: níor dhóigh sé siúd an athbhuaile riamh
- we're making a late start with the work: tá deireanas oibre orainn
- you'd think it was made for you: shílfeá gur cumadh leat é

(g) briathar + aidiacht > briathar eile/ainmfhocal

- to make a statement sound more impressive: tromú ar fhocal

- to make straight for the house: ag ciorrú chun an tí
- to make things awkward for someone: ag ciotaí do dhuine
- you made the question more obscure for me: dhorchaigh tú an cheist orm
- he's not inclined to make himself useful: níl fonn maitheasa air

(h) gan aistriú in aon chor

- to make doubly sure: ar fhaitíos na bhfaitíos
- they're making a butt of him: is é sopóg na dtrí urchar acu é
- I can't make free with those people: níl teann agam ar na daoine sin
- you can't make too free with him: níl sé inbhearrtha
- you have made a good job of it: tá sé i gcreat go maith agat
- you have made a hash of it: tá sé ina bhrachán agat
- he has made a right mess of things: tá an scéal go breallach aige/tá sé ag dul ar fudar air
- what difference does it make to you: nach tú atá caillte leis
- clothes makes the man: den duine an t-éadach
- he's making money fast: tá na pinginí ar a gcorr aige
- making money hand over fist: ag mámáil airgid
- those people are able to make their way in the world: tá bunús sa dream sin
- he's able to make ends meet: tá caitheamh is fáil aige
- one of the things that makes life pleasant for them: cáil dá bpléisiúr é
- making a start with his work: i mbrollach a ghnó

(i) briathar + dobhriathar/réamhfhocal > briathar eile

- make do with your share: tar le do riar de
- we made do with it for the night: bhaineamar cothrom na hoíche as
- we'd better make for the house: is fearr dúinn dul faoi bhráid an tí
- he made off like a shot: thug sé do na boinn é/bhain sé as na boinn é
- he made off as fast as his legs could carry him: chuir sé sna cosa
- he can't make up his mind whether to go or not: tá brath ann agus brath as aige
- this makes up for the bad weather: is é seo comhardú na drochaimsire/ cothramacan síne na haimsire
- I'll make it up to you: comhlíonfaidh mé leat é
- making up to someone: ag fosaíocht/lustar/ag ligean siar na gcluas le duine

NEED

Is fiú sampla nó dhó a thabhairt den bhriathar seo chun a léiriú nach oibleagáid fhoirmiúil atá i gceist i gcónaí agus gur fearr gan ciall an iallaigh a thabhairt le fios gach uair.

Is leor go minic réamhfhocal i nGaeilge chun an briathar i mBéarla a aistriú:

- you needn't take me for a halfwit: ní leathdhuine mise agaibh

- he only needed the slightest hint: ní raibh uaidh ach gaoth an fhocail
- you need not fear you'll fall: ní baol duit titim
- you need not worry about his health: ní ceist duit a shláinte/ná bíodh ceist ort faoi
- what he needs is a trouncing: a bhurdáil atá ag dul dó
- it's just the amount I need: tá mo thomhas i gceart ann
- all you need to do is speak to him: níl agat ach labhairt leis
- it's just what you need: is é a d'oirfeadh duit
- all he needed was an excuse: ní raibh uaidh ach an leithchead

nó cuireann an Ghaeilge a leagan meafarach féin ar an abairt Bhéarla:
- he needs no persuasion to go there: bhéarfadh adhastar sneachta ann é
- this work needs urgent attention: tá an obair seo dlúsúil
- I wouldn't need coaxing to drink it: d'ólfainn gan mhéar é
- everything needs proper attention: níl rud ar bith gan a chóir féin

PUT

Freagraíonn *cuir* do roinnt mhaith cásanna ina n-úsáidtear 'put' sa Bhéarla ach ní leanann an Ghaeilge an chonair chéanna i gcónaí toisc nach mian leis an nGaeilge an úsáid rólitriúil. Is leor glac samplaí chun an difear idir an dá theanga a léiriú.
- it put him to the pin of his collar to do it: chuaigh sé go beilt an chlaímh air é a dhéanamh
- I don't want to put you to the trouble of a journey: ní maith liom an siúl a bhaint asat
- to put something together in a careless manner: leathdhéanamh a thabhairt ar rud
- he put all his strength into it: lig sé amach a neart air
- to put an enemy to rout: cathbhearna a bhriseadh ar namhaid
- he put quite a sting in it: tháinig sé leis aniar óna chúlfhiacla
- to put the squeeze on someone: na slisní a theannadh ar dhuine
- he put me on the right road: thug sé eolas an bhealaigh dom

Bealach an mhodhnaithe atá i gceist i ngach ceann acu sin nuair nach ionann pointe tosaithe na teanga agus nach bhfuil an meon difriúil sin ceangailte le difríochtaí teanga féin. Is fíor sin freisin maidir le húsáid an bhriathair nuair atá sé i gceangal le dobhriathar/réamhfhocal agus a chiall á athrú dá réir, mar is léir ó na samplaí seo a leanas.
- his heart was put across him: d'fhág an croí a áit aige
- putting on airs on account of her beauty: ag déanamh baoise as a háilleacht
- death cannot be put off: ní ghlacfaidh an bás duais

- he didn't put up much of a struggle: is gearr a sheas sé.

SAY

Toisc go raibh an-dúil ag lucht na Gaeilge riamh sa chaint agus i láimhseáil na cainte ní hiontas ar bith é go bhfuil dearcadh difriúil acu ar aon bhriathar a chuireann friotal ar na gnéithe uile d'iompar an duine a bhaineann leis an gcaint. Is minice gur ceart cruinn an briathar *abair* a úsáid chun 'say' a aistriú ná cuid eile de na briathra eile thuas a úsáid chun an focal Béarla a oireann dóibh. Níl an oiread sin gnéithe ag roinnt leis an mbriathar i gceachtar den dá theanga ach chun a chur in iúl go raibh an duine ag iarraidh friotal éigin a chur ar a chuid smaointe. Ach tá stíl ar leith ag gach teanga gan amhras nuair is abairt íorónta nó amhrasach nó criticiúil atá á beartú.

(a) briathar > ainmfhocal (seachas caint nó labhairt)

- I won't distort what he said: ní chuirfidh mé éitheach air (ce go bhfuil tagairt ar na saolta seo do 'shaobhadh trádála' ní leomhfadh an teanga tabhairt le fios go bhféadfaí an focal féin a shaobhadh; ní hionann sin is a rá nach bhféadfá do bhéal a chur as a riocht le droch-chaint mar is léir ón dá shampla ina dhiaidh seo)
- don't demean yourself by saying it: ná cam do bhéal leis
- he hasn't said a word all day: níor scoilt sé a bhéal ó mhaidin (sampla eile an-mhaith is ea an abairt seo den bhealach modhnaithe arís - briathar > briathar eile : 'say' > *scoilt* agus ainmfhocal > ainmfhocal: 'word' > *béal* - fanann na ranna cainte mar an gcéanna sa dá theanga ach is meon eile ar fad atá taobh thiar den bhriathar agus den ainmfhocal sa dá theanga)
- it won't do you any harm to say it: ní dhéanfaidh sé spuaic ar do theanga
- I wouldn't believe anything he said: ní chreidfinn an lá geal uaidh

(b) briathar > briathar eile

- don't say a word about it: ná cloisim i do dhiaidh é/ná hinis don talamh é/ná bíodh aon teacht thairis agat
- she said it straight out: ní dheachaigh sí ar chúl scéithe leis
- he never said a word: níor tháinig drud ná drandal as

(c) briathar > réamhfhocal

- you are forever saying that I stole it: níl ann agaibh ach gur ghoid mé é (tá an-deacracht sa Ghaeilge mar a fheicfimid ar ball leis an dobhriathar ama i mBéarla go háirithe nuair is áiféis atá i gceist)
- he never has a good word to say: níor chuala mé an dea-scéal riamh aige
- I managed to say the word: fuair mé liom an focal
- say no more about it: fág marbh é

(d) briathar > meafar

- he has something to say about everything: meileann sé mín is garbh
- he may not have sense but he knows how to say the wrong thing: mura bhfuil
  ciall aige tá an droch-chiall aige
- I said nothing to them: níor chuir mé chucu ná uathu

SPEAK

Ní neamhionann an riocht a bhaineann le 'speak' agus atá fíor maidir
le 'say' thuas. Is ceadmhach *labhair* a úsáid de ghnáth nó ainmfhocal
amhail *caint, urlabhra* nó *labhairt* féin. Is sna heisceachtaí atá dúchas
agus meon sainiúil na teanga le brath go soiléir.

(a) briathar > ainmfhocal

- nobody encouraged him to speak: níor thug aon duine córas dó
- they neither moved nor spoke: ní raibh cor ná cniog astu
- no one spoke a word: ní raibh leid/meig as aon duine
- he spoke to me: chuir sé canúint orm
- I've told it exactly as it was spoken: d'inis mé duit é gan cor an fhocail a chur
  ann
- to speak sharply to someone: dairt den teanga a thabhairt do dhuine
- he speaks well of everyone: bíonn an dea-fhocal i gcónaí aige
- he turned to speak to me: thug sé aghaidh chomhrá orm
- he interrupted me as I was about to speak: thriosc sé an focal i mo bhéal
- it speaks badly for him (that): is olc an comhartha air (go)
- he spoke with his tongue in his cheek: bhí a theanga ina leathbhéal /leathphluc
  aige

(b) briathar > briathar eile

- actions speak louder than words: ní briathra a dhearbhaíos ach gníomh
- he could scarcely speak with emotion: bhí na focail á mbriseadh ina bhéal
- speaking softly to someone: ag tláithínteacht le duine
- speak distinctly: stad den phlobaireacht
- to speak sharply to someone: géarú ar dhuine
- speak up to him: ná tabhair sotal ar bith dó

(c) briathar + dobhriathar/réamhfhocal

- to speak out: ucht cainte a chur díot
- speak up (for yourself): cuir teann le do ghuth/cuir ar do shon féin
- he can speak up for himself: tá plé a chirt ann

TAKE

Is leor a mheabhrú gur éagsúil ar fad na briathra i nGaeilge a fhreagraíonn do 'take'.

(a) briathar > bain

- I was taken aback: baineadh siar/spealladh/treascairt asam
- to take something apart: an meanach a bhaint as rud
- I'll take the shine out of him: bainfidh mise an bláth de
- to take someone out of his element: duine a bhaint amach as a chleachtadh
- to take your fill of something: do dhúlsáith a bhaint as rud
- to take someone down a peg or two: béim síos a bhaint as duine/an forcamas a bhaint de dhuine/an giodal a bhaint as duine
- to take a rise out of someone: iarracht a bhaint as duine
- to take a swig out of the bottle: fliúit/iarracht a bhaint as an mbuidéal
- to take the sting out of something: an iaróg a bhaint as rud
- it took me a week to do it: bhain sé seachtain asam é a dhéanamh
- I was taken off my feet: baineadh mo chosa uaim
- every day taking its toll: gach lá ag baint a chuid féin asainn
- you can take it from me it's true: mura fíor é bain an ceann díomsa
- you took the words out of my mouth: bhain tú as mo bhéal é
- take what you want of it: bain do shásamh/tharraingt as

(b) briathar > cuir

- take another drop along with it: cuir taoibhín leis
- take my arm: cuir do lámh faoi m'ascaill
- I take no account of it: ní chuirim i bhfáth é
- to take a craving for something: do bhinid a chur i rud
- to compel someone to take food: bia a chur ar dhuine
- he took the game from me: chuir sé an cluiche orm
- to take life easy: an saol a chur thart
- he took offence at what I said: chuir mo chuid cainte stuaic air
- to take a great deal of trouble with something: geastal a chur ort féin le rud

(c) briathar > déan

- to take a decision: comhairle a dhéanamh
- to take ages to do something: tuadóireacht na háirce a dhéanamh ar rud
- don't take it for an accomplished fact: ná déan gníomh suite de
- to take something for granted: dóigh a dhéanamh de rud
- to take too much for granted: deimhin a dhéanamh de do bharúil/dhóigh/dhóchas
- they took his loss lightly: is beag an phúir a rinne siad de
- taking the air: ag déanamh aeir dóibh féin
- to take liberties with someone: buannaíocht a dhéanamh ar dhuine

(d) briathar > tar/téigh/gabh

- we must take the world as we find it: caithfear teacht leis an saol/gabhaimis leis an saol mar a ghabhann an saol linn

- he took such a peculiar notion: is iontach an aeráid a tháinig dó
- he took a notion to go: tháinig sé de mhian air imeacht
- they took me unawares: tháinig siad aniar aduaidh/gan mhothú orm
- you took me at the wrong time: tháinig tú orm go míthráthúil
- we took them on the flank: thángamar orthu de lorg a dtaoibh
- I was uncertain which way to take: tháinig na bealaí crosta orm
- how did she take the news?: cad é mar a chuaigh an scéala di?
- to take an intense dislike to something: dul chun domlais le rud
- I took no notice whatever of what he said: chuaigh a chuid cainte síos siar díom
- take the other end of this: téigh ina dheireadh seo liom
- to take the easy way: dul ar an tsaoráid
- to take too much on yourself: dul thar do chumas le rud
- to take the short cut: dul an cóngar
- it can be remedied if preventive measures are taken in time: is féidir a leigheas ach dul roimhe in am
- to take to the road: dul ar séad
- he took leave of his senses: chuaigh sé as a chiall
- his pride took a nasty fall: chuaigh an mórtas ina thóin dó
- to take extreme measures against someone: dul/teacht sa bhile buaic ar dhuine
- to take precedence over someone: dul/teacht ar bhéal/bhéala duine

(e) beir/tabhair/tóg

- to take him at a disadvantage: faill a bhreith air
- take it easy: beir fada air/ar do dheifir/tóg bog é
- take yourself off: beir uaim thú
- he took to his heels: rug sé na cosa/sála leis
- take it in your hands: beir idir do lámha air
- it took me all my time: thug sé obair dom
- to take someone by surprise: breith gan fhios ar dhuine
- he's taking life easy: tá sé ag tabhairt a lánsaoil leis
- he took to his heels: thug sé na sála leis
- he took to the hills: thug sé an cnoc air féin
- to take a liking to someone: taitneamh/toighis a thabhairt do dhuine
- to take a dislike to something: neamhthoil/snamh a thabhairt do rud
- to take things in their order: bualadh éadain a thabhairt do rudaí
- to take the will for the deed: an chreidiúint a thabhairt don dea-rún
- to take notice of something: súil a thógáil le rud/uídh a thabhairt ar rud
- take a breather: tóg d'anáil tamall
- take it easy: tóg faoi bhun do chúraim é
- take it from the beginning: tóg as béal gearrtha é
- don't take that as referring to you: ná tóg an focal sin chugat

- he took an aversion to it: thóg sé gnás roimhe
- to take a grudge against someone: olc a thógáil do dhuine
- to take possession of something: binn a thógáil ar rud
- to take the blame off someone: maide an uisce a thógáil de dhuine

(f) briathar + ainmfhocal > briathar eile ar fad

- the drink was taking effect on him: bhí an deoch ag fearadh air
- death is taking hold of him: tá an bás ag sealbhú ann
- I found myself taking a dislike to him: mhothaigh mé mé féin ag diúltú dó
- to take a dislike to food: gráinniú do bhia
- he was eager to take advantage of the good weather: shantaigh sé an aimsir mhaith
- the disease take hold of him: dhoimhnigh an aicíd ann
- to take a rest from work: do dhroim a dhíriú
- to take material from a stack: cruach a bhearnú
- he's able to take a bit of exercise: tá sé ag umhlóid thart
- to take all the good out of a story: scéal a spochadh
- he takes no precautions: níor fhaichill sé é féin
- to take the chill out of milk: bainne a bhogadh
- he has taken a buffeting from life: tá sé ramhraithe ag an saol
- to take the day at it: an lá a chreanadh leis
- take the road along with me: aistrigh liom an ród
- to take a lot of punishment/hard work: an batar a sheasamh
- to take things easy: ligean le do dhroim
- I'll take the spadehandle to you: roinnfidh mé feac na láí leat
- he has a good drop taken: tá scalach maith ólta aige
- he took many a knock in his day: is iomaí tiortáil a fuair sé ina lá
- a person taking the knocks of life: duine á shiortáil ag an saol
- I'd love to take a nap: is deas a chodlóinn néal
- she took a sudden notion to cry: bhuail daol caointe í
- that job would take a whole day: chomhairfinn lá iomlán don obair sin
- he took his own life: ghiorraigh sé leis féin

(g) briathar > briathar eile ar fad

- you've taken very much after your people: níor thréig tú do ghaol le do mhuintir
- whatever whim took him: cibé creabhair a bhuail é
- what age would you take him to be?: cén aois a mheasfá dó?
- I took it with a pinch of salt: níor shlog mé gan chogaint é
- don't take anything out of that deposit: ná bris ar an taisce sin

(h) briathar > réamhfhocal

- can't you take it easy: nach ort atá an stró
- it took you a long time to come: is é teacht an tseilide agat é

- it's taken you a long time to complete your message: is é teachtaireacht an fhéich ón Airc agat é
- you must take all the blame for it: bíodh a choir agus a chionta ort
- you take very long steps: tá ráca fada agat
- we take it for granted now: is neamhiontach againn anois é
- you needn't take me for a half-wit: ní leathdhuine mise agaibh/ní leanbh ó aréir mé
- do you take me for a child: nach é an leanbh agat mé
- you shouldn't have taken it upon yourself to talk like that: bhí sé mór agat a bheith ag caint mar sin
- practise give and take: lig chugat agus uait

(i) briathar > meafar

- take it when you have the chance: dún do dhorn air
- it will take ages before it is finished: beidh fiannaíocht air sula mbeidh sé críochnaithe
- take a hair of the dog that bit you: leigheas na póite a ól arís
- he always wanted to take both sides: i ngreim an dá bhruach a bhí sé riamh/ag marcaíocht ar an gclaí a bhí sé riamh
- to take a chance on something: bheith buailte nó caillte le rud

(j) briathar + dobhriathar/réamhfhocal > briathar

- she took after her mother: chuaigh sí lena máthair
- they didn't take after their mother: ní hí a máthair a lean siad
- he took after them: níor shéan sé a ghaol leo
- to take after kind: diall le dúchas
- he wrapped them up and took them away: chorn sé leis iad
- don't take me for a liar: ná tabhair meas bréige orm
- don't be taken in with talk like that: ná mealltar thú le caint mar sin
- he took himself off: dhealaigh sé leis
- he's trying to take over the place from me: tá sé ag sealbhú na háite orm
- if he takes to the work: má chlaonann sé leis an obair
- he took to his heels: bhonnaigh sé

TALK

Briathar é seo nach deacair a aistriú de ghnáth ach is fiú a thabhairt faoi deara a mhinice is fearr leis an nGaeilge an briathar a aistriú le hainmfhocal nó le habairtín ainmfhoclach. Tugtar faoi deara gur ceadmhach, i gcuid mhaith de na cásanna thíos, aistriúchán litriúil a dhéanamh ach go léiríonn an leagan eile gné shainiúil den teanga go háirithe a mhéad a úsáidtear téarmaíocht na tuaithe nó an dúlra chun íomhá na cainte a chur i gcion: *rilleadh, scilligeadh, muilleann.*

(a) briathar > ainmfhocal

- he is bent on talking: tá rilleadh faoi
- to talk incessantly: bheith ag scilligeadh cainte
- he talks an awful lot: tá scanradh cainte air
- you never stop talking: tá do mhuileann ag meilt i gcónaí
- he talks plenty: tá fuílleach cainte aige
- they'll all be talking about it: beidh sé ina shoiscéal acu
- everybody is talking about him: tá sé ina sceith bhéil
- to talk heroics: culaith ghaisce a chur ar do chuid cainte
- she talks too much: tá fad na leideoige uirthi
- he talks a lot: tá fad na teanga air
- I want to talk to you: tá gnó agam díot
- to talk mischievously about someone: míghreann a dhéanamh ar dhuine
- you're talking nonsense: tá bundún ort
- don't talk yourself silly: ná déan ceolán díot féin
- to agree to talk things over: teacht chun caidirne
- it's a pleasure to hear him talk: tá sult ina chomhrá
- stop talking to him: ceil do cheiliúr/chomhrá air
- it's hard to make him talk: is deacair aighneas a bhaint as
- to talk someone round: duine a mhealladh le bladar
- I'm tired talking to them: tá mo theanga caite leo

TELL

Feictear an claonadh céanna i gcás 'tell'. Cuirtear an briathar i mBéarla i mbaint le himthosca nuair nach bhfuil scéal le hinsint in aon chor. Is fearr leis an nGaeilge imeacht ón íomhá sin ar fad agus dul i muinín teilgean eile cainte chun brí na habairte a aistriú.

(a) briathar > tabhair/déan/cuir

- to tell someone home truths: fios a thréithe a thabhairt do dhuine
- don't tell them anything: ná tabhair fios ar bith dóibh
- telling tales about people: ag tabhairt startha ar dhaoine
- it's not like him to tell lies: ní dual dó an bhréag a dhéanamh
- to tell someone his fortune: fios a dhéanamh do dhuine
- he tells the story to suit himself: tá a dhóigh féin aige/chuir sé a bhail féin ar an scéal
- to tell someone off: rud a chur ar an leac do dhuine
- many versions of the story were told: cuireadh mórán canúintí ar an scéal
- tell those children to behave themselves: cuir spraic ar na páistí sin

(b) briathar > briathar eile ar fad

- she told everyone all about it: níor cheil sí a chlú air
- you'd think he could tell in advance: shílfeá gur fios a bhí aige
- to tell invented stories about someone: duine a chóiriú
- a look tells everything: ní cheileann rosc rún

(c) briathar > ainmfhocal/ainm briathartha

- time will tell: is maith an scéalaí an aimsir
- can you tell exactly what he says?: an dtig leat beachtaíocht a bhaint as a chuid cainte?
- telling whopping lies: ag scailéathan

(d) briathar + briathar eile > briathar amháin

- tell him to get out of here: fógair as seo é
- tell him to turn: fill é
- tell them to go to the devil: tiomain don diabhal iad

THINK

Nuair nach é gníomh an mhachnaimh féin atá i gceist is fearr an briathar 'think' a cheangal le gníomhaíocht níos leithne na haigne chun teacht ar an leagan cainte is fearr i nGaeilge. Is minic arís gur trí mheán an ainmfhocail a aistrítear briathar an Bhéarla. Is fiú ar ndóigh tagairt a dhéanamh do nathanna mar *déarfainn go ...*, *dar liom ...*, *Is dóigh liom ... agus is é mo thuairim ...*

(a) briathar > ainmfhocal

- to think ill of someone: drochbharúil a thabhairt do dhuine
- I would think nothing of it: níorbh obair liom é/ní dhéanfainn aon nath de
- that's what I think: is é sin mo bhreathnú/cheapadh ar an scéal
- he is thinking of emigrating: tá bara na himirce faoi
- little did I think (that): is beag dá chuimhne a bhí agam (go)
- he could think of nothing else: ní raibh ar a mheanma ach é
- the worst remark he could think of: an spalla ba mheasa ina bhéal

(b) briathar > réamhfhocal ag/le (+ aidiacht)

- I think it is too short: is mó is giorra liom é
- they think there's nobody like him: is é atá caithréimeach acu
- they think the world of him: is é an geall acu é/is é atá gradamach/measúil acu
- how gullible do you think I am: nach mé atá glas agat
- he didn't think it fit: níor mhiadh leis é
- you must think a lot of it: nach é atá measta agat
- I think it's a bit early/soon for you: is moch liom duit é
- I thought the day would never end: ba shíoraíocht liom an lá

- he thinks the world of his son: is mór an phráinn atá aige ina mhac
- I think it is quite often enough: ní beag liom a mhinice
- I wouldn't think twice of doing it: níor mhór an tsuim liom é a dhéanamh

TREAT

Tabharfar faoi deara sna samplaí seo a mhinice a úsáideann an Ghaeilge na briathra céanna *caith*, *déan*, *faigh*, *lig*, *tabhair* chun 'treat' an Bhéarla a aistriú.

(a) briathar > briathar eile

- to treat someone badly: droch-cheann a chaitheamh le duine
- to treat someone harshly: lámh chrua a choinneáil le duine
- they treated me like dirt: rinne siad spaid bhanraí díom
- he was roughly treated: fuair sé a chargáil
- we weren't treated very well: ní mór an taispeántas a fuaireamar
- he treated it as a joke: lig sé amach ar ghreann
- they treated him as odd: thóg siad ceann corr dó
- he was treated as a fool: tugadh meas amadáin air
- to treat them all alike: aon bhail amháin a thabhairt orthu
- she treated him in like manner: thug sí an diúité céanna dósan

(b) briathar > aidiacht

- she wouldn't have me shabbily treated: níor cheadaigh sí a bheith leadhbach liom
- to treat someone in a scurrilous manner: bheith madrúil le duine
- to treat someone handsomely: bheith dóighiúil le duine
- he treats everyone alike: is ionann uasal agus íseal aige

(c) briathar > réamhfhocal

- how is the world treating him?: cad is cor dó anois?

TRY

Is amhlaidh i gcás 'try'. Tugtar anseo thíos roinnt samplaí a léiríonn arís go bhfuil dúil na Gaeilge sa chaint mheafarach chun an nóisean seo a aistriú. D'fhéadfaí a mhaíomh gur urlabhra i bhfad níos fileata atá i gceist

(a) briathar + briathar > briathar amháin (ainmfhocal)

- trying to appease people: ag ceannach na síochána
- trying to broach a subject: ag fódóireacht timpeall ar scéal
- he was trying to start a conversation with me: bhí sé ag spreotáil ar labhairt liom
- to try to emulate someone: dul ag dréim le duine

- they tried to grab the weapons: thug siad amas ar na hairm
- he tried to ingratiate himself with everyone: ligh sé roimhe agus ina dhiaidh
- trying to keep in with someone: ag fosaíocht le duine
- no matter how you tried to please him: dá dtabharfá fíon Spáinneach dó
- they try to pass on their obligations to one another: bíonn siad ag iompairc le chéile
- you should try to benefit by what he tells you: ba cheart duit toradh a thabhairt ar an rud a deir sé
- trying to put a home together: ag bailiú tís
- they're only trying to rile you: níl siad ach ag séideadh fút/ag spochadh asat
- trying to get each other at a disadvantage: ag faire na faille ar a chéile
- they always try to avoid me: bíonn siad i gcónaí ag teitheadh romham

(b) briathar > briathar eile

- to try someone's patience: duine a chur go bun na foighne
- I tried hard to persuade him not to go there: thaobhaigh mé go crua leis gan dul ann
- to try your tricks: do chnaipí a imirt
- every trick he tried: gach cleas dar thionscain sé

(c) briathar > aidiacht/ainmfhocal/dobhriathar

- I won't be able to bear it no matter how hard I try: ní sheasfaidh mé é a thréan ná a threas/thrua
- the laggard is always trying to make up for lost time: bíonn an falsóir gnóthach tráthnóna
- he tried to persuade me by all means: chuaigh sé go bog agus go crua orm
- he tried hard to persuade me of it: shuigh sé go daingean orm é
- try as he might: dá gcuirfeadh sé a átháin amach/a bhundún(dearg)/a chaolán (dearg)/garr a chroí amach/a shúile ar chipíní
- he has tried every stratagem: tá gach aon chúig iompaithe aige
- he tried the same dodge on me: bhí sé ar an ealaín chéanna liom
- to try your hand at something: poc a thabhairt do rud

(d) briathar > meafar

- trying to bamboozle people: ag cur madraí i bhfuinneoga
- trying to escape attention: ag dul i bpoill is i bprochóga
- to try to conceal the obvious: folach an chait (ar a thuar) a dhéanamh ar rud
- he tries to turn everything to account: dhéanfadh sé fíon as uisce na gcos
- trying to hold back the tide: ag faire na taoide ar an trá

TURN

Tá na samplaí a thugtar ag tagairt don úsáid mheafarach de ghnáth nuair nach bhfuil an briathar ina aonar ach roinn chainte eile á cháiliú.

(a) briathar > cuir

- to turn everything upside down: an t-íochtar a chur in uachtar
- to turn someone against something: fuath ruda a chur ar/faoi dhuine
- to turn something to your advantage: rud a chur chun deise duit féin

(b) briathar > téigh

- the day is turning damp and chilly: tá an lá ag dul i nglaise
- the world turned topsyturvy on me: chuaigh an saol faoi seach orm

(c) briathar > déan

- it would turn to frost: dhéanfadh sioc de
- to turn a somersault: mullach gróigeáin a dhéanamh

(d) briathar > tabhair

- he turned a deaf ear to me: thug sé éisteacht na cluaise bodhaire dom
- to turn your back completely on something: dúdhroim a thabhairt le rud
- he turned his face against home: thug sé fuath don bhaile/d'fhuathaigh sé an baile
- they turned everything topsyturvy: thug siad an taobh síos suas do gach uile rud

(e) briathar > briathar eile

- they have turned his head: tá sé tógtha sa cheann acu
- to turn to someone: diall ar dhuine
- to turn someone's statement against himself: duine a bhréagnú as a bhéal féin

(f) briathar > ainmfhocal

- the night is turning cold: tá casadh fuar san oíche
- it's turning to snow again: tá dol eile sneachta ann
- he turned pale: thug sé deirge ar bháine
- it would turn your stomach: chuirfeadh sé consaeit ort

(g) briathar > meafar

- there is no turning back: tá an tairne ar an troigh

(h) briathar + réamhfhocal > briathar eile

- to turn over a new leaf: teacht ar athrú staide
- it turned out to be a good month: rinne sé mí mhaith
- if it turns out (that): má tá i ndán is (go)
- according as things turn out: de réir mar a bheas an saol is an aimsir
- hoping something will turn up: ag dóbartaíl ar rud
- he turned up his nose at it: chuir sé geanc air féin leis/cor ina shrón chuige/tá gairleog ina shrón

WORK

Is iomaí meafar agus íomhá i nGaeilge atá ceangailte le fealsúnacht na hoibre. D'fhéadfaí a mhaíomh go bhfuil cuid mhaith de shaibhreas na teanga fite fuaite sa dearcadh a·bhí ar thábhacht na hoibre sa ghnáthshaol agus gur amharcadh ar an duine, ar imeachtaí an tsaoil, ar an gcinniúint faoi choimirce dhualgas na hoibre. Agus ina dhiaidh sin is uile is minic nach gá an focal 'work' féin a aistriú chun brí na habairte a bhreith.

(a) briathar > ainmfhocal
- he's working aimlessly: tá drochthreo air
- anything is better than working with bare hands: is beag rud nach faide ná do lámh
- he's working like mad: tá faobach oibre air
- to be working on your own: bheith ar do scair féin
- he's well able to work: tá sracadh maith oibre ann

(b) briathar > briathar eile
- he worked himself to the bone: bhain sé as na cnámha é
- he worked hard for a living: chuir sé allas na gcnámh
- he doesn't strain himself working: tá sé spárálach ar a chnámha
- he has had to work hard for it: níl sé aige gan fhios dá chnámha
- to work yourself into a frenzy: ag borradh is ag at mar a bheadh cat i mála
- it's hard to work without proper equipment: is olc a mheileann leathbhró
- work harder: neartaigh do bhuille/ar do mhaidí
- working mischief: ag déanamh aos díobhaill
- he was working his way along: bhí sé ag goid an bhealaigh leis
- to work to a common plan: bheith ag cur as aon bhonn (amháin)

(c) briathar > meafar
- you must work to eat: is crua a cheannaíonn an droim an bolg
- he can work wonders: dhéanfadh sé cat agus dhá eireaball air/an diabhal i bpocán/an diabhal is a mháthair/chuirfeadh sé an cnoc thall ar an gcnoc abhus/cosa crainn faoi na cearca
- to work someone hard: an craiceann a théamh ag duine
- working in his own interest: ag tochras ar a cheirtlín féin

(d) briathar + dobhriathar/réamhfhocal > briathar eile (ainmfhocal)
- working against time: ag coimhlint leis an aimsir/am
- working at great speed: ag cladáil oibre
- he's working away with his bare hands: tá sé ag stróiceadh leis
- they were working away: bhí siad ag breacadh leo
- leave it to themselves to work it out: fágaimis cíoradh an scéil fúthu féin
- to work out your position: do thalamh a chomhaireamh

Caibidil 4
An Réamhfhocal / Dobhriathar

Tá dea-úsáid an réamhfhocail fíordheacair i ngach teanga iasachta. Amanna is rún é freisin don chainteoir dúchais. Tá sé imithe as smacht ar fad i mBéarla. Tugann Gowers (1976, 186) an sampla 'what did you bring that book I don't like to be read aloud to out of from up for'. Ach foghlaimítear dul an réamhfhocail de réir ghnás na cainte agus faoi réir chleachtadh na cainte. Tá cásanna i ngach teanga nuair nach féidir an réamhfhocal a sheachaint ach ní hionann na cásanna sin ó theanga go chéile. Tuigeann an cainteoir dúchais ina chroí istigh cad é an réamhfhocal a oireann don chás. Fad a bhaineann leis an gcaidreamh idir an Béarla agus an Ghaeilge bheadh an baol ann go mbeifí i gcónaí ag iarraidh réamhfhocal Gaeilge a aimsiú don réamhfhocal Béarla go fiú nuair nach bhfuil gá le réamhfhocal. Bhí Séamas Daltún buartha faoin bhfadhb seo mar is léir ón sliocht seo as *Maidir le do Litir* (1970):

> *Gné an-tábhachtach de chomhréir na Gaeilge is ea ceartúsáid na réamhfhocal, agus na bhforainmneacha réamhfhoclacha. Agus is gné í ina ngéilltear go minic d'anáil an Bhéarla. Bíonn claonadh ag daoine cleamhnas gramadúil a thabhairt i gcrích idir réamhfhocail na Gaeilge agus réamhfhocail an Bhéarla. Fágann sé gur gnáthchleachadh acu é de a úsáid san áit a mbeadh 'of' sa Bhéarla, do a chur ag freagairt do 'to', gan* faoi *a ghabháil chucu ach amháin le brí 'under' sa Bhéarla, agus feidhm dá réir sin a bhaint as réamhfhocail eile. (65-66)*

Tugtar anseo thíos roinnt samplaí den dóigh ina roinneann an Ghaeilge le réamhfhocal. Níl tagairt ach do na cásanna a bhfuil tréithe speisialta ag gabháil leo.

ABOUT

Nuair a chloiseann sé 'about' tuigfidh gach dalta scoile gur leor *mar gheall ar* nó *maidir le* nó *faoi* chun gach úsáid i mBéarla a chlúdach. Abairt mar 'he is annoyed about something today', má fhéachtar le haistriúchán litriúil a dhéanamh níl deacracht ar bith ann: *tá sé buartha faoi rud éigin inniu*. Tugtar an t-ábhar cainte, deirtear cad atá cearr leis, tugtar an réamhfhocal agus tugtar an chúis. D'fhéadfaí na mílte sampla a thabhairt den chineál céanna, ach focal eile a chur in ionad 'annoyed', amhail 'worried' nó 'ecstatic' nó 'mournful'. Más doiligh don Bhéarla gan

cuspóir nó cúis na buartha (gruaime/aoibhnis) a thabhairt, is féidir leis
an nGaeilge é a fhágáil ar lár. Is é loighic na Gaeilge go bhfuil cúis éigin
intuigthe le gach ciapadh aigne. Is riocht féin é i nGaeilge go minic
cheana. Bíonn gruaim nó aoibhneas nó brón ar an duine. Tig leis bheith
gruama, aoibhinn, brónach freisin. Tig leis an spéir a bheith *gruama*, le
scéal a bheith *brónach*, le háit a bheith *aoibhinn* ach ní deirtear go bhfuil
gruaim ar an spéir, go bhfuil *brón* ar an scéal nó go bhfuil *aoibhneas* ar
an áit. Is leis an duine amháin a chuirtear an focal teibí, fágtar ualach
iomlán na teibíochta air. Má tá sé faoi ualach na teibíochta sin, is leor
an tuairisc ann féin gan aon chúis ná cuspóir a thabhairt. Sin an fáth
nach bhfuil gá le 'about' in aon chor san abairt thuas, gur leor a rá go
bhfuil *caincín éigin air inniu*, agus gur fearr mar aistriúchán ar an gcéad
abairt thuas *tá (ábhar) imní air inniu*. Seo roinnt samplaí eile.

(a) réamhfhocal > ainmfhocal

- to admonish someone about something: rud a chur i bhfáth ar dhuine
- they're not diffident about answering each other back: níl siad faoi shotal dá
  chéile
- everyone is talking about him: tá sé ina sceith bhéil
- they'll all be talking about it: beidh sé ina shoiscéal acu
- it's nothing to brag about: níl braig air
- we had nothing to brag about as a result: ní raibh aon toirtéis orainn dá bharr
- I'm not perturbed about it: níl mé ina thinneas
- to hang about people: bheith i gcosa/in imeall na gcos ag daoine
- make no mistake about it: ná bíodh dada dá sheachmall ort
- there's something peculiar about that house: tá diomar ar an teach sin

(b) aidiacht/briathar + réamhfhocal > ainmfhocal + réamhfhocal eile

- what are your chattering about?: cad é an tseinm atá ort?
- what are you hesitating about?: cén dóbartaíl atá ort?
- you don't know what you're talking about: tá do thóin leis an scéal
- he knows what he's talking about: tá bunúdar aige lena chuid cainte
- pottering about with things: ag fútráil le rudaí
- tossing about (in agony) in the bed: ag strampáil (le pian) sa leaba
- they're always inquiring about your well-being: bíonn siad do do chásamh i
  gcónaí
- wandering about the world: ag fiarlaoid na beatha
- what are you raving about?: cad é an tsiabhránacht atá ort?

(c) gan aistriú ar bith

- that's all he's worried about: níl á mharú ach é

- to ask someone about his business: caidéis a chur ar dhuine
- he never stopped talking about it: ní raibh aon rud á thaibhreamh dó ach é
- warn him about the children: fógair na páistí dó
- he was in no way diffident about saying it: ní raibh spalpas air é a rá
- they began to talk about me: tharraing siad chucu mé
- to let himself become confused about something: ligean do rud dul sa fhraoch air
- there was a hangdog look about him: ba dhaor a dhreach
- he's quite insincere about it: is fada óna chroí é
- you needn't worry about his health: ní ceist duit a shláinte
- to restrain your feelings about something: rud a iompar ort féin
- aren't you rather secretive about it: nach é atá ceilteach agat
- say no more about it: fág marbh é/ná hinis don talamh é

(d) réamhfhocal > aidiacht

- he is always asking about people: is fiafraitheach an duine é
- she is solicitous about them: tá siad cúramach aici
- you should have set about it yourself: bhí sé iniarrtha agat féin
- let it not be said about you: ná bíodh sé inráite leat

(e) réamhfhocal + to > briathar

- he interrupted me as I was about to speak: thriosc sé an focal i mo bhéal

(f) réamhfhocal agus gluaiseacht > dobhriathar/ abairtín dhobhriathartha

- fussing about the place: ag fuirseadh thall is abhus
- he was gadding about: bhí sé anonn is anall ar a chamruathar
- they're going about the race in earnest: tá siad ag díriú amach ar an rás
- he lashed about him: bhuail sé roimhe agus ina dhiaidh
- such running about: a leithéid de chúrsáil
- they had me wandering about all night: thug siad oíche ar guairdeall dom

(g) réamhfhocal = idir dhá chomhairle > briathar/ aidiacht/dobhriathar

- he didn't beat about the bush: ní dheachaigh sé i leith ná i leataobh leis
- don't hum and haw about it: ná bí ag snagaireacht leis
- to hedge about something: dul ar chúl scéithe le rud
- I was in two minds about it: bhí mé ann as leis/bhí hob ann agus hob as agam
- you change your mind quickly about things: is gearr eatarthu agat
- don't shilly-shally about it: ná bí siar is aniar leis
- let there be no two ways about it: ná bíodh anonn ná anall ann

(h) réamhfhocal > meafar

- he is not worth bothering about: ní chuirfeá amach ar shluasaid é
- he was dancing about in a rage: bhí sé ag gearradh fáinní le fearg

- there are contradictory reports about it: d'inis fiach é agus shéan feannóg é

(i) réamhfhocal > réamhfhocal eile (simplí)

- that is not the only point about him: ní hé sin an t-aon bheith amháin aige
- to lie about someone: bréag a chur ar dhuine
- don't cavil about your food: ná bí ag ceasacht ar do chuid
- he has a hang-dog look about him: tá cuma bhúidíneach air
- grumbling about the hardships of life: ag ceisneamh ar an saol
- he brags a lot about his ancestry: is mór an fear as a shinsear é
- to pass remarks about someone: caidéis a fháil do dhuine
- they began to talk about me: tharraing siad chucu mé
- they are not concerned about us: níl cás acu ionainn
- to be lukewarm about something: bheith bog i rud
- they ceased to be curious about it: d'éirigh siad neamhiontach ann
- don't put yourself out about it: ná cuir thú féin as do bhealach leis
- don't say anything about it: ná bíodh aon teacht thairis agat

(j) réamhfhocal > réamhfhocal eile (comhshuite)

- they are crazy about him: tá siad ag briseadh na gcos ina dhiaidh
- he is crazy about her: tá sé splanctha/gan sméaróid ina diaidh
- they went about us with sticks: chuaigh siad inár gceann le bataí
- I sent him about his business: chuir mé i bhfeighil a ghnóthaí é

AFTER

Ní fhaightear an úsáid mheafarach ar leith chomh minic sin i gcás 'after'. De ghnáth is réamhfhocal é ina bhfreagraíonn an Ghaeilge agus an Béarla dá chéile más é úsáid leathmheafarach féin atá i gceist, mar is léir ó na samplaí seo a leanas:

- he is gone crazy after her: tá sé imithe bán ina diaidh
- to have a hankering after something: cur a bheith agat i ndiaidh ruda

Tá dul dá cuid ag an nGaeilge i gcásanna áirithe áfach nuair a fhágtar an réamhfhocal ar lár ar fad nó nuair is réamhfhocal eile is gá. Is cásanna iad seo go minic nuair is siontagma é briathar + 'after'.

- it wasn't a blessing he called after me: ní maith an tiomna a chuir sé liom
- he accepted after a lot of coaxing: le cúinsí móra a ghlac sé é
- he who doesn't look after himself: an té nach gcreanann leis féin
- he's sure to look after himself: ní fhágann sé é féin ar deireadh
- the territory was named after them: is uathu a sloinneadh an chríoch

AGAINST

Is fearr leis an nGaeilge go minic an réamhfhocal *ar* nó *le* ná an réamhfhocal comhshuite *in aghaidh/i gcoinne* mar aistriú ar 'against' mar is léir ó na samplaí seo a leanas.

- the weather was against us: bhí an aimsir ag cur orainn
- don't hold that against me: ná hagair an focal sin orm
- don't harden your heart against us: ná hiaigh do chroí orainn
- there is a warrant out against him: tá barántas air
- it protects you against seasonal illnesses: teasargann sé duine ar ghalair na bliana
- she held her own against them: sheas sí a cuid féin orthu
- to have a grudge against someone: fiamh a bheith agat le duine
- he uses vile language against them: caitheann sé an focal is measa ina phluc leo

AT

Réamhfhocal é seo a fhreagraíonn go minic do *ag/ar* na Gaeilge ach cliseann ar an nGaeilge go minic dul an Bhéarla a leanúint óir ní hionann loighic nó ciall an dá theanga. Má deirtear i mBéarla 'he will stop at nothing', is doiligh feidhm an réamhfhocail sin a mhíniú. is contrárthacht an abairt inti féin mar tá sé bunaithe ar 'at' a agairt mar réamhfhocal ionaid, amhail in 'the train will stop at the red line', nó réamhfhocal uaire, amhail in 'the train will arrive at four', ach an té 'who will stop at nothing', níl teorainn ar bith leis. Ní mór don teanga eile dul i muinín a dúchais féin chun an easpa teorann sin a chur in iúl. Tá dhá leagan sa Ghaeilge a léiríonn a meon féin ar an amhantraí aduain seo. An chéad cheann, *níl rud ar bith trom (ná te) aige*, casann sé an abairt droim ar ais. Is é an cuspóir atá sa chéad áit. Níl teorainn leis an gcuspóir, a deirtear i nGaeilge, agus lonnaítear an duine i gcomhthéacs an chuspóra. Oibiachtúlacht na Gaeilge os coinne shuibiachtúlacht an Bhéarla atá le feiceáil sa sampla sin. Ní hionann ar fad an cur chuige sa dara sampla, *ní carghas leis rud ar bith*. Is é an creideamh agus féile mhór an chreidimh atá mar phointe tagartha agus pointe tosaithe ag an ráiteas. D'fhéadfaí a rá freisin chun an easpa teorann a chur in iúl, *ní carghas leis a mháthair a dhúnmharú nó feall a dhéanamh*, óir tá tuiscint an éisteora dúisithe don uafás atá ar bun aige.

Beidh sé soiléir ó na samplaí seo a leanas go bhfuil dianghá le dearcadh sainiúil na Gaeilge a chuardach nuair atá an réamhfhocal 'at' le haistriú, mar is minic nach leor an réamhfhocal a aistriú; ní mór an abairt ar fad a chasadh. 'He looked daggers at me', is abairt é ina bhfuil meafar measctha, ach meafar measctha atá seasta. Athraíonn an Ghaeilge an bhéim. Tá sí níos loighiciúla arís. Ní gníomh é an 'look' féin ach tá an gníomh in intinn an té atá ag amharc ar an duine a bhfuil fearg air. Is ansin atá an gníomh, i súile an duine eile. Pé athrú atá le tabhairt faoi deara, ní sa ghníomh amach atá sé ach ar láthair an ghnímh féin. Sin an fáth go ndeirtear i nGaeilge *tháinig bior / rinn ar a shúile liom* nó *bhí faobhar ar a shúile liom* agus cuireann an *liom* géire na haithise i bhfios go daingean. Is íomhá is ansa leis an nGaeilge; tugtar le fios gur athraíodh meon, pearsantacht féin an duine agus go raibh an claochlú sin soiléir ach amharc ar a shúile. Baint níos dírí a chuirtear i gcion trí íomhá na Gaeilge ná trí mheafar an Bhéarla ach ar ndóigh is ionann éifeacht na habairte sa dá theanga.

(a) aidiacht/briathar + réamhfhocal > ainmfhocal + réamhfhocal eile

- you weren't very diligent at it: is beag an dícheall a rinne tú leis
- he bristled at me: tháinig cuil air liom
- he bridled up at me: chuir sé stiúir air féin liom
- he carped at his food: fuair sé tormas ar a chuid
- to exert yourself at something: duainéis a chur ort féin le rud
- why are you fumbling at it like that?: cad é an driopás atá ort leis?
- he was foaming at the mouth: bhí cúr/cúrán lena bhéal/chúlbhéal
- to glance coldly/enviously at someone: liath shúil a thabhairt ar dhuine
- to look sharply at something: bior a chur ar do shúile le rud/do shúile a bhiorú ar rud
- he is lucky at cards: tá ádh na gcártaí air
- to laugh inordinately at someone: eadra gáire a dhéanamh faoi dhuine
- he turned up his nose at it: chuir sé cor ina shrón chuige/chuir sé geanc air féin leis
- to nag at someone: bheith sa droim ar dhuine
- forever nagging at one another: de shíor ag gearradh aighnis ar a chéile
- stop pawing at me: bain do chrúcáin asam
- you are poking fun at me: tá cuideachta agaibh orm
- to slack at work: buille marbh a ligean in obair
- she snapped at me: bhain sí sclamh asam/thug sí glafadh/sclamh orm/thug sí na fiacla dom
- he set the dog at them: chuir sé saighead den mhadra iontu
- you are good at finding things: is maith an sealgaire thú
- few will weep at his going: is iomaí grua thirim a bheidh ina dhiaidh
- to stare wide-eyed at something: lán do shúl a bhaint as rud

Is léir ó na samplaí thuas gur pointe tosaithe eile ar fad atá ag an nGaeilge ar chora an tsaoil mar a léirítear sna habairtí sin iad agus go bhfuil réamhfhocal eile ar fad ag teastáil i nGaeilge chun 'at' an Bhéarla a aistriú. Feicfear a thuilleadh samplaí sna habairtí seo a leanas.

(b) réamhfhocal > réamhfhocal eile

- coming full at us: ag teacht corp ar aghaidh orainn
- he came at me round a corner: tháinig sé de dhroim cúinne orm
- at your ease: ar do bhogadam
- he was placed at a serious disadvantage: fágadh ar leathchois é
- they are at cross purposes: tá siad ar dhá cheann na héille le chéile
- to let someone proceed at his own pace: duine a ligean ar a shnáithe
- at that rate of going: ar an táin sin
- at the instigation of the devil: ar shanas an diabhail
- they went hard at the work: shéid siad ar an obair
- he didn't stop at that: níor fhan sé air
- he drank it at one go: d'ól sé as cosa i dtaca é
- flaring up at one another: ag borbú chun a chéile
- he lashed out at me: sháigh sé chugam
- to have a dig at someone: goineog a thabhairt do dhuine
- I made a guess at it: thug mé ballaíocht dó
- going at speed: ag imeacht faoi ghearradh
- he's travelling at a furious pace: tá buile siúil faoi
- he set off at great pace: d'imigh sé sna fáscaí
- if it stops at that: má bhíonn sé ina mhuinín sin
- he has it at his fingertips: tá sé i rinn aon mhéire aige
- when the fighting was at its fiercest: nuair a bhí an troid ina theann
- at dead of night: i mí mharbh na hoíche
- let me at him: lig chuige mé/lig mé ina cheann
- at the end of his days: i bhfoirceann a aoise
- he's at his last gasp: tá sé i ndeireadh na péice
- to have a dig at someone: ordóg mhagaidh a chur i nduine
- having a dig at me: ag caitheamh spear liom
- they are at each other's throats: tá siad san úll ag a chéile
- at the pace we were going: leis an tiomáint siúil a bhí fúinn

(c) nuair nach gá an réamhfhocal a aistriú

- he was the centre of attraction at the meeting: bhí aghaidh an chruinnithe air
- do it at all costs: déan é dá gcailltí choíche thú/cibé súisín a íocfas é
- he's at your beck and call: níl (agat) ach sméideadh/fead a ligean air
- it's easy to be generous at someone else's expense: is réidh stiall de chraiceann duine eile agat

- he's very down at heel: tá a shála i bhfad siar
- to keep up with someone at work: ceann cuinge a choinneáil le duine
- I don't know what I'm at today: tá dallamullóg orm inniu
- he put me at a disadvantage: fuair sé mo bhuntáiste
- to play someone at his own game: cor in aghaidh an chaim a thabhairt
- to be quite at liberty to do something: saorchead a bheith agat le rud a dhéanamh
- he took offence at what I said: chuir mo chuid cainte stuaic air
- you took me at the wrong time: tháinig tú orm go míthráthúil

(d) briathar neamh-aistreach + réamhfhocal > briathar aistreach

- what is gnawing at his heart: an rud atá ag cogaint an chroí aige
- I was giving at the knees: bhí na hioscaidí ag lúbadh fúm
- he came at a late hour: thug sé an deireanas leis
- trying to get each other at a disadvantage: ag faire na faille ar a chéile
- to take him at a disadvantage: éalang a fháil/faill a bhreith air/eall duine a ghabháil

Agus ansin tá na cásanna nuair is cineál neamhfhocail é 'at' sa mhéid nach ainmfhocal a thagann ina dhiaidh ach forainm/dobhriathar nó gur cuid de shiontagma é.

- there's nothing at all the matter with him: níl a dhubh ná a dhath air
- it lasted no time at all: ní dheachaigh sé fad fidirne
- I had nothing at all: ní raibh lí na léithe agam
- to be oppressed at heart over something: do chroí a bheith dubh ag rud
- make yourself at home: ná bí i do strainséir
- he was never at a loss for a stinging remark: níor theip an ghoineog riamh air
- sitting up at night is not good for you: níl suíochán na hoíche maith agat
- do it at once: déan é tur te
- the world is at rest: tá an saol faoi chónaí
- his reputation is at stake: tá a cháil i dtreis
- they didn't leave it at that: níor fhan siad ina mhuinín sin
- let the matter rest at that: bíodh ina scéal thairis

BEFORE

Is fiú roinnt samplaí den réamhfhocal 'before' a thabhairt chun a thaispeáint go bhfuil ciall eile ar fad ag an nGaeilge don urlabhra nuair atá am i gceist. Feicfimid ar ball a shuntasaí atá an difear sin ach is leor anois na samplaí seo a leanas a mheabhrú chun dearcadh sainiúil na Gaeilge a thuiscint - he'll be dead before the priest comes: níl cuid an tsagairt ann - mar a gcuirtear an bhéim ar fad ar theacht agus tábhacht an tsagairt. Is amhlaidh don abairt 'a rally before death', nuair nach ndéantar difear idir an 'rally' agus an bás féin ach go n-amharctar ar an 'rally' mar chuid dhílis den bhás, agus faoi mar a deirtear *biseach / bloscadh an bháis*. Ní cúrsaí ama atá i gceist sa Ghaeilge *bhain mé tús de* ('I got there before him'), nó *bhain sé an doras díom* ('he got to the door before me'). Is iomaíocht atá ann i nGaeilge agus ní gluaiseacht ama.

Tá sé suimiúil freisin gur fearr leis an nGaeilge an abairt a iompú droim ar ais go minic nuair atá 'before' i gceist. Tá sampla nó dhó feicthe againn thuas faoi 'get': 'to get home before sundown' a deirtear i mBéarla bíodh is go dtugtar le fios gur i bhfad níos déanaí ar maidin a tháinig tú abhaile óir *thug tú an ghrian abhaile leat*. Agus san áit a bhfuil 'it'll be pitch-dark before he comes' cuirtear an duine sa chéad áit amhail is dá mbeadh seisean ag fanacht ar thitim na hoíche sula dtiocfadh sé, gur aige atá an smacht óir *ní thiocfaidh seisean go raibh dubh ar an oíche*. Má bhí an Ghaeilge agus an Gaeilgeoir faoi eagla ag síon agus doineann, a mhalairt a bhí fíor faoi mheilt an ama féin. Maidir le 'you have the whole day before you' ní *romhat* atá sa Ghaeilge ach *agat* óir *tá an lá fada agat*.

BY

Is annamh is gá leagan Gaeilge de 'by' a fháil ach amháin má tá múnla na Gaeilge ar maos sa Bhéarla. Fágtar an réamhfhocal ar lár níos minice ná a mhalairt toisc go ndéantar an Béarla a mhodhnú.

(a) gan an réamhfhocal a aistriú, ach múnla pearsanta an Bhéarla a chasadh ina mhúnla neamhphearsanta

- they were dogged by misfortune: bhí an mí-ádh ar rith/siúl leo
- he was discussed even by those who never knew him: chuaigh a gháir san áit nach ndeachaigh a chos
- I wouldn't demean myself by it: b'fhada mar phaiste orm é
- they were distressed by a death in the family: tháinig broid bháis orthu
- we gained quite a bit by it: tháinig sé chun suimiúlachta dúinn
- pulling the devil by the tail: tá sé ar bhallán stéille an mhadra
- may I be the gainer by your labour: toradh do dheataigh ar mo dheatachsa
- he'll be judged by his own standards: gheobhaidh sé an dlí céanna a thug sé uaidh
- she is sunny by nature: tá dea-spéir os a cionn
- he is musical/perverse by nature: tá cineál an cheoil/an claon ann
- he's mischievous by nature: tá an t-oilbhéas ann

- he is vain by nature: tá an tsuimiúlacht ann
- he is self-willed by nature: tá an diúnas istigh ann
- he didn't mean any harm by it: ní le holc a dúirt sé é
- I was overcome by sleep: fuair an codladh bua orm
- you will profit by it: rachaidh sé chun suime duit
- I am only going by report: níl agam ach ráiteachas
- they were sustained by their prowess: bhí a bhfeidhm á bhfulaingt
- he is well liked by everyone: tá gach uile dhuine buíoch de
- I had put a little money by: bhí lón beag airgid déanta agam
- he has done well by it: tá a bharr go maith aige
- he wasn't in the least put out by it: níor chuir sé lá iarghnó air
- he wasn't in the least troubled by that: dheamhan cailm a chuir sin air

(b) réamhfhocal + ainmfhocal > ainmfhocal

- to do something by half: leathdhéanamh a thabhairt ar rud
- to do things by halves: dhá leath a dhéanamh de do dhícheall
- we got home by daylight: thugamar an lá linn abhaile
- dogged by ill luck: plainéad/tubaiste a bheith anuas ort
- the day was marred by rain: tháinig an lá ina chac báistí
- he swore by the sun and the moon: cheangail sé grian agus gealach air féin
- it's strange you're puzzled by that: is ionadh liom sin a bheith ina aincheas ort
- to take someone by surprise: eall duine a ghabháil
- he won't reprove you even by a look: ní thabharfaidh sé súil ghruama ort
- he won't suffer by it: ní haon gha nimhe dó é

(c) réamhfhocal > réamhfhocal eile

- you wouldn't know it by him: níl sé le léamh air
- to catch someone by the throat: breith ar dhiúlfaíoch/sciuch ar dhuine/dul i ngreim scornaí i nduine/sa gháilleach ag duine
- she caught her by the hair of the head: rug sí ar chéas a cinn uirthi
- ensnared by the devil: ar deirnín ag an diabhal
- by good fortune: ar ámharaí an tsaoil
- I can see it by the frown on his face: aithním ar a ghnúis é
- he has little to gain by it: is beag an éadáil dó é
- he gained nothing by it: ní dheachaigh sé ar bláth ná ar biseach dó
- by hook or by crook: go breas nó go treas
- bit by bit: ó ghiota go giota
- I have lost a pound by it: tá mé punt briste leis/ann
- I've lost more than I've gained by it: is mó atá mé siar ná aniar leis
- let him sit by the fire for a while: tabhair dreas den tine dó

(d) úsáid mheafarach

- he's not like you by any manner of means: níl sé cosúil leat ar dhóigh na

ndóigheanna
- he tried to persuade me by all means: chuaigh sé go bog is go crua orm
- he escaped from them by the skin of his teeth: d'imigh sé orthu ar inn ar ea

DOWN

Tá feicthe againn thuas an t-athrú céille is féidir a chur i gcrích i mBéarla trí réamhfhocal/dobhriathar a chur le cuid de na briathra is coitianta ar nós 'come', 'get', 'take'. Ach tá an nós céanna fíor le gach saghas briathair agus athraítear an chiall go bunúsach. Is sampla an-mhaith an dobhriathar 'down'. Ciallaíonn sé gach rud agus ní chiallaíonn sé rud ar bith i mBéarla. Meon eile ar fad atá laistiar de dhúchas na Gaeilge fad a bhaineann leis an gcoincheap seo.

(a) briathar + focal > abairtín dhobhriathartha/ainmfhocal

- he can't settle down anywhere: níl sé ach ó phort go port
- he's settled down there: tá sé ar ancaire ann
- he is steadying down: tá sé ag titim chun céille
- all he wants is a place to lie down: níl uaidh ach leithead a leapa a fháil
- he'd sell you down the river: dhíolfadh sé ar bord loinge thú

(b) briathar + focal > ainmfhocal

- he has cooled/sobered down: tá an teaspach bainte/curtha de
- I'm tied down to this work: tá buarach orm ag an obair seo
- to be tied down to something: bheith i gcrapall ag rud
- to trample something down: easair chosáin a dhéanamh de rud
- they have trampled down the garden: tá an garraí ina dhramhaltach acu
- they fell down on top of one another: thit siad i ngabhal a chéile
- to be down on someone: bheith sa bhuille mór/bhuaic ar dhuine
- everyone is down on me: tá an saol mór sa tarr orm
- he went down on bended knees: chuaigh sé ar mhullach a dhá ghlúin
- to be down on your uppers: bheith sna miotáin
- steady them down: cuir staidéar iontu
- he's married and settled down: tá glaicín air
- to be down to the last remnant: bheith ar an tsálóg

(c) briathar + focal > briathar eile

- the sun beating down on the peaks: an ghrian ag doirteadh ar na beanna / an ghrian ag scoilteadh na gcloch
- they are wearing each other down: tá siad ag tnáitheadh a chéile
- to gulp something down your throat: rud a chur ar do dhúid
- he piped down: lagaigh ar a phíobaireacht
- sitting down to their meal: ina suí ag a gcuid

- put it upside down: cuir ar a bhéal faoi é
- to turn everything upside down: an t-íochtar a chur in uachtar
- they have turned the place upside down: tá an áit síos suas acu
- to bring down the wrath of God on yourself: díbheirg Dé a thuilleamh

(d) focal + ainmfhocal/dobhriathar eile > ainmfhocal

- to be down and out: bheith ar an mblár folamh
- he has had his ups and downs: chonaic sé an dá shaol
- deep down in my heart: i gcochall mo chroí
- high up and low down: in ard nó i bhfána
- he is very down at heel: tá a shála i bhfad siar

(e) focal > dobhriathar/réamhfhocal/aidiacht

- it sent cold shivers down my back: chuir sé drithlíní fuachta liom
- I was a shilling down: bhí mé scilling caillteach
- gulp it down: clab siar é

FOR

Níl aon fhocal sa Ghaeilge a fhreagraíonn go beacht don réamhfhocal 'for' sa Bhéarla. Go minic níl cosúlacht ar bith idir an cur chuige sa Ghaeilge agus an abairt sa Bhéarla a bhfuil an réamhfhocal sin ina ceartlár. Feicfear san samplaí ina dhiaidh seo go bhfuil gach cleas le himirt sa Ghaeilge chun teacht aniar aduaidh ar an réamhfhocal áirithe seo.

(a) réamhfhocal + ainmfhocal > ainmfhocal (sa ghinideach) - ach is modhnú atá i gceist go follasach sna samplaí seo:

- he is ready for action: tá an úim is an tslinn aige
- don't take me for a liar: ná tabhair meas bréige orm
- match for a hundred: fear comhlainn/comhraic céad
- be prepared for eventualities: bíodh uisce ar do mhaidí agat
- to be all eagerness for talk: dúrúch cainte a bheith ort
- he was mad for work: bhí dáir/dúrúch oibre air
- it's a matter for surprise/suspicion: is cuid iontais/amhrais é
- he is fit for his business: tá déanamh gnó ann
- he hasn't come here for any good: ní hé an dea-rud a thug anseo é
- to have an itch for travel: tá meanma siúil aige
- he's in a mood for dancing/drinking: tá fibín damhsa/óil air
- that excuse for a knife: an tsiocair scine sin
- it's not a very likely place for wheat: is olc an dóigh cruithneachta é
- it was a great time for matchmaking: ba mhór an saol cleamhnas é
- in preparation for the morning: in araicis/le hucht na maidine

- pumping us for information: ag taighde feasa orainn
- to be preparing for death: bheith in uacht an bháis
- in return for his labours: in éiric a shaothair
- he has little to show for his work: níl mórán abhrais déanta aige
- the corn is too short for reaping: níl clúdach an chorráin san arbhar
- he's set/spoiling for a fight: tá cuthach/feistiú/fíoch troda air
- scrambling for alms: ag fuirseadh na déirce
- it's not for a shepherd to fall asleep: ní hord aoire codladh
- the day looks set for rain: tá stiúir bháistí ar an lá
- a meal fit for a king: dóthain rí de bhéile
- enough food for two: díol beirte de bhia
- to provide enough for your needs: díol do fhreastail a sholáthar

(b) réamhfhocal > ar

- he had a great capacity for drink: bhí an-iompar aige ar an ól
- he's well able for them: tá dul aige orthu
- if you find time for it: má bhíonn aga/breith/eatramh agat air
- he got what he asked for them: fuair sé rá a bhéil orthu
- he is more than a match for him: tá sé inbhuailte air
- don't accept responsibility for it: ná lig an cúram sin ort
- they ran helter-skelter for the door: rinne siad ar mhullach a chéile ar an doras
- they were too strong for you: ba threise leo oraibh
- he's none the worse for it: níl faic dá bharr air

(c) réamhfhocal > le

- he's disfigured for life: tá máchail air lena lá
- he's marked for life: tá comhartha lena shaol air
- he has a distaste for meat: tá col air le feoil
- I had taken a distaste for my food: bhí mé bunoscionn le mo chuid
- he couldn't do half enough for us: bhí anrud air linn
- to set an objective for yourself: marc a chur leat féin
- to pledge your word for something: d'fhíor a thabhairt le rud
- he knows what is good for him: is léir cad tá lena leas
- to lay the blame for something on someone: duine a chur i gcionta le rud
- you'd think it was made for you: shílfeá gur cumadh leat é

(d) réamhfhocal > ag

- it's too far for him to walk: tá an choisíocht rófhada aige
- we take it for granted now: is neamhiontach againn anois é
- you needn't take me for a half-wit: ní leathdhuine mise agaibh
- it was inadequate for his needs: níor aithin sé aige é
- he was a match for all of them: bhí sé ina fhear acu uile
- he is more than a match for me: tá sé lánábalta/tiubh agam

- it's a matter for yourself: tá sé ar do thoil féin agat
- isn't that an outrageous thing for you to say: nach tréasúil an focal sin agat
- they have such regard for him: tá sé chomh gradamach acu
- I can see it for myself: tá amharc mo shúl agam
- sitting up at night is not good for you: níl suíochán na hoíche maith agat

(e) réamhfhocal > de/do

- to find an excuse for someone: adhmad a thógáil de dhuine
- what is fitting for someone: an rud is diongbháil do dhuine
- to take something for granted: dóigh a dhéanamh de rud
- to take too much for granted: deimhin a dhéanamh de do bharúil
- it was high time for him: tháinig sé de mhítheas dó/ba mhithid dó
- they're no match for him: ní comórtas ar bith dó iad
- you opened my eyes for me: bhain tú an dalladh puicín díom/na sramaí de mo shúile/rinne tú mo shúile dom
- if you had a proper regard for yourself: dá mbeadh rud sílte agat díot féin
- it was a sorry day for him: ba é an lá deacrach/ba thinn an lá dó é
- it's worth it for the pleasure it gives: tá a luach de phleisiúr ann

(f) réamhfhocal > as

- I don't blame you for that: níl aon chúis agam ort as sin
- you'll be neither reproached nor disgraced for that: ní bhfaighidh tú guth ná náire as
- let him fend for himself: treabhadh sé as a eireaball féin
- I'll get even with him for that: bainfidh mé a shásamh sin as
- they're noted for their kindness: tá siad ainmnithe as a gcineáltas
- you cannot be penalized for that: níl cáipéis ar bith ort as sin

(g) réamhfhocal > chun

- he is a demon for drink: tá sé go diail chun óil
- how greedy for it you are: nach ort atá an mhian chuige
- to be all eagerness for something: bheith ar sciobadh chun ruda
- he gathered himself for a jump: d'fháisc sé é féin chun léime
- a good day for your last journey: dea-lá chun na cille
- he's laying something in store for me: tá sé ag bailiú lóin chugam
- he meant that remark for me: chugamsa a lig sé an focal sin
- the most promising place for fishing: an áit is dóchúla chun iascaigh
- everything is prospering for them: tá gach aon rud ag méadú chucu
- you are in the right place for it: tá tú ar do dheis chuige
- I'd risk anything for it: rachainn faoi roth chuige

(h) réamhfhocal > i

- an eye for an eye: cion sa chion
- he has a high regard for himself: tá an mór is fiú ann

- he has it in for me: tá a gha ionam
- he can speak up for himself: tá plé a chirt ann
- he's able to stand up for himself: tá seasamh a choda ann
- they were unable to stand up for themselves: ní raibh seasamh an fhóid iontu
- they're unable to make out for themselves yet: níl déanamh a gcoda iontu féin go fóill
- God will repay you for it: tá lamháil ó Dhia duit ann

(i) réamhfhocal > faoi

- if you wished to do what was good for you: dá mbeadh bara do leasa fút
- his mother reproved him for that: d'éiligh a mháthair air faoi sin
- it was set apart specially for you: cuireadh i leataobh faoi d'ómós é
- to vouch for something to somebody: dul faoi rud do dhuine

(j) briathar/réamhfhocal + ainmfhocal > clásal (meafarach) gan réamhfhocal

- he got what he asked for: fuair sé breith a bhéil féin
- he worked himself to the bone for it: bhain sé as a chnámha é
- he was well cared for: fuair sé a dhíol d'ionramh
- the prayers of the congregation were asked for him: cuireadh faoi ghuí an phobail é
- to evade responsibility for something: an púca a chur ó do theach féin
- there is still time for a last fling: tá beatha cearrbhaigh fós san Inid
- I've been expecting you for ages: tá mé seanchaite ag fanacht leat
- to go for one another: dul i gcírín a chéile
- he worked hard for a living: chuir sé allas na gcnámh
- the innocent suffers for the crimes of the wicked: cion an chiontaigh ar an neamhchiontach
- they depend on fishing for a livelihood: tá a dteacht suas ar an iascaireacht
- we made do with it for the night: bhaineamar cothrom na hoíche as
- we must be thankful for small mercies: is buí le bocht an beagán
- the laggard is always trying to make up for lost time: bíonn an falsóir gnóthach tráthnóna
- he came near enough for me to recognize him: tháinig sé in aitheantas dom
- I paid for my experience: is mé a cheannaigh mo bheart
- the wheat paid off for him: dhíol an chruithneacht é
- he has no regard for God or man: ní ghéilleann sé do Dhia ná do dhuine
- I had little to show for my journey: ní raibh mo thuras inmhaite orm
- he sat there feeling sorry for himself: bhí sé ina shuí ansin ag déanamh a ghearáin leis féin
- he has taken a turn for the better: tá casadh beag air
- the affair took a turn for the worse: tháinig droch-chor sa scéal

- he is well able for his work: tá sé os cionn a bhuille

FROM

Is leor roinnt samplaí chun a léiriú cad é mar a roinneann an Ghaeilge leis an réamhfhocal 'from'.

(a) réamhfhocal > ag

- he has taken a buffeting from life: tá sé ramhraithe ag an saol
- you'll get a pain in the side from laughing: cuirfidh tú arraing ionat féin ag gáire
- she was in stitches from laughing: bhí snaidhmeanna ar a taobh ag gáire/bhí sé lúbtha ag gáire

(b) réamhfhocal > ar

- to demand your rights from someone: do cheart a fhógairt ar dhuine
- as distinct from that altogether: bunoscionn air ar fad
- he took the game from me: chuir sé an cluiche orm
- victory was being snatched from us in the game: bhí an cluiche i mbéal fuadaigh orainn
- everything is slipping away from him: tá an t-iomlán ag dul le fána air
- he escaped from them by the skin of his teeth: d'imigh sé orthu ar inn ar ea
- you can't get away from it: níl imeacht agat air
- he's trying to take over the place from me: tá sé ag sealbhú na háite orm
- to keep yourself from laughing: cluain a choinneáil ar na gáirí
- he was restraining himself from laughing: bhí sé á iongabháil féin ar na gáirí
- withholding drink from someone: ceilt dí ar dhuine

(c) réamhfhocal > de/do

- to avert this danger from us: an géibheann seo a dhiongbháil dínn
- consider it from this angle: tar sa cheann seo de
- I'd expect nothing less from you: ní dhlífinn a mhalairt díot
- to move away from someone: druidim de dhuine
- the rock shielded us from the wind: bhris an charraig an ghaoth dúinn
- who did not shrink from facing the warriors: nár dhiúltaigh do chúinsí na dtréan

(d) réamhfhocal > i

- I was owed money from the kitty: bhí mé airgead sa bháin
- there's nothing to be gained from him: níl maith ná maoin ann

(e) réamhfhocal > le

- he is blue in the face from the cold: tá dath na ndaol air le fuacht
- I was faint from hunger: bhí laige chabhlach orm leis an ocras

(f) réamhfhocal > gnáthabairt ach í modhnaithe

- he is free from all care: níl muirín ná trillín air
- they assembled from all directions: chruinnigh siad anoir agus aniar

- news came from an unexpected quarter: aniar aduaidh a tháinig an scéala
- he'll learn from experience: múinfidh an saol é
- learning from experience: ag ceannach na céille
- he'll learn from his mistakes: cuirfidh a shrón féin comhairle air
- I learned it from yourself: tú féin béal mo mhúinte
- there's no use hiding it from you: dá mbeadh sé faoi chloch gheofá é
- he inherited the bad qualities from his mother: dhiúl sé an chíoch bhradach
- to take a rest from work: do dhroim a dhíriú
- it faces away from the sun: tá tuaithiúr gréine ann

IN

Seo an focal is fusa in aon teanga. Sin a deirtear pé scéal é. Agus is fíor an ráiteas fad nach bhfuil i gceist ach tuairisc ionaid. Ar an drochuair baineann an Béarla an-fheidhm as mar fhocal mar is léir ón difear idir 'she excelled them in beauty', 'to be in fine fettle' agus 'in his own good time'. B'oiriúnaí an leagan Gaeilge a gheofaí ach malairt leagain a lorg agus an réamhfhocal a fhágáil ar lár. An Ghaeilge a chuirfí ar na trí habairtí, is mar seo a bheadh: *rug sí barr áille orthu, bheith go buacach* agus *nuair a thagann/tháinig ar a mhithidí féin*. Tá sé soiléir nach féidir aistriúchán litriúil a dhéanamh. Ní mór fallaing an dúchais a chur ort chun an dul cainte a oireann don dúchas sin agus a chineann as a aimsiú. Tá feicthe againn i gcás na réamhfhocal eile gur minic is fearr leis an nGaeilge an réamhfhocal Béarla a sheachaint ar fad. Leoga, i gcás an réamhfhocail 'in' is gá roinnt idirdhealuithe a dhéanamh go háirithe nuair nach n-aistrítear an réamhfhocal in aon chor.

(a) réamhfhocal > ar

- they are in demand: tá fiafraí/tarlú orthu
- to be living in comfort: bheith ar do chraoibhín/chúilín seamhrach
- he's becoming confident in traffic: tá sé ag dul i ndánacht ar an trácht
- in easy circumstances: ar an neamhacra
- I am fated to be always in need: tá sé de bhua orm a bheith ar an anás
- to find the weak spot in someone: éalang a fháil ar dhuine
- he was in a hurry to get away: bhí bruith láidir/driopás air ag imeacht
- I have it in hand: tá sé ar na bioráin agam
- he is in bad humour: tá bruach air
- he's in a wicked mood: tá cuil an diabhail/deimheas chun aighnis air
- he's in a huff with me: tá rothán air liom
- he's in great humour today: tá sreang mhaith air inniu
- there's a knack in it: tá cleas/dóigh/eolas air

- if they desert him he'll be left in the lurch: má thréigeann siad é beidh thiar air
- the greatest predicament I was ever in: an greim is mó a rug riamh orm
- it is in good repair: tá sé ar deis is ar dóigh
- to be in straitened circumstances: bheith ar an ngannchuid/ngannchur
- to keep someone in suspense: duine a choinneáil ar bís
- there is a sharp sting in the evening: tá clipe ar an tráthnóna
- he hadn't the slightest interest in it: ní fhéachfadh sé siar air
- in close succession: ar dhroim a chéile
- in quick succession: muin ar mhuin
- working in his own interest: ag tochras ar a cheirtlín féin
- he is up to his ears in work: tá na seacht sraith ar an iomaire aige
- he's in the grip of death: tá cuisle ag an mbás air

(b) réamhfhocal > ag

- he is in high spirits: tá barr a chroí aige

(c) réamhfhocal > as

- he has faith in himself: tá uchtach aige as féin
- in the heel of the hunt: as deireadh na cúise
- in mint condition: amach as an múnla
- he's in a precarious position: tá sé crochta as an sreangán

(d) réamhfhocal > chuig

- gather in your legs: cúb chugat do hanlaí
- pull in your feet: ceartaigh chugat do chosa
- he is drawing in his horns: tá sé ag breith chuige féin
- he knows how to make his way in the world: is maith an fear chun an tsaoil é
- he's laying something in store for me: tá sé ag bailiú lóin chugam
- he has his knife in me: tá sé ar na sceana chugam

(e) réamhfhocal > faoi

- she was sewing in the dark: bhí sí ag fuáil faoina doirne
- I deferred to him in nothing: ní raibh mé faoi shotal ar bith dó
- to do something in a rush of excitement: rud a dhéanamh faoi dhriopás
- to put someone in a flutter: foilsceadh a chur faoi dhuine
- he was in a great rush: bhí buinne mór faoi
- they haven't a bite nor a sup in the house: níl greim ná deoch faoi chaolach an tí acu
- it's nowhere in the house: níl sé faoi bhallaí an tí
- to have something in working order: rud a bheith faoi chiúir agat
- to be in distress: bheith faoin mbráca
- to be held in contempt: bheith faoi dhrámh
- isn't he in a great hurry to be off?: nach mór an stáir atá faoi?
- I let him have it right in the eye: lig mé faoin tsúil aige é

- don't let me remain in sorrow: ná fulaing mé faoi bhrón

(f) réamhfhocal > le

- he was dancing about in a rage: bhí sé ag gearradh fáinní le fearg

(g) nuair nach bhfuil réamhfhocal sa Ghaeilge ag freagairt don réamhfhocal sa Bhéarla agus abairt neamhphearsanta á dhéanamh sa Ghaeilge d'abairt phearsanta an Bhéarla

- he is no danger of death: tá cuid mhaireachtála ann
- people were scurrying in all directions: bhí na scoiteacha ann
- they fled in all directions: tháinig scaipeadh na mionéan orthu
- they were hurled back in all directions: caitheadh soir siar iad
- I was in a state of collapse: níor fhan sea ná seoladh ionam
- to curse someone in public: sluamhallacht a chur ar dhuine
- I am in fairly good health: tá breacaireacht den tsláinte agam
- he was in a great hurry to be off: bhí sciatháin air ag imeacht
- I have no feeling in my leg: tá mo chos bodhar
- they'll be left in a bad way: gabhfaidh drochbhail orthu
- they are living in poverty: tá beo bocht orthu
- the greatest predicament I was ever in: an greim is mó a rug riamh orm
- we were caught in the rain: tháinig an fhearthainn orainn
- we were left out in the cold: fágadh ar chúl éaga sinn
- he'll ruin himself in the end: cuirfidh sé droch-chríoch air féin
- he ruined his prospects in life: chuir sé an saol ó chrích air féin
- if you find yourself in difficulties: má thagann ort
- she found a poor match in him: ba leis a fágadh í
- I broke out in a cold sweat: tháinig fuarú allais orm
- you're wrong in your opinion: tá meath do bharúla ort
- he had a withering look in his eye: leáfadh amharc a shúl thú
- I did it in a kind of way: thug mé simleadh déanaimh air
- they take an unctuous pleasure in it: is é an ola ar a gcroí é

(h) abairtí meafaracha

- a shot in the dark: urchar an daill faoin abhaill
- to pay someone in his own kind: slat dá thomhas féin a thabhairt do dhuine
- the fat is in the fire: tá an brachán doirte/an madra marbh
- it was only a flash in the pan: ní raibh ann ach gal soip/rith searraigh
- a storm in a teacup: cogadh na sifíní
- doing something in ignorance: ag lorg an ghadhair is gan tásc a dhatha agat
- he's long in the tooth: tá na géaráin curtha go maith aige

(i) abairtí coibhéiseacha

- it's all he's interested in: is é a fhor is a fhónamh é
- your strength lies in your numbers: is móide bhur neart bhur líon

- he's in a nice fix: tá an scéal go breallach aige
- it's in his very nature: níor ghoid sé is níor fhuadaigh sé é
- he has got on well in the world: is mór a bhorr sé
- groping in the dark: ag dornásc oíche
- to do something in an untidy manner: leathbhreall a chur ar rud
- to put something together in a careless manner: leathdhéanamh a thabhairt ar rud
- the last word in an argument: buille na sní
- good goods in small parcels: mura bhfuil sé toirtiúil tá sé tairbheach
- rince it out twice in clean water: nigh aníos as dhá uisce é
- to suffer something in silence: rud a bhrú ar d'aigne
- not for anything in the world would I do it: dá bhfaighinn Éire gan roinnt ní dhéanfainn é

(j) réamhfhocal eile ag cáiliú ainmfhocal eile

- it's ingrained in him: ní ón ngaoth a thug sé é
- to prod someone in jest: ordóg mhagaidh a chur i nduine
- to knock someone in a heap: carn glothaí a dhéanamh de dhuine
- to express something in words: canúint a chur ar rud
- he has no stake in it: ní hé atá ar na stacaí aige

(k) aidiacht + réamhfhocal + ainmfhocal > dhá ainmfhocal

- he is dressed in rags: níl air ach na crothóga
- he is concise in speech: tá cóngar cainte aige

(l) abairtíní seasta

- you are in for it: tá d'anam ar do shnáthaid
- pay him back in kind: tabhair comaoin/tomhas a láimhe féin dó
- I don't care in the least: is cuma liom den domhan
- he didn't hurt me in the least: níor bhain sé fogha ná easpa asam
- no one interfered with me in the least: níor cuireadh cosc ná stró orm
- it doesn't matter in the least who did it: nach cuma beirthe cé a rinne é
- I am not in the least repentant: níl aithreachas ná cuid d'aithreachas orm
- he's not sorry in the least: níl blas buartha air
- he wasn't in the least put out by/about it: níor chuir sé lá iarghnó air/ní raibh pioc dá thinneas air
- there's nothing in the least wrong with you: níl screatall/seoid (de bharr) ort
- he is in and out to us: bíonn sé chugainn agus uainn
- he noted everything in sight: bhreathnaigh sé faoi agus thairis
- it was in store for her: bhí sé lena haghaidh
- one of the things that life has in store for us: dán de dhánta an tsaoil
- they were all at it in turn: bhí gach uile dhreas acu air
- now you may wish in vain: cuir méar i do bhéal anois

- I am in no way related to them: níl aon deoir dá gcuid fola ionam/níl gaol ná cóngas agam leo
- there's little in it one way or the other: is beag idir a aibhse agus a dhiomaibhse

OF

Seachas nuair atá seilbh i gceist, is minic úsáid an-aisteach den réamhfhocal seo sa Bhéarla agus is doiligh múnla ceart Gaeilge a aimsiú dó. De ghnáth is fearr réamhfhocal eile seachas *de* mar is léir ó na samplaí seo a leanas.

(a) réamhfhocal > ag

- she is careful of them: tá siad cúramach aici
- it was sordid of him: bhí sé íseal aige
- he is not the most sensible of them: ní hé is troime ciall acu
- he is no respecter of persons: is ionann uasal agus íseal aige
- most people are of that opinion: tá an tuairim sin ag an mbuíon mhór
- you are making a song of it: tá sé ina amhrán agat

(b) réamhfhocal > ar

- to fall foul of someone: teacht crosta ar dhuine
- I had a relapse of the cold: d'iompaigh an slaghdán orm
- to make a glutton of yourself: craos a dhéanamh ort féin
- I can't make head or tail of it: níl tóin ná ceann le fáil agam air
- I got an idea of it: fuair mé tionscnamh air
- I am not unaware of it: níl sé ceilte orm
- there's no word of his coming home: níl iomrá ar bith ar a theacht abhaile
- to persuade someone of something: rud a chur i luí gaidhte ar dhuine
- it's not much to ask of me: is beag an dualgas orm é

(c) réamhfhocal > as

- to eat the face of someone: lán do bhéil a bhaint as duine
- he is pretty sure of himself: tá sé teann go maith as féin
- they were left short of food: ligeadh amach as bia iad
- he is not over-confident of his health: níl sé dúshlánach as a shláinte

(d) réamhfhocal > do

- I wouldn't expect it of him: ní chocálfainn dó é
- you wouldn't think it of him: ní mheasfá dó é
- you would expect nothing better of him: ní náir dó é
- he is passionately fond of it: tá dúil na n-aenna aige dó
- to form a poor opinion of someone: drochbharúil a thabhairt do dhuine

(e) réamhfhocal > faoi

- he is full of himself: tá an-ghó/meas aerach faoi

- to speak lightly of something: labhairt go neamhthuairimeach faoi rud
- you would never suspect him of it: ní chuirfeá faoina thuairim é

(f) réamhfhocal > i

- it is excellent of its kind: tá sé ar fheabhas ina cháilíocht féin
- to be very fond of someone: lúb istigh a bheith agat i nduine
- to take particular notice of something: grinn/iúl a chur i rud
- to get positive assurance of something: diongbháil a fháil i rud
- to have run short of something: bheith rite gairid i rud

(g) réamhfhocal > le

- he is excessively fond of sweets: tá anrud air leis na milseáin
- he is very fond of the place: tá an-nádúr aige leis an áit
- he is fond of home: tá sé luiteach leis an mbaile
- if fear gets hold of them: má thosaíonn an eagla leo
- if I had a guarantee of it: dá mbeadh daingean agam leis
- you are well out of it: is maith a scar tú leis
- he perished of hunger: fágadh leis an ocras é

(h) réamhfhocal > ó

- I've got neither tale nor tidings of him: ní bhfuair mé scéal ná duan uaidh
- I'm glad to get rid of him: beannaím uaim é

(i) réamhfhocal > roimh

- she made a great fuss of me: thóg sí an t-oró romham

(j) gan an réamhfhocal a aistriú ach dul neamhphearsanta a chur ar an nGaeilge

- you have a fine time of it: is breá an dóigh atá oraibh
- his eagerness got the better of him: chuaigh ag an bhfonn ar an bhfaitíos aige
- you have made a hash of it: tá se ina chocstí agat
- don't judge ill of people: ná bíodh drochbhreith i do bhéal
- they are of inestimable value: ní dheachaigh a luach riamh orthu
- they have a lean time of it: tá an saol gann orthu
- there's not enough of it to go around: níl cuid na ranna ann
- death is no respecter of persons: comhuasal duine ag an mbás

(k) abairtí meafaracha

- to the end of time: fad a bheas grian ag dul deiseal
- he got the fright of his life: chonaic sé Murchadh nó an tor ba ghiorra dó
- I hate the sight of him: d'íosfainn le gráinnín salainn é
- the tune the old cow died of: ceol an traonaigh sa ghort

OFF

Is iomaí cor a chuireann an Béarla i mbriathar tríd an réamhfhocal 'off' a chur lena ais. Athraítear an chiall go hiomlán ón hata 'which blew off' go dtí an t-amhrán 'which was learned off' go dtí an bháisteach 'which eased off'. Cad é mar a roinneann an Ghaeilge leis? In amanna is ionann an 'off' dáiríre agus an 'of' thuas, mar shampla san abairt *bain an choirt de do mhuinéal* ('scrub the dirt off your neck'), ach tá an Ghaeilge in ann chuig an gcasadh ar leith a thugann an réamhfhocal don bhriathar de ghnáth.

(a) briathar + réamhfhocal > briathar

- he was caught off his guard: fuarthas ar bóiléagar é/rugadh air ar a thapa/tháinig sé aniar aduaidh air
- to head off an animal: ainmhí a cheapadh
- he has three daughters to marry off: tá triúr iníonacha aige le cur i gcrích
- don't cut off your nose to spite your face: ná déan namhaid de do rún/ná tabhair do shonas ar do dhonas
- they finished him off: chuimil siad sop is uisce dó
- don't palm off that thieving cow on him: ná cuir an bhó bhradach sin air
- the rain eased off a little: tháinig uaineadh beag
- to ward off a blow: buille a cheapadh/chosaint
- to ward off a danger from someone: duine a eadráin ó chontúirt
- my weariness never wears off: ní théann faill ar mo thuirse
- we had better be off: is fearr dúinn bheith ag ciorrú an bhóthair
- his hat blew off: d'fhuadaigh a hata de
- they are throwing off all restraint: tá siad ag scaoileadh leo féin
- what set them off?: céard a chuir an fíbín orthu?

(b) dobhriathar/aidiacht + réamhfhocal > ainmfhocal/abairtín

- we're not too badly off: níl coir orainn/nílimid in áit a bheith ag casaoid
- we would be better off not to do it: ba churtha chun cinn orainn gan é a dhéanamh
- he was lifted clean off his feet: tógadh as láthair a bhonn é
- he was lifted right off the ground: tógadh de chothrom talún é
- you were quick off the mark: is maith an tapa a rinne tú
- he is well off: tá a chuid is a chostas aige

ON

Is cinnte go bhfuil deacracht ar leith ag baint leis an réamhfhocal seo don Bhéarlóir in Éirinn tá éagsúlacht agus aduaine an réamhfhocail 'on' chomh forleathan sin. Is leor cuid de na samplaí a thugann John Pepper (1978) a mheabhrú:

'have you the time on you', 'have you a bucket/a match on you', 'don't be lettin' on about it', 'I'm not on with you','get on with you', 'they're not getting on', 'he took it on himself', 'come on on in', 'you're having me on', 'I've been put on tablets', 'I'll put the dog on you', 'I have nothing on this evening', 'he's getting on', 'he had a drop or two on him', 'he's well on', 'catch yourself on', 'he passed on', 'I wish you wouldn't keep on about it', 'I was fairly dropped on over it', 'a stamp fell on me' (15-16).

agus ní luaim ach iad. Is léir nach bhfuil acmhainn na Gaeilge in inmhe chuig an bhfairsinge úsáide agus céille sin agus nach fiú bheith ag smaoineamh ar a bheith ag aithris ar raon dá leithéid. Ach cuireann sé ar ár súile dúinn na deacrachtaí atá le seachaint sa Ghaeilge.

(a) nuair nach gá an réamhfhocal a aistriú

- to bring down the wrath of God on yourself: díbheirg Dé a thuilleamh
- I gave him something to chew on: thug mé cnámh le creimeadh dó
- you come to us on an evil errand: is mallaithe do thoisc chugainn
- to be on friendly terms with someone: duine a chaidreamh
- we took them on the flank: thángamar orthu de lorg a dtaoibh
- he is going on forty: tá sé ar ghob an daichid
- I'm relying on him: is é mo bhuinneán cuinge é
- they were on the alert: bhí focal na faire acu
- shame depends on your attitude: níl sa náire ach mar a ghlactar é
- they were straining on the leash: bhí siad ag rí na héille
- standing on ceremony: ag imirt na galántachta
- the day is wearing on: tá an lá barrchaite

(b) réamhfhocal > as

- don't be for ever hanging on my lips: ná bígí crochta as mo bhéal ar fad
- on an impulse: as maoil do chonláin

(c) réamhfhocal > chuig/chun

- they have no claim on each other: níl call acu chun a chéile

(d) réamhfhocal > do

- it will bring blame on him: tiocfaidh sé chun milleáin dó
- you were always on my side: bhí tú riamh fabhrach dom
- it was a poor attempt on your part: d'fhág sin díot é
- it is incumbent on me: dlitear díom é
- treading on each other's heels: ag baint na gcos/sál dá chéile
- they are not on speaking terms: níl siad ag beannú dá chéile
- they're not on very good terms: níl siad buíoch dá chéile

(e) réamhfhocal > faoi

- to put someone on the wrong track: cor faoi chosán a chur ar dhuine
- I don't like his way of going on: ní maith liom na bóithre atá faoi
- it's good to see you on your feet again: slán faoi d'éirí

(f) réamhfhocal > i

- he is on his deathbed: tá sé i gcróilí an bháis
- put an edge on the axe: cuir béal sa tua
- it set my teeth on edge: chuir sé fuairnimh i m'fhiacla
- he went back on his word: ghabh sé uime ina fhocal
- on level terms with someone: i gcuid chothrom le duine
- angry scowl on someone's face: duifean feirge i ngnúis duine
- he is on top of the world: tá sé i mbarr na gceirtlíní geala

(g) réamhfhocal > le

- to take a chance on something: bheith buaite nó caillte le rud
- he looks with favour on us: tá fabhar aige linn
- fawning on the great: ag cuimilt sciortaí leis na daoine móra
- he is lingering on: tá sé ag sraonadh leis
- he muddles on: bíonn sé ag crágáil leis
- we are pressing on: táimid ag sá linn
- they planted their feet firmly on the ground: theann siad a dtroithe le talamh
- he is soft on her: tá sé amaideach léi
- he tried the same dodge on me: bhí sé ar an ealaín chéanna liom
- to turn your back completely on something: dúdhroim a thabhairt le rud
- to rely on someone: taobh a thabhairt le duine
- he urged me on: d'ardaigh sé thiar liom
- to shower kindnesses on someone: duine a chlúdach le mil

(h) réamhfhocal > thar

- things may appear alright on the surface: níl ann ach cneasú thar goimh

(i) inbhéartú san abairt (pearsanta > neamhphearsanta) agus réamhfhocal (eile) ag gabháil le hainmfhocal eile

- give him a clip on the ear: tabhair smitín i mbun na cluaise dó
- he is fast on his feet: tá lúth na gcos leis
- I nearly said it to him on the spur of the moment: tháinig sé de ríog ionam é a rá leis
- the milk is on the turn: tá cor sa bhainne
- he has it on the tip of his tongue: tá sé ar bharr a ghoib aige
- he was unsteady on his feet: bhí cos thall agus cos abhus aige
- he had a mocking look on his face: bhí aghaidh a scige air
- if I could rely on my health: dá mbeadh an tsláinte ag feitheamh dom

OUT

Focal casta é freisin an focal 'out' a bhfuil feidhm dobriathair agus feidhm réamhfhocail aige mar aon leis an bhfeidhm nach furasta a thuairisciú. Ina theannta sin is féidir 'out' a cheangal le 'of' chun réamhfhocal eile a dhéanamh. Tá cuid den chastacht feicthe cheana thuas i gcomhthéacs 'get' nuair a fheictear an deighilt idir 'get out of his sulks' agus 'get out of paying his share'. Sáraítear an deacracht go furasta sa Ghaeilge óir deirtear *nuair a shásaigh sé é féin* agus *chuaigh sé óna scair den airgead a íoc*. Is léir arís loighic eile ar fad i ndúchas na Gaeilge.

(a) nuair nach gá é a aistriú

- she gave it out to him in all its details: d'fhógair sí dó tríd síos is tríd suas é
- she cried her eyes out: shil sí acmhainn a súl

(b) briathar + réamhfhocal > briathar/ainmfhocal amháin

- she burst out crying: lig sé faí ghoil as
- he lasted out the year: chomhlíon sé an bhliain
- he won't last out the night: ní threabhfaidh sé an oíche
- to bear out the story: de dhearbhú an scéil
- you are always giving out to me: tá tú ar fad ag fógairt orm
- he's liable to lash out: tá drochbhuille ann
- he is easily put out: is furasta forbairt air
- he lashed out at me: sháigh/d'éirigh sé chugam
- marking out the work: ag leabhrú na hoibre
- I was caught out late: rug an deireanas orm
- he let the story leak out: rinne sé poll ar an scéal
- to seek out the origin of something: rud a chur le bun
- if the money runs out: má théann ar an airgead
- to portion out food to someone: bia a chumadh le duine
- spying out the land: ag brath na tíre
- he had broken out in a sweat: bhí braic allais as
- they are strung out along the road: tá siad ina sraoillín ar fud an bhealaigh
- he let out a swear-word: stróic sé mionn mór
- it turned out to be a good month: rinne sé mí mhaith
- to work out your position: do thalamh a chomhaireamh

(c) briathar + cuspóir + réamhfhocal > abairt eile ar fad

- he cried his heart out: bhí sé ag caoineadh go raibh cuach ina chroí
- flatten it out: brúigh an dá thaobh ar a chéile
- he often helped us out: is minic a riar sé dúinn
- you had better step it out: is fearr duit na spásanna a shíneadh
- he put himself out on my account: chaith sé comaoin liom
- he gave it out pat: tháinig sé go pras leis
- you would pick him out in a crowd: shonrófá i gcruinniú é
- he put the question to try me out: chuir sé an cheist do mo bhrath
- you are wearing me out: tá mo cheann liath agaibh

- he said it out bluntly: dúirt sé é gan frapa gan taca

OUT OF

(a) réamhfhocal > ar

- to drive someone out of house and home: duine a chur ar dhroim an bhóthair
- you won't get much change out of him: ní bhfaighidh tú mórán brabaigh airsean
- don't take anything out of that deposit: ná bris ar an taisce sin
- wheedling money out of me: ag diúgaireacht airgid orm

(b) réamhfhocal > as

- you got out of keeping your promise: tháinig tú as do ghealltanas a chomhlíonadh

(c) réamhfhocal > chuig/chun

- to get out of hand: dul chun cearmansaíochta

(d) réamhfhocal > faoi

- he has the place let out to grass: tá an áit faoi fhéar aige

(e) réamhfhocal > i

- I can't get it out of my mind: tá sé i m'intinn ar fad
- it knocked the wind out of me: chuir sé fead ghoile ionam
- in and out of season: in am agus in an-am
- he backed out of it: chuaigh sé ar a thóin ann

(f) réamhfhocal > le

- to drive someone out of your sight: droim díbeartha a chur le duine
- to make a long-drawn-out story out of something: dul le seanbhróg le rud
- out of regard for him: le hionracas dó
- he did it out of sheer spite: le tréan droch-chroí dúinn a rinne sé é

(g) réamhfhocal > thar

- don't drive him out of his wits: ná cuir thairis féin é
- don't let it out of its proper position: ná lig thar a bheacht é
- don't throw him out of his stride: ná cuir thar a shnáithe é

(h) nuair is gníomh fisiceach/meafarach atá i gceist

- his eyes were popping out of his head: bhí gliomóga ar a shúile
- they are driving me out of my senses: tá mé i mbarr mo chéille acu
- he has eaten us out of house and home: tá an teach in airc aige
- he has grown out of his coat: tá a chóta séanta aige
- to take the chill out of milk: bainne a bhogadh
- I have no reason to keep out of your way: níl ábhar imghabhála agam ort
- it was pouring out of the heavens: bhí an spéir ina criathar
- he is out of sorts: tá meathlaíocht éigin air
- to take all the good out of a story: scéal a spochadh

OVER

Is sampla eile an focal seo go háirithe nuair is mar dhobhriathar a úsáidtear é: úsáid atá díomhaoin go minic sa Bhéarla. Nuair a deirtear go bhfuil duine 'bent over with age' is deacair a shainiú cén chiall bhreise a thugann an 'over' don bhriathar. Ní nach ionadh ní gá focal comhchosúil a aimsiú sa Ghaeilge bíodh is go bhfuil a híomhá féin aici mar Ghaeilge: *tá sé le fána ag an aois.*

(a) réamhfhocal > ag

- to be oppressed at heart over something: do chroí a bheith dubh ag rud
- don't let those people have a hold over you: ná bí ar teaghrán ag an dream sin

(b) réamhfhocal > ar

- crowing over us: ag déanamh concais orainn
- to gloat over someone: an bhinnbharraíocht a bheith agat ar dhuine
- to keep the advantage over him: fanacht san ard air
- he gained the advantage over me: fuair sé an ceann is fearr orm
- to turn over a new leaf: teacht ar athrú staide
- he's over six feet: tá sé inbhuailte ar na sé troithe
- a lot of fuss over nothing: glór mór ar bheagán cúise
- to gloss over something: an plána mín a chur ar rud
- to run the rule over something: slat a chur ar rud
- the boat is keeling over: tá an bád ag imeacht ar a faobhar

(c) réamhfhocal > de/do

- he was given over to death: dílsíodh don bhás é
- they trampled all over me: rinne siad spaid bhanraí díom
- he took umbrage over it: ghabh sé fearg de
- to advance to power over someone: dréimire/droichead a dhéanamh de dhuine

(d) réamhfhocal > faoi

- moping over the fire: ag clochránacht faoin tine
- fighting over nothing: ag troid faoin easair fholamh
- there'll be a storm over this: beidh callán faoi seo

(e) réamhfhocal > le

- he lost house and home over it: chuir sé féin amach an doras leis
- don't shilly shally over it: ná bí anonn agus anall leis an scéal
- move it over towards me: druid anall liom é

(f) réamhfhocal > ó

- I haven't quite got over my illness yet: níl mé saor ón tinneas go fóill
- to gain an advantage over someone: iomarca a bhreith ó dhuine
- you'll get over it: tiocfaidh tú uaidh

(g) réamhfhocal > roimh

- you'll have it over and done with: ní bheidh sé romhat arís

(h) gan aistriú ar bith

- whatever came over him: cibé rachmall/spreang a bhuail é
- to go over every inch of the place: áit a shiúl ina fóid chaola/ina horlaí beaga
- to get a disagreeable task over and done with: ól na dí seirbhe a thabhairt ar rud
- heat it over the fire for a while: tabhair dreas den tine dó
- if I manage to get over this incline: má sháraím an mhala seo
- don't lose your sleep over it: ná cuireadh sé ó chodladh na hoíche thú
- making money hand over fist: ag mámáil airgid
- to agree to talk things over: teacht chun caidirne
- wait till the rain is over: fan go ndéana sé turadh
- he repeats it over and over: níl de leathrann aige ach é
- nothing is ever settled by fighting over it: is olc bua na bruíne agus is measa a díomua

TO

An réamhfhocal is fusa sa teanga, gan amhras, nó i dteanga ar bith déanta na fírinne. Ach ina dhiaidh sin is uile, ní gá go bhfreagraíonn riachtanais an Bhéarla agus na Gaeilge dá chéile. Tá cuid de na deacrachtaí a bhaineann le 'to' feicthe againn cheana i gcomhthéacs 'get', mar shampla nuair níl sé soiléir cén fheidhm atá ag an réamhfhocal ann féin ach chun athrú brí a chur ar an mbriathar. Is iontach an difear idir 'he got the door before me' agus 'he got to the door before me' cé nach gá go bhfuil sé chomh soiléir sin don choimhthíoch. Sa sampla sin tá rogha idir aistriúchán litriúil: *shroich sé an doras romham* (cé nach gcuireann an leagan sin in iúl go bhfuil coimhlint i gceist agus níl sé soiléir an inné nó anuraidh a shroich seisean an doras) agus bealach an mhodhnaithe. Fágtar an chomhréir mar atá ach athraítear an briathar agus athraítear an réamhfhocal: *bhain sé an doras díom*. Is baolach go bhfuil an chiall sin do chomhréir na Gaeilge ag sileadh uainn. Tá róthóir ar réamhfhocal is coibhéiseach don réamhfhocal 'to' agus tá ceal á chur sa chomhréir dhúchasach dá bharr. Sin an fáth go bhfuil tábhacht chomh mór sin le tuiscint níos fearr a chothú don mhúnla i nGaeilge a fhreagraíonn de ghnáth don réamhfhocal bídeach seo, go háirithe toisc gur i gcomhthéacs meafarach a fhaightear é go minic.

(a) réamhfhocal > ag

- you are a complete stranger to me: tá tú i do strainséir amach agam
- it is coming to you: tá sé tabhaithe agat
- it's meat and drink to them: is é an bia geal acu é
- everyone to his trade: gach uile dhuine agus a ealaín féin aige
- the work is strange to him yet: tá an obair iontach aige go fóill
- I'm tired listening to him: tá mo chluasa bodhar aige

(b) réamhfhocal > ar

- he wouldn't have it cast up to him: ní ligfeadh sé siar air féin é
- I spoke to him face to face: labhair mé béal ar bhéal leis
- the fate that was meted out to him: an diach a tugadh air
- it's a foil to her beauty: cuireann sé barr maise ar a scéimh
- to hark back to something: leanúint siar ar rud
- leave it to him to do it: fág ar a láimh é
- there's a limit to everything: tá measarthacht ar gach rud
- it was a great misfortune to him: ba mhór an maide air é
- there's a raw edge to the day: tá cuid fhuar ar an lá
- it's no reproach to you: ní scéal ort é
- don't resort to lies: ná téigh ar na bréaga
- susceptible to pain: braiteach ar phian
- he sidled up to me: chaolaigh sé aniar orm
- to stick to one story: fanacht ar aon scéal amháin

(c) réamhfhocal > chuig/chun

- help yourselves to the food: cuirigí chugaibh an bia

(d) réamhfhocal > de

- fading away to nothing: ag leá den saol
- I was reduced to silence: rinneadh meig díom
- I want to talk to you: tá gnó agam díot
- I'll put a stop to your gallop: bainfidh mise an choisíocht díot

(e) réamhfhocal > faoi

- they are inclined to flightiness: bhí fuadar aerach fúthu
- to bring someone to heel: duine a thabhairt faoi stríoc
- they will lend wings to the story: cuirfidh siad cosa faoin scéal
- we were drinking to your success: bhíomar ag ól faoi do thuairim
- to put someone to the test of his honour: duine a chur faoi bhrí na honóra

(f) réamhfhocal > i

- there is neither rhyme nor reason to it: níl binneas ná cruinneas ann
- I put a stop to his antics: chuir mé cleite ina shrón

(g) réamhfhocal > le

- I said it to his face: dúirt mé lena éadan é

- to get to the botton of something: rud a chur le bonn
- he is inured to hard work: tá sé déanta le hobair chrua
- he lived to a good old age: thug sé aois mhaith leis
- I wouldn't mention it to anyone: ní chainteoinn le duine ar bith air
- to be partial to someone: leathbhróg/slipéar a bheith ort le duine
- he revealed his mind to us: lig sé a mheon linn
- don't resort to swear-words: ná taobhaigh le mionnaí móra
- they starved me to death: thug siad mo bhás leis an ocras
- he took to drink: bhuail sé leis an ól

(h) nuair nach gá aon aistriú

- what drove me to distraction: an rud a mhearaigh mo chiall
- to ferry someone to and fro: iomlacht a thabhairt do dhuine
- you'll get what's coming to you: gheobhaidh tú do chandam féin
- bringing grist to your own mill: ag cur abhrais ar do choigeall féin
- to give plausibility to a story: scéal a dhathú
- he lives up to his reputation: ní mó a cháil ná a bhuille
- his death was a loss to learning: ba dhíth léinn a bhás
- lurching from side to side: ag guailleáil anonn is anall
- leave him to his own devises: déanadh sé a oirbheart féin
- a lie always came easy to him: níor thacht an bhréag riamh é
- you got next to nothing: ní bhfuair tú ach comhartha
- to be open to suspicion: bheith in áit chos an ghadaí
- I was running hither and thither to no purpose: bhí rith mhadra an dá cháis orm
- to be tied to time: ag faire na huaire
- it will stand up to hard wear: tá cuid a chaite ann

(i) inbhéartú agus réamhfhocal eile ag gabháil le hainmfhocal eile

- he will not be dictated to: ní bhfaighfeá aon údarás a chur air
- he took to the hills: thug sé an sliabh air féin
- I have a lot to attend to: tá mórtabháil mhór orm
- he's easily moved to tears: tá an deoir i ndeas don tsúil aige
- it's like a mortal blow to him: is domhain leis ina bhás é
- he's reduced to a skeleton: ní ann ach na ceithre uaithne/scáil i mbuidéal/na heasnacha/tá deilbh luiche air
- stick to your principles: ná tréig do chara ar do chuid
- it comes to the same thing: deartháir don sac an mála
- he tries to turn everything to account: dhéanfadh sé fíon as uisce na gcos
- everything comes to him who waits: tagann gach maith le cairde

UNDER

Is fiú roinnt samplaí a thabhairt den réamhfhocal seo, go háirithe nuair is úsáid mheafarach atá ann. Is léir gur fiú súil a choinneáil ar an réamhfhocal *ar* sa chomhthéacs faoi mar atá feicthe againn go minic cheana thuas.

- he has every disease under the sun: tá seacht ngalar an tsléibhe air
- they don't appear to be under any control: níl cló stiúrtha ar bith orthu
- the bank gave way under me: bhris an bruach liom
- he is under no illusion as to what he is doing: níl meisce ná mire air
- he is under no restraint: níl cuing ná ceangal air
- not under any circumstances: ar chomha ná ar chleas

UP

Is fiú a fhiafraí an gá an focal 'up' a úsáid chomh minic sa Bhéarla agus a úsáidtear ach is cinnte nach féidir déanamh gan é ach oiread. Tá feicthe againn go minic an t-athrú céille a chuirtear i bhfeidhm nuair a chuirtear 'up' i dteannta briathar amhail 'get', 'give' agus mar sin de. Ach is fíor an t-athrú a dhéantar le liacht briathar eile. An ionann 'he built up the outside of something' agus 'he built the outside of something'? Is cinnte go bhfuil difear eatarthu agus ós rud é gurb é cúrsaí tógála atá i gceist tá an Ghaeilge in ann chuig an difear a aistriú. *Thóg sé rud* agus *chuir sé fóir ar rud* an dá leagan a fhreagraíonn don Bhéarla. Briathar eile ar fad atá ag teastáil sa Ghaeilge chun an réamhfhocal/dobhriathar a láimhseáil. Ní furasta don Ghaeilge i gcónaí an t-idirdhealú sin a chur i gcrích gan oiriúnú beag a dhéanamh. Mar shampla san abairt 'it is locked up', tá tábhacht leis an 'up' óir cuireann sé cinnteacht i gcion ar an éisteoir, go bhfuil an t-ábhar slán sábháilte. Níl ag an nGaeilge ar an abairt sin ach an méadú seo *tá sé san áit nach mbaineann an cat an clár de*. Níl sé chomh gonta leis an mBéarla ach níl aon amhras faoin gcuspóir agus faoin gciall. Is minic nach i muinín an réamhfhocail a théann an Ghaeilge in aon chor.

(a) réamhfhocal > ainmfhocal

- he bridled up at me: chuir sé stiúir air féin liom
- it's all up with him: tá a chosa nite/a chnaipe déanta/a chuid aráin ite/a chaiscín meilte
- he has a card up his sleeve: tá cárta cúil aige
- that's what brought him up in the world: sin an rud a thug i gcéim é
- he has had his ups and downs: chonaic sé an dá shaol

- we must fix you up: caithfimid suíomh a chur ort
- I gave him up as a failure: bhain mé dúil dá rath
- his hackles are up: tá cochall/coilichín/círín troda air
- he gave it up as a bad job: chaith sé a chloch is a ord leis
- he has been laid up for months: tá sé ar chúl a chinn le ráithe
- you have got it all mixed up: tá sé ina chéir bheach agat
- he made me shut up: chuir sé an clabhsúr orm
- don't mess up the house with your feet: ná déan dramhaltach den teach
- you are made up: tá éadáil agat
- puffed up with importance: i mborr le mórtas
- he piled it up high: chuir sé maoil is cruach air
- it's picking up a little: tá mainís bheag air
- to cut up rough: grean a dhéanamh
- smarten yourself up: cuir cló ort féin
- I'll make him sit up: cuirfidh mise as a chigilteacht é/bainfidh mise an fhail de
- they have stirred up the whole townland: tá an baile ar barr ithreach acu
- he slipped up: bhain meancóg dó
- cover them up securely for the winter: cuir stuáil orthu le haghaidh an gheimhridh
- tidy yourself up: cuir caoi/scliop ort féin
- she turned up her nose at things: tá gairleog ina srón
- he never let up: níor bhain sé méar dá shrón/níor stad sé den stáir sin

(b) briathar + réamhfhocal > briathar eile ar fad

- bear up the heavy side for me: fulaing an leatrom dom
- to keep your end up: buille a thabhairt agus a chosaint
- to prick up your ears: cluas a chur ort féin
- he was puffed up with flesh: tá sé iata le feoil
- to round up cows: ba a chluicheadh
- to use up money: airgead a bhearnú
- to scrape up money: airgead a chonlú
- he was weighing me up all the time: bhí sé do mo thomhas i rith an ama
- what he was brought up with: an rud ar fuineadh as é
- the day held up well: sheas an lá amach go maith

(c) réamhfhocal > aidiacht

- it doesn't show up well against the brown: níl sé feiceálach leis an donn
- they were laughing up their sleeves at me: bhí siad ag gáire go folaitheach fúm
- you have sized him up pretty well: tá sé léite go maith agat
- he didn't put up much of a struggle: is gearr a sheas sé
- she's completely wrapped up in the child: tá a croí sáite sa leanbh
- his number is up: tá a bhia beirithe/tá sé gafa i bhfarraige

(d) aird eile sa Ghaeilge

- he is up against it: tá a sháith os a choinne
- he sneaked up to us: shnámh sé aníos chugainn
- he sidled up to me: chaolaigh sé aniar orm/thaobhaigh sé suas liom
- he wouldn't have it cast up to him: ní ligfeadh sé siar air féin é

(e) réamhfhocal + réamhfhocal eile > briathar

- I am up to all his dodges: aithním gach cor is lúb dá bhfuil ann
- he did it but you put him up to it: eisean a rinne é ach tusa a d'údaraigh é
- face up to the troublemaker and he'll leave you in peace: druid le fear na bruíne agus gheobhaidh tú síocháin
- what is he up to now: cad atá á thaibhreamh anois dó?
- it's hard to put up with them: is doiligh ríochan/treabhadh leo

(f) réamhfhocal + réamhfhocal eile > ainmfhocal

- to be up to date with your work: bheith bord ar bhord le do chuid oibre
- to keep up with the times: bheith bord ar bhord leis an aimsir
- he lives up to his reputation: is mó a cháil ná a bhuille
- to keep up with someone at work: ceann cuinge a choinneáil le duine
- he is up to mischief: tá fonn imris air
- he is up to nothing good: is olc na feánna atá faoi
- he's able to stand up for himself: tá seasamh a choda ann
- he's up to every trick: beidh cúig éigin aige i gcónaí
- he's up to something: tá cleas éigin ar na dílsí aige/rud éigin faoin duilleog aige

(g) réamhfhocal + réamhfhocal eile > aidiacht

- I'll be up to your tricks: beidh mise inchurtha leat
- to put up with something: bheith fulangach ar rud

WITH

Seo réamhfhocal a bhfuil cuid mhaith den chiall litriúil ann sa Ghaeilge agus sa Bhéarla ach a bhfuil taithí go fiú ag an bhfoghlaimeoir nach ionann dul an réamhfhocail sa dá theanga. Ar na príomhabairtí a ritheann le gach Gaeilgeoir tá an abairt *taitníonn sé liom* agus tuigeann gach duine nach 'it pleases with me' is aistriúchán uirthi. Is léir mar sin don tosaitheoir féin nach ionann úsáid an réamhfhocail seo sa dá theanga. Tá feicthe againn i gcás na réamhfhocal eile gur tábhachtaí an briathar de ghnáth ná an réamhfhocal óir leanfaidh an réamhfhocal sa Ghaeilge bealach an bhriathair. Mar shampla san abairt 'he became annoyed with me' is leis an mbriathar atá an réamhfhocal ceangailte agus ní hiontas ar bith é gur gá 'with' a úsáid le 'annoy'. Cén briathar a bheidh ann sa Ghaeilge? Tá feicthe againn thuas a dheacra atá sé 'become' a

aistriú go Gaeilge toisc nach bhfuil an t-aon bhriathar coibhéiseach ann.
Athraíonn an Ghaeilge an pointe tosaithe go minic. In ionad 'he' a fhágáil
ina ainmní castar treo na habairte ón bpearsanta go dtí an
neamhphearsanta. Cuirtear an bhéim ar an mothúchán agus déantar
ainmní de sin. Má deirtear *tháinig meirg air* ('he became angry') is léir
nach n-oirfeadh 'liom' mar fhorainm réamhthagrach ach *chugam*.

(a) réamhfhocal > ag

- things are in a bad way with them: tá an scéal go riabhach acu
- nothing is right with him: níl gruth ná meadhg aige
- to swelter with heat: bheith athleáite ag an teas
- everything is going smoothly with us: tá gach aon rud ar sheol na braiche againn
- they were unfamiliar with the city: bhí an chathair coimhthíoch acu

(b) réamhfhocal > ar

- I was disgusted with myself because of it: bhí seanbhlas agam orm féin dá bharr
- I was unable to cope with it: chuaigh sé ó dhéanamh orm
- to deal unfairly with someone: leathchuma a dhéanamh ar dhuine
- he can't compare with you: níl aon bhreith aige ort
- to disagree with someone: difear a chur ar dhuine
- to play false with someone: an cam a imirt ar dhuine
- I can't make free with those people: tá teann agam ar na daoine sin
- we played havoc with them: rinneamar eirleach/greadlach orthu
- neither of them can compare with him as a speaker: níl gáir ag ceachtar acu air
  mar chainteoir
- it puts you in a strong position with him: is mór an teann duit air é
- they are becoming reticent with one another: tá siad ag dorchú ar a chéile
- they started a row with him: bhuail siad achrann air
- he shared everything with me: níor cheil sé a chineál orm

(c) réamhfhocal > as

- I'm unable to deal with him: ní thig liom cothrom a bhaint as
- we made do with it for the night: bhaineamar cothrom na hoíche as

(d) réamhfhocal > chuig

- he was furious with me: bhí straidhn air chugam
- they were mad with me: bhí siad ar a n-ingne deiridh chugam
- he was plying me with questions: bhí sé ag radadh ceisteanna chugam

(e) réamhfhocal > de/do

- it's hard to cope/deal with him: is doiligh ceart a bhaint de
- let me alone and I won't interfere with you: tóg díom agus ní thógfaidh mé díot
- to become fed up with something: éirí cortha de rud
- it went hard with him to do it: ba diachta dó é a dhéanamh

- if he gets involved with that crowd: má ghreamaíonn sé den dream sin
- he laid into him with a stick: thug sé lán an bhata dó
- if the judge is lenient with him: má bhíonn an breitheamh fabhrach dó
- the place is filled to overflowing with them: tá an áit tuilte díobh
- he's not pleased with his bargain: níl sé buíoch dá mhargadh
- what does he want with me?: cad chuige a bhfuil sé díom?

(f) réamhfhocal > faoi

- he is free with his promises: tá sé maith faoina ghealltanas
- with their complement of horses: faoina ndíol capall
- sparing with food: cruinn faoi bhia
- I gave it to him with all the trimmings: thug mé dó é faoina líon séasúir

(g) réamhfhocal > i

- I have no relationship or affinity with him: níl mo ghaol ná mo pháirt ann
- he's a crafty one to deal with: tá pionsaíocht ann
- I had nothing to do with it: ní raibh ladhar ná lámh agam ann

(h) gan aistriú ar bith air in abairt mheafarach

- it's hard to cope with all the contingencies: is doiligh muir is tír a fhreastal
- absolute lack of concern with proceedings: cuid an daimh den eadra
- he's a gentleman with the common touch: duine íseal uasal é
- we have a man to deal with him: tá fear a fhreastail againn
- he's free with his promises: chuirfeadh sé thar an abhainn tirim thú
- any forest can be fired with its own kindling: níl coill gan brosna a loiscfeadh é
- her feet kept time with the music: bhí a cosa agus an ceol ar aon imeacht
- he caught me suddenly with both hands: rug sé thall agus abhus orm

(i) nuair a dhéantar inbhéartú

- I heard it with my own two ears: mo dhá chluas a chuala é
- the earth resounded with it: chuala an t-aer is an talamh é
- we are faced with a stiff encounter: tá teagmháil chrua romhainn
- the floor is carpeted with them: tá siad ina mbrat ar an urlár
- he followed me with his eyes: bhí a dhá shúil i mo dhiaidh
- I jumped with fright: tógadh ó thalamh mé
- I lost touch with them: d'imigh siad ó chaidreamh orm
- his horse ran away with him: d'fhuadaigh a each é
- he is steaming with sweat: tá deatach allais as
- he walked with a slouch: bhí leataobh air ag siúl
- he stood with his back to the fire: thug sé goradh cúl cos dó féin
- I was overcome with hunger: tháinig féar gortach orm

(j) réamhfhocal + ainmfhocal > dobhriathar (i gcúrsaí bia)

- I would eat it with relish: d'íosfainn go cineálta/milis é
- he drank it with relish: d'ól sé go húr é

Caibidil 5 - An Focal Diúltach

Tá feicthe againn sna briathra agus réamhfhocail/dobhriathra amháin a éagsúla atá an Béarla agus an Ghaeilge a thúisce a fhágtar bealaí an aistriúcháin litriúil. Ní dhearnadh áfach sna caibidlí sin ach an difear idir an dá theanga maidir leis na réamhfhocail agus na briathra a léiriú. Is tábhachtaí dar liom an bhéim a chur i dtosach báire ar na difríochtaí suntasacha i gcásanna ar leith ná an dá theanga a chur i gcomparáid le chéile ar raon níos leithne.

Ach is ar raon níos leithne atá na fíordhifríochtaí. Is féidir cuid díobh a bhreathnú ach súil a chaitheamh ar thrí fhocal a bhfuil airíonna diúltacha umpu, agus atá ríthábhachtach i mBéarla mar líontóirí spáis, is é sin mar fhocail stuála agus nach dtagraíonn go díreach don riocht atá faoi bhreithniú acu: 'never', 'no' agus 'nothing'. Is leor sampla amháin de gach ceann acu chun an deacracht sa Ghaeilge a fheiceáil.

Never: 'he never said a word'. Is féidir an abairt a aistriú *ní dúirt sé focal riamh* ach is léir gurb ionann sin agus balbhán a thabhairt air nuair is meandar nó aga tosta atá i gceist. Má deirtear *níor tháinig drud ná drandal as* feictear nach dtugtar beann ar bith ar an 'never' agus go n-athraítear an leagan Gaeilge go bunúsach. Déantar abairt neamhphearsanta den abairt phearsanta - in ionad 'he' mar ainmní tá *drud ná drandal* - agus déantar gníomh neamhphearsanta den ghníomh pearsanta. Ní hé an duine atá ag caint ach cuirtear an duine inár láthair mar uirlis chainte amháin.

Dá bhféachfaí le 'never' sa chomhthéacs seo a chriathrú go mion is léir nach féidir focal coibhéiseach amháin a cheapadh ina áit gan comhthéacs níos iomláine a fháil. Dá gcuirfí leis an abairt breiseán amhail 'between 4 and 6 o'clock' nó 'between Ash Wednesday and Easter Sunday' nó 'while the robbers were in the bank' thuigfí don chríoch chéille atá i gceist le 'never'. B'ionann é agus an tréimhse atá intuigthe sa chomhthéacs. Níl an comhthéacs sin riachtanach sa Ghaeilge. Is caolchúisí an Ghaeilge sa chás seo.

Feictear freisin le hais a chéile an dá bhealach aistriúcháin, an bealach trasuímh agus an bealach modhnaithe. Fágtar codanna gramadúla na habairte beagnach mar an gcéanna sa dá theanga, 'say'/*tháinig*, 'word'/*drud ná dranda*l, 'he'/*as* ach athraítear an cur chuige ó theanga go teanga agus tugtar léargas eile ar fad ar an gcor.

No: 'there's no turning back'. Má bhaintear triail as an aistriúchán litriúil, d'fhéadfaí *ní féidir filleadh / casadh ar ais* a úsáid nó athrú go raon eile: *ní féidir athiompú / éirí as* ach is léir roimh i bhfad nach fiú an leagan litriúil a leanúint. Ní mór dul i muinín an mheafair: *tá an tairne ar an troigh* agus feicfimid dúchas na teanga san íomhá is gaire dá samhlaíocht. Is cuid den tsaíocht an tairne agus an troigh agus is leor an ceangal doghreamaithe eatarthu chun cor na cinniúna a mhíniú. Níl aon trasuíomh i gceist an iarraidh seo óir níl aon choibhneas idir eilimintí gramadúla an dá leagan le chéile. Modhnú amháin atá ann nach n-aimseofar ach trí mhioneolas ar an teanga.

Nothing: is minic gurb ionann 'nothing' in abairt Bhéarla agus *a dhath ar bith / faic / tada*. Is é sin gur doiligh brí ar bith a lonnú ann. Ní thig leis an nGaeilge an éiginnteacht mheabhrach chéanna a sheasamh. Má deirtear i mBéarla 'he has nothing' ní furasta a shuíomh cad atá in easnamh aige. Ní mór don Ghaeilge an folúntas intleachtúil a líonadh. Tá an Ghaeilge nithiúil agus tugtar léargas dúinn inti atá beag beann ar an gcomhthéacs. Feic mar shampla an Ghaeilge bhinn ar abairt mar 'there is nothing left' - a d'fhéadfaí a aistriú mar *níl rud ar bith fágtha* - nuair nach gcuirtear aon éileamh ar shamhlaíocht an chainteora, *sin an sop a raibh an t-iasc ann*. Ní deacair a rá cé acu teanga is saibhre sa chás sin. Is é an baol, áfach, toisc gur féidir abairt Bhéarla mar sin a aistriú go litriúil go gceapfar nach bhfuil an Ghaeilge in inmhe a thuilleadh ach don rianaireacht lom ar an mBéarla. Is measa fós an scéal má cheaptar gur leor sin.

Amharcfaimid mar sin i gcás na dtrí fhocal sin: 'never', 'no' agus 'nothing', cad é mar a roinneann an Ghaeilge leo de ghnáth agus cad é mar a léirítear tríothu bundifríochtaí na dteangacha. Ní hé nach mbaintear úsáid as focal coibhéiseach na Gaeilge amhail *riamh, choíche, go brách* ach nach bhfágtar ualach iomlán na brí orthu. Is fearr leis an nGaeilge coincheap is 'never' a choimeád don ócáid fheiliúnach.

NEVER
(a) abairt nithiúil sa Ghaeilge - briathar > dúblóg ainmfhocal
- never begrudge hospitality: ná tabhair bia agus doicheall do dhuine
- he'll never be able to make ends meet: is mó a mhála ná a sholáthar
- she never let them out from under her wing: níor thóg sí gob ná sciathán díobh

- he never said a word: níor tháinig drud ná drandal as
- he never rested: níor tháinig suí ná foras air

(b) briathar i ndiaidh an fhocail dhiúltaigh > ainmfhocal

- he'll never come to much: ní bheidh lá foráis air go héag
- he never complains: níl och ná mairg as
- fate never rests: ní chuireann an chinniúint a cosa fúithi
- he never lets up: ní théann lagú air
- he will never make good: níl aon déantús maitheasa ann
- you never saw the like of it: níl aon seó ach é
- he never spares himself: níl aon trua aige dó féin
- it never occurred to him I might be here: ní raibh aon cheapadh aige go mbeinn anseo
- he never fully recovered from his injury: ní dhearna sé buille maitheasa ó loiteadh é
- he never rests: ní lúbann sé ioscaid
- she never tidies herself in the morning: bíonn sí ina ciafart go headra
- I would never tire of listening to him: d'éistfinn trí sheol mara leis
- my weariness never wears off: ní théann faill ar mo thuirse
- he never let up (till): níor bhain sé méar dá shrón (go)

(c) nuair is leor an modh coinníollach sa Ghaeilge

- I was never on speaking terms with him: ní chainteodh sé liom
- you would never suspect him of it: ní chuirfeá faoina thuairim é

(d) nuair is úsáid mheafarach atá sa Ghaeilge

- you never stop talking: tá do mhuileann ag meilt i gcónaí
- he won't get a bite no matter how much he craves it: ní bhfaighidh sé aon ghreim dá dtitfeadh an drandal as

NO
(a) focal + ainmfhocal > dúblóg ainmfhocal

- it's of no earthly use to us: ní cabhair ná cúnamh dúinn é
- it is no easy task: ní gan uídh gan óidh é
- they follow no recognised path: ní leanann siad caoi ná conair
- I made no inquiry about it: níor chuir mé a bhun ná a lorg
- he has no right whatever to say that: níl sé i ndáil ná i ndúchas aige sin a rá
- he got no response: ní bhfuair sé fáir ná freagra
- I won't be able to bear it no matter how hard I try: ní sheasfaidh mé é a thréan ná a threas/thrua
- to leave no stone unturned: dóigh agus andóigh a chuardach
- I am in no way related to them: níl gaol ná cóngas agam leo
- he's under no restraint: níl cuing ná ceangal air

(b) focal + ainmfhocal > (briathar diúltach) + ainmfhocal

- he made no bones about it: ní dhearna sé mairg ar bith de
- there's no harm in him: níl coir ann
- I took no notice of his movements: níor chuir mé tréas ar bith air
- necessity knows no law: níl dlí ar an éigean
- it was no problem for him: ba bhearna réidh leis é
- it lasted us no time at all: ní dheachaigh sé fad fidirne
- they pay no heed to my advice: níl toradh acu ar mo chomhairle

(c) focal + ainmfhocal > aidiacht/ainmfhocal diúltach

- he came to no good: tháinig drochimeacht air
- he looks as if he'll come to no good: tá drochthuar faoi
- he's up to no good: tá drochsheoladh faoi
- pay no attention to it: cuir ceirín den neamhshuim leis
- they paid no attention to what I said: rinne siad neamhiontas de mo chuid cainte
- my words have no effect on them: tá neamhthoradh acu ar mo chuid cainte
- I see no similarity between the two things: is neamhionann liom an dá rud
- all talk and no action: focal mór agus droch-chur leis
- to take no hand in something: bheith neamhpháirteach i rud
- we're under no obligation to them: táimid saor orthusan
- they are of no consequence: is beag an tsuim iad
- I have no idea what's in your mind: d'aigne ní aithním a bheag
- I have no feeling in my leg: tá mo chos bodhar

(d) focal + ainmfhocal > dobhriathar/abairtín dho-bhriathartha

- I'll do it no matter what happens: déanfaidh mé é bíodh thíos thuas
- it's no great loss: déanfar dá uireasa (nó is beag an bhris é)
- you had no right to do such a thing: níor tháinig sé chun baile chugat a leithéid a dhéanamh
- let there be no two ways about it: ná bíodh anonn ná anall ann
- I took no notice whatever of what he said: chuaigh a chuid cainte síos siar díom

(e) focal + ainmfhocal > réamhfhocal + ainmfhocal

- they are of no account any more: d'imigh siad as maíomh
- for no apparent reason: as maoil do chonláin/de mhaoil na mainge
- no news is good news: is maith scéal gan drochscéal
- a journey of no return: turas gan iompú
- let no offence go unchallenged: ná fág coir gan iomardú

(f) nuair is úsáid mheafarach atá sa Ghaeilge

- he has no intention of dying just yet: is mairg a bheadh ag déanamh saoire dó
- he needs no persuasion to go there: bhéarfadh adhastar sneachta ann é
- doing something to no purpose: ag fadú tine faoi loch

- there's no use rushing things: mhoilligh Dia an deifir
- I was running hither and thither to no purpose: bhí rith mhadra an dá cháis orm
- he was told off in no uncertain terms: fuair sé ar a mhias féin é
- he is in no danger of death: tá cuid mhaireachtála ann
- there's no use hiding it from you: dá mbeadh sé faoi chloch gheofá é

NOTHING

(a) focal > ainmfhocal íomháíoch

- nothing could budge him: ní bhogfadh seacht gcatha na Féinne é
- there was nothing whatever in sight/nothing but desolation all around me: ní raibh toirt fiaigh ná feannóige ar m'amharc
- nothing escapes him: tá súile i gcúl a chinn aige
- he has shrunk to nothing: tá deilbh luiche air
- she's worn to a shadow: níl inti ach scáil i mbuidéal/níl a scáth ar an talamh
- nothing would surprise me more: níorbh iontaí liom an sneachta dearg ná é
- he has eaten nothing: níl díol dreoilín caite aige
- fighting over nothing: ag troid faoin easair fholamh
- they had caught nothing: ní raibh róstadh an tlú acu

(b) focal > briathar

- it's nothing to be ashamed of: nífidh uisce é
- I'd expect nothing less from you: ní dhlífinn a mhalairt díot
- there's nothing better than a rest: níl bualadh amach ar an scíth

(c) focal > ainmfhocal (diúltach)

- the attempt came to nothing: bhí neamhthoradh ar an iarracht
- you'd expect nothing better of him: ní náir dó é
- he has nothing: níl scáile aige
- he keeps nothing back: níl ceilt aige ar rud ar bith
- we had nothing to brag about as a result of it: ní raibh aon toirtéis orainn dá bharr
- it's better than nothing: is fearr é ná a mhalairt
- there's nothing to stop you: níl aon urchall fút
- he has nothing: níl foladh aige
- there's nothing wrong with his speech: níl iomar ar bith ar a chuid cainte
- there's nothing the matter with him: níl smadal air

(d) focal > dúblóg aidiacht/ainmfhocal

- it's nothing for him to glory in: ní maíomh ná mustar dó é
- there's nothing to hinder him: níl ceangal ná cuibhreach air
- have nothing to do with that set: ná bí beag is ná bí mór leis an treibh sin
- it's worth nothing: ní fiú fionna feanna é

- he gained nothing by it: ní dheachaigh sé ar bláth ná ar biseach dó
- I have nothing to lose: níl snáithe ná snaidhm le cur i ngeall agam
- there's nothing to be gained by it: níl maith ná maoin ann
- say nothing whatever about it: ná habair maithín ná graithín ina thaobh
- there was nothing to be seen: ní raibh beo ná ceo le feiceáil
- I had nothing to do with it: ní raibh ladhar ná lámh agam ann
- he can do nothing right: níl lámh ná cos air
- nothing is right with him: níl gruth ná meadhg aige/níl rí ná rath/rath ná ríocht air
- there's nothing to prevent it: níl teir ná toirmeasc air
- there's nothing at all the matter with him: níl a dhubh ná a dhath air
- you do nothing but read books: is é d'fhor is d'fhónamh a bheith ag léamh leabhar
- he'll stop at nothing: níl rud ar bith trom ná te aige
- nothing troubles him: níl ciach ná mairg air
- there's nothing left of him but the bare bones: tá sé scafa anuas de na cnámha

(e) abairt mheafarach

- there's nothing to choose between them: deartháir do Thadhg (riabhach) Dónall (crón)
- a lot of fuss over nothing: glór mór ar bheagán cúise
- much ado about nothing: mórán cainte ar bheagán cúise
- the story lost nothing in the telling: murar cuireadh leis an scéal níor baineadh de
- nothing is too mean for him: bhainfeadh sé an braillín den chorp
- nothing is permanent: téann caitheamh i ngach ní
- she gives nothing away: cat bradach a gheobhadh brabach uirthi
- we'll be reduced to nothing in the end: folamh ár ndáil faoi dheireadh
- nothing is ever settled by fighting over it: is olc bua na bruíne agus is measa a díomua

Cuid III
An Cleachtas san Abairt
Caibidil 6 - Na Teicníochtaí

Má tugadh mórchuid na samplaí sa leabhar seo thart timpeall líon teoranta focal a bhfuil deacracht ar leith ag roinnt leo toisc a éiginnte a bhíonn a gciall go minic i mBéarla, ní leis na focail sin amháin atá an éagsúlacht bhunúsach le feiceáil idir an Ghaeilge agus an Béarla. Is fiú súil a chaitheamh ar an trasuíomh, ar an modhnú agus ar an gcoibhéiseach chun a léiriú gur cúlra eile saíochta agus fealsúnachta ar fad a ghineann na múnlaí machnaimh atá sa Ghaeilge. Níor cuireadh sonrú ar bith sna bealaí seo i gCuid II mar ní raibh i gceist ach an cleachtas san fhocal. Ach má amharctar siar orthu, feicfear gur beag sampla nach bhfuil trasuíomh nó modhnú de shaghas éigin le feiceáil. Ní furasta na trí cinn a dhealú ó chéile mar is léir cheana agus b'fhiú don léitheoir amharc go cúramach ar na samplaí thuas chun bundifear éigin eile idir leagan an Bhéarla agus leagan na Gaeilge a aimsiú seachas an t-aon difear gramadúil amháin a raibh tagairt dó ag an am.

Baineann an trasuíomh le hathrú gramadúil a mhéad a chuirtear roinn chainte amháin i dteanga amháin in ionad roinn chainte eile sa teanga eile (aidiacht in ionad briathair, mar shampla). Baineann an modhnú le hathrú meoin. Is ar chuisle na teanga, ar na catagóirí machnaimh atá an modhnú dírithe. Is féir an modhnú a mheabhrú laistigh den teanga féin go háirithe i dtróp cainte amhail an reitric, an mheiteanaim nó an tsineicdicé.

Baineann an coibhéiseach le múnlaí cainte nach bhfuil aon chuid den aistriúchán ag baint leo dáiríre óir is cineál sracfhéachana é ar shainiúlacht na teanga. Is cuid de liodán iad go minic, baothabairtí a bhfuil a n-éifeacht maolaithe ag an smolchaiteacht. Seanfhocail, natháin, amaidí a léiríonn an coibhéiseach agus tá tábhacht leo toisc go bhfuil léargas ar bhaois na teanga chomh húsáideach céanna ar shainairíonna an phobail a sceitheann an bhaois ar an dóigh sin agus atá na habairtí gonta gaoiseacha.

Saghsanna éagsúla trasuímh (is ionann * sna samplaí thíos agus meascán, nuair is mó ná trasuíomh amháin atá i gceist nó nuair is

trasuíomh agus modhnú de shaghas éigin atá sa mhullach ar a chéile;
b'fhiú don léitheoir líonmhaireacht na ndifríochtaí éagsúla a chíoradh).

(a) bealach an trasuímh

Is é atá i gceist anseo tabhairt faoi deara a mhinice nach ionann na
ranna cainte i dteanga amháin agus na ranna cainte i dteanga eile. Is
léir ó na samplaí anseo thíos nach leor an t-aistriúchán litriúil go fiú ag
an leibhéal is bunúsaí den abairt.

(a)(i) aidiacht/ainmfhocal

- he's not eligible: tá boladh dóite air/uaidh
- he fell helpless on the floor: rinneadh pleist de ar an urlár
- I was faint with the hunger: bhí laige chabhlach orm leis an ocras
- he left himself open to censure: chuir sé é féin ar shlí a cháinte
- to be stormbound: fuireach calaidh a bheith ort
- she's very patient in handling children: tá stuaim aici le páistí*
- they're not diffident about answering each other back: níl siad faoi shotal dá
  chéile
- he's twice as tall as you: tá do dhá airde ann*
- undeserving charity: déirc don phocán lán
- he's well able to work: tá sracadh maith oibre ann
- he's able to stand up for himself: tá seasamh a choda ann
- he was always bitter: bhí an domlas riamh ann
- he was always perverse: bhí an earráid riamh air
- I am cramped for space: níl dul ná teacht agam
- he's a little bit tipsy: tá meidhir óil ann
- he is bent on talking: tá rilleadh faoi
- he is avarice personified: is é an tsaint i gcolainn dhaonna é
- he was well able to tell a story: ba mhaith an sás scéil a insint é*
- it's bitterly cold: chonálfadh sé na corra*
- he was very angry: bhí sé le cois
- convenient to a strand: ar ghaire trá
- if he had a son worthy of him: dá mbeadh a dhiongbháil de mhac aige
- he has a wicked cough: tá casachtach an diabhail air
- I am in no way related to them: níl aon deoir dá gcuid fola ionam
- the road is covered with people: tá slinn ar an mbóthar le daoine
- I was heavy with sleep: bhí slaod codlata orm
- the room is cluttered with books: tá an seomra ina thranglam le leabhair
- how greedy for it you are: nach ort atá an mhian chuige
- it's just wonderful to see you again: is é an eorna nua sibh a fheiceáil arís*
- he was too lazy to get up: ní ligfeadh an drogall dó éirí
- the load is lopsided: tá leatrom san ualach

- he was most reluctant to go: ba é an dán doiligh leis imeacht
- he was born lucky: rugadh an rath leis*
- it's strange that you're puzzled by that: is ionadh liom sin a bheith ina aincheas ort*
- he has his hands full: tá a dhá dhóthain/a sháith le déanamh aige
- he blows hot and cold: beireann an fuacht ar an teas aige*
- you are wrong in your opinion: tá meath do bharúla ort
- he's worn to a skeleton: níl ann ach na heasnacha/tá sé ina chual cnámh

Is léir go bhfuil cuid de na leaganacha seo ar eolas ag an ngnáthdhuine. Déarfaí de ghnáth *bhí an domlas riamh ann* bíodh is gur drogallaí an té a dhéarfadh *tá do dhá airde ann*. Ach is é an sampla sin a léiríonn luí na Gaeilge leis an ainmfhocal. Feictear nach ionann meon na Gaeilge ar an eachtra chéanna agus nach cineál modhnaithe amháin atá i gceist ach roinnt modhnuithe san am céanna. Déantar fórsa pearsanta/neamhphearsanta den ainmneach. *Bhí an earráid riamh ann*, cuireann sé an locht ar neach eile lasmuigh agus athraíonn sé an pointe tosaithe ón duine go dtí an fórsa seachtrach. Is amhlaidh in abairt mar *ní ligfeadh an drogall dó éirí*. Dearcadh an-charthanach ar laigí an duine atá sa Ghaeilge.

(a)(ii) dobhriathar/aidiacht

- it is an extremely sad case: is tinn dóite an cás é
- he was scarcely able to stand: is dona a bhí sé in ann seasamh
- aren't you early afoot: nach moch atá tú inmhustair
- yesterday was an exceptionally rainy day: bhí an lá inné iomadúil le fearthainn
- he was caught unawares: rugadh gairid air
- I could hardly rise: ba lag uaim éirí
- there's mischief afoot: tá an diabhal gnóthach

Níl anseo ach roinnt samplaí chun an cás a léiriú ach is minic a dhéantar aidiacht i nGaeilge de dhobhriathar an Bhéarla.

(a)(iii) aidiacht/briathar

- I was hardly able to stay on my feet: bhí mé ag titim as mo sheasamh*
- they are crazy about him: tá siad ag briseadh na gcos ina dhiaidh*
- he is burdened with age: tá an aois ag luí air
- they abused each other: thug siad deisiú dá chéile
- give us the exact story: beachtaigh an scéal dúinn

Feictear sna samplaí seo nach cineál amháin modhnaithe atá i gceist ach an iliomad. Sa chéad sampla tá gach cuid den abairt i gcodarsnacht le haird an Bhéarla. Tugann an Béarla le tuiscint go bhfuil mé thíos, go bhfuil mé i bhfoisceacht an lagachair agus na neamhfhoirfeachta ach brú anuas orm a chuireann ó mhaith gach iarracht chun éirí. A mhalairt atá fíor sa Ghaeilge. Is é an seasamh an pointe tosaithe, an staid foirfeachta agus is ag sleamhnú ón bhfoirfeacht sin atá mé. Is deacair a rá leoga gur modhnú aidiacht/briathar amháin atá ann tá an oiread sin eilimintí eile. Ach ar deireadh thiar tá an eagla chéanna á cur in iúl ag an dá leagan. Is amhlaidh sa dara habairt. Déanann an Ghaeilge meafar den smaoineamh i mBéarla. Níl siad 'crazy' i mBéarla agus níl siad ag briseadh na gcos go litriúil i nGaeilge ach tá íomhá na Gaeilge an-tarraingteach i gcomórtas le háibhéil an Bhéarla. Ach is é an príomhtheagasc nach ionann iad.

(a)(iv) briathar/ainmfhocal

- tell those children to behave themselves: cuir spraic ar na páistí sin*
- trying to hold back the tide: ag faire na taoide ar an trá*
- they trampled all over me: rinne siad spaid bhanraí díom
- it avails him little: is beag an éadáil dó é
- trying to escape attention: ag dul i bpoill agus i bprochóga
- to lead someone astray: drochsheoladh/míchomhairle a chur ar dhuine
- my heart was beating fast: bhí fuadach ar mo chroí
- they are strung out along the road: tá siad ina sraoillín ar fud an bhealaigh
- he was burning with anger: bhí beirfean feirge air
- he can eat anything: tá coimpléasc capaill ann
- I'll be following right behind you: beidh mise sna hioscaidí agat
- to botch something: abach a dhéanamh ar rud
- he ceased to notice us: chuaigh a aire dínn
- he jerked himself forward in the chair: thug sé urróg aniar sa chathaoir
- don't risk catching a cold: ná tabhair siocair shlaghdáin duit féin
- it catches the eye: cuid súl é
- I called in to pass the time: bhuail mé isteach ar fastaím
- to challenge someone to a fight: méar fhliuch a leagan ar dhuine
- what are you chattering about: cad é an tseinm atá ortsa*
- it required all his strength: ba é a chrobhneart é
- the day looks set for rain: tá stiúir bháistí ar an lá
- if I could pick and choose: dá mbeadh breith agus dhá rogha agam
- unless my ears deceive me: mura bhfuil mo chluasa dearmadach
- my head is buzzing from want of sleep: tá mé i mo cheolán de dhíobháil codlata
- he was spoiling for a fight: bhí cuthach/fíoch troda air
- his children are approaching marriage age: tá a chlann i mbrollach a bpósta
- he was pouring blood: bhí an fhuil ina slaodanna leis

- he smartened himself up a bit: chuir sé cosúlacht éigin air féin/fuinneamh éigin ann féin
- the rain eased off a bit: tháinig uaineadh beag
- the matter must be aired: caithfear an ghaoth a ligean tríd an scéal*
- he alarmed the birds: chuir sé coiscriú faoi na héin
- he loitered a long time at the fair: rinne sé eadra mór ar an aonach
- the books were being snatched up: bhí fuadach ar na leabhair
- they have money to burn: tá airgead ina bhréanmhóin acu
- to bribe someone: an crúibín cam a thabhairt do dhuine*
- it resounded throughout the land: ba chomhchlos ar fud na tíre é
- I was left to hold the fort: fágadh cosaint an átha orm*
- he inclined his head to listen: chuir sé sleabhac/stuaic air féin ag éisteacht
- she never tidies herself in the morning: bíonn sí ina ciafart go headra
- it's gathering rain fast: tá fuadar fearthainne faoi
- the scheme materialized: tháinig bun ar an scéim
- it would nauseate you: chuirfeadh sé casadh aigne ort
- she would outshine the moon: bhainfeadh sí an snab den ré
- I did not invent it: ní mise béal na bréige mura fíor é/ní bréag domsa é*
- don't mention it: níl a bhuíochas ort
- I let them graze the field: thug mé ithe na páirce dóibh
- everybody watching everybody else: súil ag an bhfear thall ar an bhfear abhus
- that road winds uphill: tá snáithe cnoic sa bhóthar sin*
- he had to cool down of his own accord: b'éigean dó fuarú sa chraiceann ar théigh sé ann

(a)(v) abairtín/clásal

- he dragged it along as best he could: tharraing sé leis é ar an iarach agus ar an árach
- not for anything in the world would I do it: dá bhfaighinn Éire gan roinnt ní dhéanfainn é

(a)(vi) dobhriathar/ainmfhocal

- he acted fairly towards me: rinne sé an chóir liom
- she cried her eyes out: chaoin sí dobhar/shil sí acmhainn a súl
- he put himself out on my account: chaith sé comaoin liom
- he is bent double: tá a cheann agus a chosa buailte ar a chéile
- he laughed derisively: chuir sé cár gáire air féin
- to leave someone far behind: folach cnoc a chur ar dhuine
- he was seized bodily: rugadh air idir chorp chleite is sciathán
- to talk mischievously about someone behind his back: míghreann a dhéanamh ar dhuine
- he slept better last night: chodail sé néal de bhreis aréir

- he stood with his back to the fire: thug sé goradh cúl cos dó féin
- to arrive safely: cuan agus caladh a bhaint amach*
- resign yourself courageously to it: glac ina mhórmhisneach é
- don't drag out the story: ná bain fad as an scéal
- he piled it up high: chuir sé maoil is cruach air
- he spent the money freely: bhain sé ceol as an airgead
- you're partly right: tá smut den cheart agat
- to open a door slightly: faonoscailt a thabhairt ar dhoras
- he grew rapidly: thug sé léim an oirirc
- the boots gave him away: rinne na bróga scéal air
- he rode the horse hard for home: bhain sé deatach as an gcapall abhaile
- he can hardly be so long gone: tá obair aige a bheith an fad sin amuigh
- to lead someone astray: drochsheoladh/míchomhairle a chur ar dhuine
- he went with us right away: níor mhoill air dul linn
- to spend money lavishly: rince a bhaint as airgead

(a)(vii) réamhfhocal/ainmfhocal

- he was beside himself: níor fhan néal aige*
- to cut across the field: dul (ar) fiarlaoid na páirce
- the laugh is against them now: tá gol a ngáire acu

(a)(viii) briathar/réamhfhocal

- you have brought it on yourself: tú féin faoi deara é
- you'll catch it: tá sé faoi do chomhair*
- he is depending on his health: tá sé i leith a shláinte
- what's he charging for flour?: cad atá i ndiaidh an phlúir aige?
- to add to my troubles: i dteannta na gceirtlíní
- he means business: tá sé ar son gnó
- he came dragging his feet: i ndiaidh a chos a tháinig sé
- my pocket couldn't bear the expense of it: ní raibh mo phóca faoi dom
- it made my blood boil: chuir sé mo chuid fola agus feola trína chéile*
- the couple went to live together: chuaigh an lánúin i gceann a chéile
- he has his knife in me: tá sé ar na sceana chugam*
- he stood head and shoulders above them: bhí an ceann is na guaillí aige orthu
- he's a man who keeps his word: fear i mbun a fhocail é
- don't let the night overtake you: ná lig an déanach ort féin
- you are blocking my light: tá tú i m'fhianaise
- he has let the place out to grass: tá an áit faoi fhéar aige
- he didn't make much of a stir: is beag an gleo a bhí timpeall air
- we have made a start on the last ridge: táimid in éadan an iomaire dheiridh
- I managed to say the word: fuair mé liom an focal
- you have taken a long time to come: is é teacht an tseagail agat é*

- he always wanted to take both sides: i ngreim an dá thaobh a bhí sé riamh

(a)(ix) briathar/aidiacht

- to begrudge someone something: bheith diúltach le duine faoi rud
- he is always courting danger: is dúshlánach an duine é
- he stops at nothing: níl rud ar bith mór aige*
- he counts every penny: tá sé cruinn faoi na pinginí
- you have deserved it: tá sé inmhaíte ort
- you'll catch it: tá sé bruite ar bhainne duit
- I wouldn't bother my head with it: ní bheinn bodhar leis*
- don't exaggerate so much: ná bí chomh gáifeach sin
- they are driving me crazy: tá mé tógtha ó lár acu
- he's always courting danger: is dúshlánach an duine é
- he didn't realize how his son was carrying on: bhí sé dall ar imeachtaí a mhic*
- she doesn't catch the eye: níl sí insúl
- these shoes are pinching my feet: tá na bróga sin docht ar mo chosa
- waste not want not: ná bí caifeach is ní bheidh tú gann*

(a)(x) abairtín/ainmfhocal

- they pay no heed to my advice: níl toradh acu ar mo chomhairle
- he let me have the car for a while: thug sé spailp den charr dom
- he is under no illusion as to what he is doing: níl mire ná meisce air*

(a)(xi) aidiacht/abairtín aidiachtach

- as sure as you are alive: chomh cinnte is atá ceann ar do mhuinéal
- I am fated to be always in need: tá de bhua orm bheith ar an anás
- they have me all confused: tá mé i mo chíor thuathail acu
- we'll have an idle day: beidh lá faoin tor againn
- they were mad with me: bhí siad ar a n-ingne deiridh chugam

(a)(xii) ainmfhocal/réamhfhocal

- it's becoming a source of anxiety to her: tá sé ag teacht chun imní uirthi
- the oats are ready for reaping: tá an coirce i mbéal a bhainte
- it can be remedied if preventive measures are taken in time: is féidir a leigheas ach dul roimhe in am
- it crossed my mind to speak to you: tháinig sé tríom labhairt leat
- it was in store for her: bhí sé lena haghaidh

(a)(xiii) ainmfhocal/abairtín

- if he had any manliness in him: dá mbeadh orlach den fhear ann
- he has the support of influential people: tá daoine ceannasacha ar a chúl*
- he put quite a sting in it: tháinig sé leis aniar óna chúlfhiacla

(a)(xiv) ainmfhocal/aidiacht

- it was a very close thing for him: chuaigh sé gairid go maith dó
- you made a good attempt at it: is leor duit mar a rinne tú é

- I have no feeling in my leg: tá mo chos bodhar
- I haven't seen a sign of him: ní fhaca mé beo ná baiste é
- to have a knack of doing something: bheith deas ar rud a dhéanamh
- he has a high opinion of himself: tá sé barúlach/tuairimiúil de féin
- they have such regard for him: tá sé chomh gradamach sin acu
- to take no hand in something: bheith neamhpháirteach i rud

(a)(xv) dobhriathar/abairtín

- he fell backwards: thit sé i ndiaidh a chúil
- he was basely betrayed: díoladh faoina luach é
- I drank it piping hot: d'ól mé as an scalladh é
- I ran into him unexpectedly: casadh orm é i mbéal na séibe
- he went there reluctantly: chuaigh sé ann in aghaidh a chos
- they were hotly pursued: bhí an tine leis na sála acu*
- they ran helter-skelter for the door: rinne siad ar mhullach a chéile ar an doras
- he slipped away: d'imigh sé ar a chaolrian

(a)(xvi) briathar/abairtín

- they battered one another: chuir siad fuil as fabhraí lena chéile*
- I don't know where I am here: tá mé thar m'eolas anseo
- he was hopping mad: bhí sé ag rince le drochmhianach
- he didn't mean any harm by it: ní le holc a dúirt sé é
- he is play-acting: tá sé ar a bháire baoise
- I'll make him sit up: cuirfidh mise as a chigilteacht é
- it made my blood boil: chuir sé mo chuid fola agus feola trína chéile*
- I'll make him swallow his words: cuirfidh mise a chuid cainte ina ghoile dó
- to kowtow to someone: bheith faoi umhlaíocht do dhuine

(a)(xvii) ainmfhocal/dobhriathar

- he gave him a proper dressing-down: níor fhág sí thuas ná thíos air é
- to get the better of someone: dul lastuas de dhuine
- she gave it to him in all its details: d'fhógair sí dó tríd síos is tríd suas é
- I hadn't got the hang of his speech: ní raibh mé istigh ar a chuid cainte
- he had a runaway victory: bhuaigh sé go rábach

(a)(xviii) ainmfhocal/briathar

- to cast aspersions on someone: coiriú ar dhuine
- that is a feature of the disease: tá sin ag siúl leis an aicíd
- to have good expectation of something: rud a bheith ag feitheamh duit
- to give someone the gist of something: rud a chiallú do dhuine

(a)(xix) briathar/dobhriathar

- that is weighing on my conscience: tá sin anuas ar mo choinsias
- he deals harshly with us: tá sé anuas sa mharc orainn*
- don't be hobnobbing with that crowd: ná bí ag déanamh síos suas leis an dream

sin

- he likes to eat well: tá sé go maith dá bholg*

(a)(xx) abairtín/aidiacht

- that's quite a different matter: is neamhionann sin*
- this work needs urgent attention: tá an obair seo dlúsúil*
- don't make a show of yourself like that: ná bí sonraíoch mar sin
- he had them in stitches laughing: bhí siad lag leis na gáirí aige
- I was as much in the right as in the wrong: bhí mé chomh ceart is a bhí mé cam

(a)(xxi) abairtín/dobhriathar

- they assembled from all directions: chruinnigh siad anoir agus aniar
- if they desert him he'll be left in the lurch: má thréigeann siad é beidh thiar air*
- it was a rotten thing for him to do: rinne sé go fabhtach é

(a)(xxii) aidiacht/réamhfhocal

- it seems he was fated to die in that way: is cosúil go raibh an bás sin ina chomhair
- we are faced with a stiff encounter: tá teagmháil chrua romhainn
- to rub someone the wrong way: duine a chuimilt in aghaidh an fhionnaidh
- I shall be obliged to you for it: beidh mé ina bhun duit

(a)(xxiii) dobhriathar/briathar

- he narrowly escaped drowning: dóbair go mbáfaí é
- the weather is changing gradually to rain: tá an aimsir ag piastáil chun báistí

(a)(xxiv) aidiacht/dobhriathar

- to be in hot pursuit of someone: bheith go díbhirceach sa tóir ar dhuine

(b) bealach an mhodhnaithe

Sna samplaí seo léirítear athrú meoin ó theanga go teanga

(b)(i) méadú

Is é atá i gceist faoi *méadú*, nuair is gá friotal na Gaeilge a mhéadú nó a fhairsingiú chun ciall iomlán an Bhéarla a aistriú. Tabharfar faoi deara tríd síos gur mó ná sás amháin atá inúsáidte i gcuid mhaith de na samplaí.

- do it at all costs: déan é dá gcaillti choíche thú
- to treat them all alike: aon bhail amháin a thabhairt orthu uile
- he must face up to it: níl dul ar a chúl ná ar a aghaidh aige*
- to be constipated: bheith ceangailte sa chorp
- he was barely alive: is ar éigean a bhí an scriotharnach ann*
- he's all talk: dhéanfadh sé gach uile rud ar a theanga
- an exceptionally hot day: lá a mbeadh an fiach dubh ag cur amach a theanga
- he barely managed it: ar éigean báis is beatha a rinne sé é
- he abandoned it: d'fhág sé síos siar é

- to abuse someone: aghaidh do chaoraíochta a thabhairt do dhuine
- to crush someone: na féileacáin a bhrú as duine
- he would not condescend to have anything to do with it: ní chromfadh sé air
- stop meddling: níl aon duine ag iarraidh do chúraim ort
- to talk heroics: culaith ghaisce a chur ar do chuid cainte
- humouring someone: ag bogadh na bláthaí do dhuine
- to humiliate someone: neascóid a fhágáil ar dhuine
- he sat there feeling sorry for himself: bhí sé ina shuí ansin ag déanamh a ghearáin leis féin
- you are intractable: ní bhainfeadh an diabhal cothrom díot
- it's locked up: tá sé san áit nach mbaineann an cat an clár de
- don't part with it for anything: ná tabhair ar chamán ná ar liathróid é
- to grope for something: rud a chuardach faoi do dhoirne
- serve the food: cuir an bia in áit a chaite

(b)(ii) coimriú

Is é atá i gceist faoi *coimriú*, nuair is gonta giorra friotal na Gaeilge ná friotal an Bhéarla, mar shampla, ciallaíonn *feichiúnta* 'prompt in paying debt'. Is cruthúnas ar dhea-bhail teanga ar bith bheith in ann friotal comair a chur ar chora an tsaoil.

- there are many things claiming his attention: is iomaí ócáid air
- it's not for me to choose the time: ní ar mo mhithidí atá sé
- I was dazed from lack of sleep: bhí meisce codlata orm*
- I'm strongly inclined to believe (that): tá mé tréan air (go)
- he's doing as well as can be expected: is leor dó a fheabhas
- he is under no illusion as to what he is doing: níl mire ná meisce air
- I'm still suffering from the effects of it: tá a dheasca fós orm
- you're frittering away your money: tá tú ag meath do chuid airgid
- I haven't been away long enough to merit a welcome back: níl mé aga/dú/fad na fáilte amuigh
- he rubbed shoulders with me at the fair: chuimil sé liom ag an aonach
- you're letting your imagination run away with you: tá scailéathan ort
- he does extraordinary things at times: tá sracaí aisteacha ann
- it sent cold shivers down my back: chuir sé drithlíní fuachta liom*
- keep your wits about you while you're doing it: ná bí maol ina bhun*
- I have enough to keep me going: tá tarraingt mo láimhe agam
- he picked a most awkward day to come: tháinig sé an lá corr cointinneach
- he was eager to take advantage of the good weather: shantaigh sé an aimsir mhaith
- while there was any life left in his body: fad a bhí scriotharnach ann
- to stain a blade with blood: lann a chorcrú

- he has a large family of sons to help him: tá meitheal mac aige
- to address cutting remarks to someone: bheith ag bearradh ar duine
- the prayers of the congregation were asked for him: cuireadh faoi ghuí an phobail é
- to make the acquaintance of someone: duine a chaidreamh
- he hasn't been able to stand firmly on his sprained foot yet: níor chis sé ar a chos leonta fós
- the laggard is always trying to make up for lost time: bíonn an falsóir gnóthach tráthnóna*
- judge it from the result: mol a dheireadh
- pain in the eyes from smoke: bior deataigh
- it would wring all feeling from your heart: dhúnfadh sé do chroí
- he came near enough for me to recognize him: tháinig sé in aitheantas dom
- you're no good at keeping a secret: is olc an rúnaí thú
- we must be thankful for small mercies: is buí le bocht an beagán*
- he wouldn't feel the loss of a pound: ní ghortódh punt é
- to make something easier to understand: rud a chur i mboige
- I had little to show for my journey: ní raibh mo thuras inmhaite orm*
- no matter how much he should be punished: dá mbrisfí coill air*
- to be at the end of your resources: bheith ar an tsálóg*
- if I had time to spare for it: dá bhfaighinn lon air
- we won't be allowed to leave his house without refreshment: ní thiocfaimid tur as a theach
- don't refrain on my account: ná coigil mise
- he is recovering from illness: tá sé ag biorú

(b)(iii) neamhphearsanta > pearsanta

Tá an Béarla an-tugtha don dul neamhphearsanta. Is minic gur fearr leis an nGaeilge an cur chuige pearsanta ná an cur chuige neamhphearsanta. Is minic go bhfuil an t-ainmní pearsanta sa Ghaeilge nuair atá sé neamhphearsanta sa Bhéarla.

- it cannot escape his ears: cluinfidh sé ar an gcluas is bodhaire aige é
- it was not an unfriendly act: ní hé do namhaid a dhéanfadh duit é
- the aggressor must take the consequences: ós tú a tharraing ort, íoc olc agus iaróg
- his expression horrified me: chreathnaigh mé roimh an dreach a bhí air
- his sight is failing: tá sé ag dorchú san amharc
- the clothes were much too big for him: bhí sé ar iarraidh ina cheirteacha
- it will come to a fight between them yet: bruíonfaidh siad fós*
- his expression horrified me: chreathnaigh mé roimh an dreach a bhí air
- the flood is receding: tá an tuile ag breith chuici

- relations are strained between them: níl siad ar na hóí le chéile
- I wouldn't like to be the subject of their gossip: níor mhaith liom mé a bhéalrú eatarthu*

(b)(iv) pearsanta > neamhphearsanta

Dá ainneoin a bhfuil ráite thuas, tá an Ghaeilge níos tugtha don dóigh neamhphearsanta ná mar a cheapfaí. Feicfear cuid den mhíniú i gCaibidil 7 ar an meiturlabhra.

- they're feeling the pinch: tá an saol ag fáscadh/teacht cúng orthu
- everyone was darting about: bhí sé ina dhoirte dhairte
- I chanced to meet him: bhuail sé i mo threo
- he's not so hot-blooded any more: tá a chuid fola ag fuarú feasta
- he was all eagerness to be off: bhí sciatháin air ag imeacht
- they had a pinched look from the cold: bhí soc an anró orthu
- he has grown out of his coat: tá a chóta séanta aige*
- everybody is talking about him: tá sé ina sceith bhéil
- she is a chatterbox: tá ráfla ar a teanga
- don't demean yourself by saying it: ná cam do bhéal leis*
- shame depends on your attitude: níl sa náire ach mar a ghlactar é*
- he has enjoyed his meal: tá a bholg ag gáire leis
- he was dinning the story into my ears: bhí mo chluasa bodhraithe aige leis an scéal*
- they're gone to the bad altogether: thóg an donas leis iad/d'imigh drochbhláth/drochrath orthu
- she is a bad manager: níl aon bharainn uirthi*
- we'll be dead long enough: is iomaí lá ag an teampall/ar an gcill orainn
- I heard it with my own two ears: mo dhá chluas a chuala é
- may I be the gainer by your labour: toradh do dheataigh ar mo dheatachsa*
- he could scarcely speak with emotion: bhí na focail á mbriseadh ina bhéal
- you are easily imposed upon: is bog atá do chraiceann ort/a d'fhás an olann ort
- he has reached the turning-point: tá a naomhaí caite aige*
- he's not so hot-blooded any more: tá a chuid fola ag fuarú feasta
- he'll learn from his mistakes: cuirfidh a shrón féin comhairle air
- to make friends with someone: coimhirse a dhéanamh le duine
- you change your mind quickly about things: is gearr eatarthu agat
- I kept him away from the house: bhain mé seachaint an tí as
- I broke out in a cold sweat: tháinig fuarú allais orm
- he followed me with his eyes: bhí a dhá shúil i mo dhiaidh*
- he was always sure to do the wrong thing: níor theip an tuathal riamh air

(b)(v) faí ghníomhach > faí chéasta

- what will these affairs lead to: cén éifeacht a bhainfear as na cúrsaí seo

- you'll pay dearly for it: bainfear as do chreataí é

(b)(vi) faí chéasta > faí ghníomhach

- death cannot be bribed: ní ghlacfaidh an bás duais
- victory was being snatched from us in the game: bhí an cluiche i mbéal fuadaigh orainn*
- she was well schooled in dancing: thug sí an damhsa ó bhuaile léi
- there's danger involved in such work: leanann an chontúirt an obair sin
- the story was spread far and wide: fuair an scéal leathantas*

(b)(vii) dearfach > diúltach

- a look tells everything: ní cheileann rosc rún*
- it'll be pitch-dark before he comes: ní thiocfaidh sé go raibh dubh ar an oíche*
- he ignored me completely: níor thug sé toradh an troim orm
- he's utterly disgraced: níl tógáil a chinn aige
- they searched every nook and cranny: níor fhág siad poll ná póirse gan chuardach
- you can easily carry it: ní hualach ar do ghualainn é
- I will abide by your decision: ní rachaidh mé thar do bhreithiúnas
- he keeps open house: níor dhruid doicheall a dhoras riamh*
- keep your ears open: ná bíodh méar i gcluas agat
- you'll have it over and done with: ní bheidh sé romhat arís*
- he has little to show for his work: níl mórán abhrais déanta aige
- one ought to have patience: is mairg nach mbíonn foighne aige
- he repeats it over and over again: níl de leathrann aige ach é
- he says more than his prayers: deir sé a lán nach bhfuil sa phaidir
- make yourself at home: ná bí i do strainséir
- I knew it would happen to you: níor thuar mé a mhalairt duit
- I'm convinced it happened: ní chreidim nó gur tharla sé
- I had little to show for my journey: ní raibh mo thuras inmhaite orm
- I know better than to say such a thing: ní heagal dom a leithéid a rá
- it is a fortunate thing to have happened to you: ní fearr duit rud maith ná é
- may nothing more serious happen to us before the year is out: nár imí de bhris na bliana orainn ach é
- it's worrying him to death: níl á bhaint den saol ach é

(b)(viii) diúltach > dearfach

- I cannot claim to be like that now: féadaim sin a shéanadh anois
- he is in no danger of death: tá cuid mhaireachtála ann
- he's not a bit like his father: shéan sé a ghaol lena athair
- he could not keep his eyes open: bhí na súile ag iamhair le codladh/ag titim ar a chéile
- to come when you're not wanted: teacht in am an doichill*

- there's no end to that man's perseverance: tá síoraíocht san fhear sin
- it's not up to much: is furasta é a mholadh
- it's a matter of no interest now: is fuar an scéal anois é
- it's not much to ask of me: is beag an dualgas orm é*
- it's no great loss: déanfar dá uireasa*
- my harvest is not yet saved: tá mo chuid fómhair ar lár
- I thought the day would never end: ba shíoraíocht liom an lá
- death is no respecter of persons: comhuasal duine ag an mbás
- it's not a great benefit: is glas a shú/is suaill a thairbhe duit
- nobody mourned his passing: is tirim an tsúil a bhí ina dhiaidh*
- he hasn't long to live now: is gairid a chúrsa anois*

(b)(ix) inbhéartú

Modhnú iomlán atá i gceist faoi *inbhéartú*. Is ar éigean má tá cosúlacht ar bith idir an dá theanga. Féach, mar shampla, *tháinig cáithníní ar mo chraiceann* ('my flesh began to creep'). Níl aon chosúlacht eatarthu. Briathar eile ar fad atá ann agus dhá ainmfhocal dhifriúla, tuiscint eile ar fad idir an dá theanga ar chineál an mhothúcháin nó na taithí. Tabharfar faoi deara go bhfuil cuid den léargas a fheictear sna habairtí seo an-chosúil le gaois an tseanfhocail cé nach cora cainte féin iad.

- your face could do with a little washing: ba chomaoin ar d'aghaidh boiseog uisce a chur uirthi
- to interfere in family affairs: dul idir an craiceann agus an dair
- he held his own against all men: thug sé leath ó gach uile fhear
- putting on airs on account of her beauty: ag déanamh baoise as a háilleacht
- daylight is fading: tá an lá ag diúltú dá sholas*
- he is adamant: ní bhogfadh seacht gcatha na Féinne é
- he's a born thief: ghoidfeadh sé an earra ón seangán*
- he had both vomiting and diarrhoea: bhí dhá cheann a ghoile ag gabháil
- to curry favour with both sides: an dá thaobh a thabhairt leat
- he has to earn his bread: níl a chuid ag teacht ó neamh chuige
- my flesh began to creep: tháinig cáithníní ar mo chraiceann*
- it's hard to blame you for it: leasmháthair a thógfadh ort é
- he's blind drunk: ní fheicfeadh sé poll i ndréimire
- he is a moody creature: bíonn sé lá binn is lá searbh*
- his moods change rapidly: ní fada óna ghol a gháire
- the corn is too short for reaping: níl clúdach an chorráin san arbhar
- the earth resounded with it: chuala an t-aer is an talamh é
- don't bring your complaints where they're not wanted: an té nach ngoilleann do chás air ná déan do ghearán leis

- he got out the wrong side of the bed: d'éirigh sé ar a chos chlé
- to put things together in a careless manner: leathdhéanamh a thabhairt ar rud
- to bamboozle someone: an dubh a chur ina gheal ar dhuine
- to put an enemy to rout: cathbhearna a bhriseadh ar namhaid
- she'll bury you yet: cuirfidh sé cloch i do charn*
- he was bent low over his work: bhí a dhá cheann i dtalamh
- you haven't an easy life: níl clúmh le bhur n-adhairt
- he's enjoying himself in his declining years: tá fómhar beag na ngéanna aige
- wages must be earned first: is túisce tuilleamh ná tuarastal
- to cause utter confusion: an t-íochtar a chur ina uachtar
- a lie always came easy to him: níor thacht an bhréag riamh é
- he spared no pains to do it: ní dhearna sé dhá leath dá dhícheall leis
- I have no reason to keep out of your way: níl ábhar imghabhála agam ort*
- I paid for my experience: is mé a cheannaigh mo bheart
- he has his ups and downs: chonaic sé an dá shaol*
- the rock shielded us from the wind: bhris an charraig an ghaoth dúinn
- I lost my way: chaill mé m'eolas
- fiddling furiously: ag stróiceadh ar an bhfidil*
- to ward off a danger from someone: duine a eadráin ó chontúirt
- he was heavy-eyed with sleep: bhí na súile ag druidim air
- there's only a little drop: níl fliuchadh do bhéil ann
- I love the place: bheinn beo ar leath bia ann
- to have half a mind to do something: rud a bheith ar leathintinn agat
- to reduce someone to inactivity: duine a bhaint dá luadar
- I would yield to no man among them: ní thabharfainn an fear maith d'aon duine acu
- don't judge ill of people: ná bíodh drochbhreith i do bhéal*
- idleness rusts the mind: intinn dhall ag leadaí na leisce
- he is a powerful speaker: tá an-uchtach cainte aige
- a meal fit for a king: dóthain rí de bhéile
- to have it both ways: an craiceann is a luach a bheith agat*
- he is looking to his own interest: ag amharc ina sholas féin atá sé
- he is living within his means: tá sé os cionn a chumais
- there is still time for a last fling: tá beatha cearrbhaigh fós san Inid
- to bring someone to his senses: ciall a chur i nduine*
- it was pouring out of the heavens: bhí an spéir ina criathar
- never is a long word: is faide go brách ná go Bealtaine*
- never begrudge hospitality: ná tabhair bia agus doicheall do dhuine
- learning was in his bones: as an léann a fáisceadh é
- she was in stitches from laughing: bhí snaidhmeanna ar a taobh ag gáire*
- you must spoil before you spin: ní den abhras an chéad snáithe

- he will trip himself up: tá sé ag rith ar chos in adhastar
- to turn someone's statement against him: duine a bhréagnú as a bhéal féin
- he talks big: shílfeá nach bhfuil aon duine bocht ar a dhream
- they'll come home from their wanderings yet: tiocfaidh siad chun tíreachais fós
- when the shades of night were falling: nuair ba chomhsholas fear le tor
- she was sewing in the dark: bhí sí ag fuáil faoina doirne*
- as long as I have eyes to see: go loice amharc mo shúl
- don't take that as referring to you: ná tóg an focal sin chugat
- his horse ran away with him: d'fhuadaigh a each é
- to take too much on yourself: dul thar do chumas le rud
- to compel someone to take food: bia a chur ar dhuine

(b)(x) athrá

Seo ceann de na buanna is gleoite fileata atá sa Ghaeilge. D'fhéadfadh an foghlaimeoir nó an file féin féachaint le haithris a dhéanamh air. Baineann sé gan amhras le traidisiún an tseanchais agus na scéalaíochta agus feicfear arís é sa seanfhocal.

- let's take life as we find it: gabhaimis leis an saol mar a ghabhann an saol linn
- don't cut off your nose to spite your face: ná tabhair do shonas ar do dhonas
- I don't understand it but I get the message: ní thuigim é ach tuigim as
- we'll succeed or die in the attempt: titfidh sé linn nó titfimid leis
- if you keep at it it will become a failing: má leanann tú de leanfaidh sé díot*
- to make doubly sure: ar fhaitíos na bhfaitíos
- the alternative is even worse: más olc maoil is measa mullach
- I'm completely exhausted: níl mé in ann cos a chur thar an gcos eile
- it's easier to blacken character than to restore it: tógfaidh dath dubh ach ní thógfaidh dubh dath
- let me do as I please but save me from the consequences: lig mé chun an bhodaigh ach ná lig an bodach chugam
- he spends every penny as fast as he earns it: níl pingin ag breith ar an bpingin eile
- be discreet in your observations: ná feic a bhfeiceann tú
- he had no news of any kind: ní raibh scéal, duan ná duainicín aige
- no matter what I did: dá gcuirfinn an cnoc beag i mullach an chnoic mhóir
- thanks for your offer: tá do chuid is do bhuíochas/chlú/oineach agat
- it's in his very nature: níor ghoid sé is níor fhuadaigh sé é*
- I gave him as good as I got: mar a thomhais sé chugam thomhais mé chuige
- I am not in the least repentant: níl aithreachas ná cuid d'aithreachas orm
- let me alone and I won't interfere with you: tóg díom agus ní thógfaidh mé díot
- I'm not interfering with you in any way: níl mé ag cur chugat ná uait
- robbing Peter to pay Paul: cuid an bhodaigh thall ar an mbodach abhus

- it just happens to be so: tharla ann agus níor tharla as é
- it is nowhere recorded: níl sé i laoi ná i litir
- he grew rapidly: an méid nach mborradh an lá de bhorradh an oíche é
- out of the frying pan into the fire: amach as na muineacha agus isteach sna driseacha*
- live and let live: lig chugat agus uait
- to give grudgingly is to spoil the gift: is beag de mhaith an mhaith a mhaítear
- he can't make up his mind whether to go or not: tá brath ann agus brath as aige
- she gives nothing away: cat bradach a gheobhadh brabach uirthi
- as you've gone so far with it finish it: ó loisc tú an coinneall loisc an t-orlach*
- a lame excuse: leithscéal agus a leathbhéal faoi
- I said nothing to them: níor chuir mé chucu ná uathu
- they didn't leave a stone standing: níor fhág siad cloch ar mhuin cloiche*
- he may not have sense but he knows how to say the wrong thing: mura bhfuil ciall aige tá an droch-chiall aige*

(b)(xi) gnáthabairt > meafar

Is ar a mhalairt de chora a amharcann an Ghaeilge go meafarach nuair is fearr leis an mBéarla an ghnáthurlabhra. Léiríonn na difríochtaí an éagsúlacht i mbealaí saoithiúla na samhlaíochta.

- everything is set/there's no turning back: tá an tairne ar an troigh
- to put the blame where it belongs: an diallait a chur ar an each cóir
- he was undecided what to do: bhí cos thall agus cos abhus aige
- he gets blamed for everything: dá dtitfeadh crann sa choill is air a thitfeadh sé
- he got more than he bargained for: is é fuadach an chait ar an domlas aige é
- bad qualities are bound to show: tagann an chré bhuí aníos
- they drove me crazy: chuir siad mo chiall ar mo mhuin dom
- there are contradictory reports about it: d'inis fiach é agus shéan feannóg é
- bluffing people: ag cur madraí ar fhuinneoga
- it's hard to cope with all the contingencies: is doiligh muir is tír a fhreastal
- he tries to turn everything to account: dhéanfadh sé fíon as uisce na gcos
- he likes to have the best of the bargain: is maith leis an ceann ramhar den chnámh a bheith aige
- you are rushing headlong to destruction: tá rabharta d'aimhleasa fút
- he would cause a row in any company: chuirfeadh sé dhá cheann na coille ar a chéile
- you bungled matters: loisc tú do ghual is ní dhearnadh tú do ghoradh
- it is damaged beyond repair: tá sé ina mhúr thar grian
- he is beyond cure: ní leigheasfadh lia na bhFiann é
- trying to bamboozle people: ag cur madraí i bhfuinneoga
- no matter what I did: dá gcuirfinn an cnoc beag i mullach an chnoic mhóir

- what mischance brought him here?: cén cat mara a sheol anseo é?
- it's baffling me: tá sé ag dul sa mhuileann orm
- he never made an unwise move: níor dhóigh sé siúd an athbhuaile riamh
- he was ready and eager to go: bhí sé ar sheol na braiche ag imeacht
- you'll get a real good hiding: gheobhaidh tú na físeacha agus na pingneacha corra
- he is deliberately evading the issue: is é seoladh an philibín óna nead aige é
- I lost it at the critical moment: d'imigh sé orm idir leac is losaid
- she made an unfortunate marriage: chuir sí a ceann in adhastar an anró
- don't prevaricate: ná bíodh an béal ag milleadh an anama agat*
- keep him on the hop: coinnigh ar a mhine ghéire é
- he nurses a resentment against us: tá an chruimh faoin bhfiacail/sa tsrón aige dúinn
- it's nowhere near enough to meeting our needs: ní dhéanfadh sé uisce coisricthe dúinn
- a nostalgic revisit: cuairt an lao ar an athbhuaile
- he was nurtured on those tales: ba é an chéad bhia ar an sliogán dó na scéalta sin
- we had lashings of food: bhí bia go maidí sceana againn
- they lacerated me with their tongues: d'ith siad an fheoil anuas díom
- he has a great fund of knowledge: is iomaí duilleog ina leabhar
- he has money to burn: tá airgead le hanamacha na marbh aige
- they all flock into this house: tá an teach seo ina chis chosáin acu*
- he thought his fortune was made: shíl sé go raibh an mhuir théachta aige
- don't be imposed upon: ná lig do chnámh leis an madra
- he was told off in no uncertain terms: fuair sé ar a mhias féin é/sciúradh na cuinneoige
- passing the time in idleness: ag feadaíl ar lorg gaoithe
- you will have a long wait: is lorg meacain i bhfail muice a bheith ag tnúth leis sin
- he's only skin and bone: níl scileadh na bhfiach/spide fí air
- attempting the impossible: ag baint na gcnoc
- an impossible task: ag iarraidh foraois i bhfodhomhain
- he inherited the bad qualities from his mother: dhiúl sé an chíoch bhradach*
- no matter how much you may rant and rave: dá gcuirfeá an taobh dearg de do chraiceann amach*
- do you think I am made of money: an síleann tú go bhfuil cam ar an tine agam
- the day is noticeably longer: tá coiscéim coiligh ar an lá
- you are wide of the mark: is fada ón muileann a leag tú an sac
- he is an irredeemable drunkard: d'ólfadh sé an sop as an tsrathair
- I left him the whole lot: d'fhág mé an ruaim is an fhabhair aige

- don't invite trouble: ná bíodh do lámh i mbéal an mhadra agat
- nothing would surprise me more: níorbh iontaí liom an sneachta dearg ná é*
- to impose yourself on someone: brú ar leac an doichill ag duine
- you cannot work without food: capall na hoibre an bia
- to make a place uncomfortable for someone: dealg a chur faoi chosa duine*
- they finished him off: chuimil siad sop is uisce dó
- they quarrelled on first acquaintance: chuir siad aithne na mbó maol ar a chéile
- she's fond of gallivanting: tá gob an phocáin ar a caipín aici
- he is absurdly fussy: tá sé mar bheadh cearc ghoir ann
- I had my share of misfortune: tháinig mo chuid d'uisce an cheatha orm*
- we have finished the job: tá an giorria fiachta as an tor againn
- to go with the foolish majority: dul faoi uisce an cheatha
- you are in for it: tá d'anam ar do shnáthaid
- be prepared for eventualities: bíodh uisce ar do mhaidí agat*
- he gave him a sound thrashing: thug sé liúradh Chonáin dó
- he would gull you: dhéanfadh sé nead i do chluas
- no matter how hard you try: dá gcaithfeá leis go hiallacha na spor
- he is so light of foot: ní bhrisfeadh sé cipín faoina chos
- ominous silence: suan na muice bradaí
- the last word in an argument: buille na sní
- in sheer spite of him: d'ainneoin chnámh a ghaosáin
- to be open to suspicion: bheith in áit chos an ghadaí

(b)(xii) meafar > gnáthabairt

Is teirce úsáid an mheafair i mBéarla nuair is gnáthabairt atá sa Ghaeilge ach tá roinnt samplaí ann.

- to steal a glance at someone: féachaint faoi d'fhabhraí ar dhuine
- they were fighting like cats and dogs: bhí siad ag troid agus ag marú a chéile
- re-opening old sores: ag cuimhneamh na bhfaltanas
- making money hand over fist: ag mámáil airgid
- to steal a march on someone: aicearra a ghearradh ar dhuine
- they were laughing up their sleeves at me: bhí siad ag gáire go folaitheach fúm

(b)(xiii) meafar = meafar

Is minic meafar sa dá theanga ach é ag tosú ón seasamh contrártha. Táimid cóngarach arís anseo don seanfhocal agus tugtar sna samplaí seo sracfhéachaint ar an dúchas difriúil atá ag gach teanga.

- he has money to burn: tá airgead le hanamacha na marbh aige
- they're all tarred with the same brush: aon chith amháin a d'fhliuch iad uile*
- he's as blind as a bat: tá sé chomh dall le bonn mo bhróige
- I'd settle his hash for him: d'fhágfainn an mhala ar an tsúil aige*
- to kill someone with kindness: droim an bhacaigh a bhriseadh le déirc*

- to throw the helve after the hatchet: an phingin a chaitheamh i ndiaidh an phuint
- looking for a needle in a haystack: ag tóraíocht táilliúra i mbruth faoi thír*
- to give yourself the lion's share: roinnt an bhodaigh a dhéanamh ar rud
- to be in a fix: bheith i gcorr an chochaill/i ladhar an chasúir
- he was the apple of his mother's eye: ba é súilín óir a mháthar é*
- he has his nose to the grindstone: tá sé faoi dhoirse na gcorr
- re-opening old sores: seanchairteacha a thochailt
- he will knock spots off us: déanfaidh sé brus orainn

(b)(xiv) páirt > páirt eile

Sna samplaí seo tá an meafar beagnach mar an gcéanna ach nach ionann an ball coirp, éadaigh nó eile atá mar phointe tosaithe dó.
- butterfingers: lámha leitean
- his heart is in his boots: tá a chroí i mbonn a chos
- he spoke with his tongue in his cheek: bhí a theanga ina chúlbhéal/leathbhéal aige
- she got that load off her chest: chuir sí an racht sin dá croí
- she wouldn't do a hand's turn for me: ní fhliuchfadh sí a méar dom
- he has every disease under the sun: tá seacht ngalar an tsléibhe air
- from the bottom of my heart: ó cheartlár mo chroí
- money burns his fingers: mheilfeadh airgead ina mhéara
- the drink went to his head: d'éalaigh an braon air
- on your life don't do it: ar do chraiceann/ar chraiceann do chluaise ná déan é
- you made him shake in his shoes: chuir tú eagla a choirp/chraicinn air
- you have too many irons in the fire: tá an dá iarann déag sa teallach agat
- I wouldn't yield an inch to him: ní fheacfainn troigh ar ais dó
- he's a good age: tá a chúlfhiacla curtha go maith aige
- keep it under your hat: coinnigh faoin duilleog é
- her face is her fortune: tá a spré i gclár a héadain
- I will not be under the lash of your tongues any longer: ní bheidh mé faoi bhur mbéal feasta
- you would need a strong stomach to look at it: níor mhór duit aigne láidir a bheith agat chun féachaint air
- he's very hard on clothes: chaithfeadh sé an t-iarann
- she got that load off her chest: chuir sí an racht sin dá croí
- I wouldn't stir a foot to meet him: ní rachainn ón troigh go dtí an tsáil ina araicis
- he's only skin and bone: níl ann ach na cnámha agus an craiceann/na fearsaidí
- to bite someone's nose off: an gaosán a bhaint de dhuine
- armchair hero: gaiscíoch teallaigh
- he is getting hot and angry: tá sé ag téamh ina chuid fola/ina chraiceann

- he was thrown head over heels: caitheadh thar a chorp é
- walls have ears: tá poll ar an teach
- it would move a heart of stone: bhainfeadh sé deoir as cloch ghlas
- I can't make head or tail of it: níl tóin ná ceann le fáil agam air
- a wound in his heart: cneá faoina mhaotháin
- to hit someone in the pit of the stomach: duine a bhualadh faoi bhun an scéithín
- he smote him hip and thigh: d'fhág sé cneá mháis is mhuiníl air
- for two pins I'd strike him: ar bhiorán buí bhuailfinn é
- in the hollow of my hand: ar chroí mo bhoise/i gcúl mo dhoirn
- to frighten the life out of someone: an croí a bhaint as duine
- the inner regions of the heart: fearainn an chroí/fodhomhain na hintinne
- there are two sides to the story: tá dhá cheann ar an scéal
- to work someone hard: an craiceann a théamh ag duine
- there are two sides to every story: bíonn dhá thaobh ar an mbád
- there's a yellow streak in him: tá cré bhuí ann
- a slip of the tongue: cion focail

(c) bealach na coibhéise

Táimid ag druidim níos cóngaraí do ríocht an tseanfhocail an t-am ar fad ach amháin go bhfuil an chríonnacht ar iarraidh sna samplaí thíos. Ach is cuid dhílis de theanga ar bith an nathán seanchaite, an *cliché*, agus ós rud é go bhfuil a sciar féin den áibhéil ina friotal ag an nGaeilge, ba thrua gan sonrú a chur ann. Ar ndóigh, toisc an t-aineolas atá ann mar gheall orthu tá feidhm agus fiúntas ag gabháil leo mar nach mbeadh le sean-nathán de ghnáth.

(c)(i) amaidí

- to pay someone in his own coin: slat dá thomhas féin a thabhairt do dhuine
- there's always room for charity: is beag an áit a dtoilleann an charthanacht*
- take a hair of the dog that bit you: leigheas na póite a hól arís
- to knock someone into a cocked hat: file caoch a dhéanamh de dhuine*
- it is cold comfort: brachán ó aréir é
- absolute lack of concern with proceedings: cuid an daimh den eadra
- easy does it: ní bhíonn tréan buan/is é an buille réidh is fearr
- misfortune breeds misfortune: nuair a thagann na míolta tagann na sneá
- it has taken you a long time to complete your errand: is é teachtaireacht an fhéich ón Áirc agat é
- it is meat and drink to them: is é an bia geal acu é
- everybody makes a mistake: níl duine dá chríonnacht nach dtéann beart ina aghaidh

- to quote chapter and verse: urra a chur le hacht
- he gave it up as a bad job: chaith sé a chloch is a ord leis
- he is as broad as he is long: tá sé comhfhad comhleithead
- it's hard to work without proper equipment: is olc a mheilleann leathbhró
- there's nothing to choose between them/one is as bad as the other: deartháir do Thadhg (riabhach) Dónall (crón)
- as sure as anything: chomh cinnte is atá gob ar phréachán/púdar i nDoire
- there's no chink in his armour: níl buille bog ar bith ann
- raining cats and dogs: ag cur de dhíon is de dheora/sceana gréasaí
- let us bury the hatchet: caithimis an chloch as ár muinchille
- he is pulling the devil by the tail: tá sé ar bhallán stéille an mhadra
- he's in the same boat as myself: tá sé sa chor céanna liom féin
- the die is cast: tá an buile buailte agus an gaiste tabhartha*
- it's six of one and half a dozen of the other: níl ansin ach buail an ceann agus seachain an muinéal/is ionann an cás an t-éag is an bás
- I haven't the faintest idea: níl fhios agam ach oiread le huimhir na bhFiann
- he is making money fast: tá na pinginí ar a gcorr aige
- for the rainy day: le haghaidh na coise tinne
- the fat is in the fire: tá an brachán doirte/an madra marbh/an sop séidte
- I'll dispatch you: mise an sagart uachta a bheidh ort
- it was done like a flash/shot: sin an guth a fuair an fhreagairt
- doing something in ignorance: ag lorg an ghadhair agus gan tásc a dhatha agat
- beating about the bush: ag baint boghaisíní ar cheist
- he wants to have his cake and eat it: ba mhaith leis é a bheith ina phota agus ina mhála aige
- his days are numbered: tá sé sa leabhar ag an bhfiach dubh
- she was dressed to kill: bhí sí gléasta go dtí na cluasa
- the day of reckoning has come: tá an cairde caite
- to fall between two stools: bheith gan Mhurcha gan Mhánas
- to keep a stiff upper lip: cruachan in aghaidh na hanachaine
- to run the gauntlet: dul faoi na súistí/bascadh reatha a fháil
- he gave it up as a bad job: chaith sé a chloch is a ord leis
- let bygones be bygones: fág na seanchairteacha i do dhiaidh
- let sleeping dogs lie: ná hoscail doras na hiaróige
- the game was up with him: bhí an cluiche air
- practice makes perfect: den cheird an cleachtadh
- he looks the worse for wear: tá cuma anróiteach air
- as ill luck would have it: faoi mar a bheadh an nimh ar an aithne*
- there was a hang-dog look about him: ba dhaor a dhreach*
- that put a stop to his gallop: chuir sin dealg ina sháil*
- he got the long straw: fuair sé fadóg

- swinging the lead: ag feádóireacht
- he knows how to plan ahead: ní grian a ghoras a ubh*
- he's a holy terror: is é an sceimhle é
- he is drawing in his horns: tá sé ag breith chuige féin
- I was left holding the baby: fágadh mise i mbun an bhacáin*
- in the heel of the hunt: as deireadh na cúise/as a dheireadh
- his head is screwed on the right way: tá an chúiléith i bhfad siar aige
- he's a picture of health: tá dreach na sláinte air
- you have made a hash of it: tá an t-im tríd an mbrachán agat
- I'd settle his hash for him: d'fhágfainn an mhala ar an tsúil aige
- he is good riddance: is maith an bia uainn é/bliain mhaith ina dhiaidh
- he has a rod in a pickle for you: tá bior sa tine aige duit
- an inch is as good as a mile: ní fearr Éire ná orlach
- put that in your pipe and smoke it: cuir sin faoi d'fhiacail agus cogain é*
- raising hares: ag cur míolta buí i gcoraíocht*
- don't put in your oar: ná cuirse do theanga sa scéal/ná sáighse do ladhar isteach ann
- to sell your soul for a mess of pottage: d'anam a dhíol ar do bholg*
- to leave no stone unturned: dóigh agus andóigh a chuardach*
- he had given himself up for lost: bhí coinne déanta lena anam aige
- they finished him off: chuimil siad sop is uisce dó*
- one must work to eat: is crua a cheannaíonn an droim an bolg*
- to tell someone home truths: fios a ghnéithe a thabhairt do dhuine
- it's all up with him: tá a chosa nite*
- he's sitting pretty: tá sé i mála an tsnátha ghil
- she rules the roost: is aici atá an maide leitean

(c)(ii) sean-nath

- last but not least: an ball/meall is mó ar deireadh
- better sure than sorry: is fearr deimhin ná díomá
- charity begins at home: baist do leanbh féin ar dtús
- times have changed utterly: tháinig an t-athrach ar an athrach
- he'll never be able to make ends meet: is mó a mhála ná a sholáthar
- beauty is only skin deep: más peaca a bheith buí tá na mílte damanta*
- his bark is worse than his bite: is measa a ghlam ná a ghreim
- great deeds go unthanked: an té is mó gníomh is lú buíochas
- fair words butter no parsnips: ní chothaíonn na briathra na bráithre
- more power to your elbow: sheacht mh'anam do shliseog
- tilting at windmills: ag cur catha ar choinlíní
- the son gets all the attention: an gruth do Thadhg is an meadhg do na cailíní
- the tune the old cow died of: ceol an traonaigh sa ghort

- tastes differ: ní hionann méin do gach mac
- he has eaten us out of house and home: tá an teach in airc aige*
- we have broken the back of the work: tá an obair brúite againn
- carrying coals to Newcastle: cnuasach trá a bhreith go hInse/ag breith liúdar go Toraigh
- to get a disagreeable task over and done with: ól na dí seirbhe a thabhairt ar rud
- to burn the midnight oil: an choinneall airneáin a chaitheamh*
- every little counts: bailíonn brobh beart
- your goose is cooked: tá do bhacán sáite
- to get down to brass tacks: teacht i leaba an dáiríre/dul go bun sprioc*
- he has shot his bolt: tá an t-urchar deireanach scaoilte aige
- a red-letter day: lá croídhílis
- once in a blue moon: lá sna naoi n-airde
- don't jump to conclusions: ná déan deimhin de do bharúil
- to salve your conscience: ceirín a chur le do choinsias
- fate never rests: ní chuireann an chinniúint a cosa fúithi
- crying when it's too late: ag gol in áit na maoiseoige
- we had to bear the brunt of the fight: bhí luí na troda orainn
- bring grist to your own mill: ag cur abhrais ar do choigeall féin
- he made no bones about it: ní dhearna sé mairg ar bith de
- there should be unity in the face of danger: ní ham faltanais am géibhinn*
- enough is as good as a feast: más maith praiseach is leor dreas di*
- don't cut off your nose to spite your face: ná déan namhaid de do rún
- it is his least concern: is é a chloch ar a phaidrín é
- let sleeping dogs lie: ná hoscail doras na hiaróige
- he is as old as Methuselah: tá aois chapall na comharsan aige
- you bite off more than you can chew: is mó do bhéal ná do bholg
- he would steal anything: ghoidfeadh sé an folcadh te
- as long as I live: go scara m'anam le mo chorp*
- he's as light as a feather: ní mheánn sé brobh
- asking for the moon: ag fiach i ndiaidh na gealaí*
- he escaped from them by the skin of his teeth: d'imigh sé orthu ar inn ar ea
- enough is as good as a feast: is maith an mheasarthacht
- till Tibb's eve: go lá na leice/an lúbáin
- his death leaves a blank: d'fhág a bhás easnamh orainn*
- he's blue in the face from the cold: tá dath na ndaol air le fuacht*
- there's a storm brewing: tá doineann air*
- he was not numbered among the great: ní raibh sé sa táin
- the pot calling the kettle black: casadh an chorcáin leis an gciteal
- he's able to make ends meet: tá caitheamh is fáil aige

- a mere drop in the ocean: mún dreoilín san fharraige
- there'll be wigs on the green: beidh bairéid ar iarraidh
- flattery is akin to falsehood: deartháir don bhréag an béal bán
- it's hard to get blood out of a stone: is doiligh olann a bhaint de ghabhar*
- necessity knows no law: níl dlí ar an éigean/riachtanas*
- great deeds go unthanked: an té is mó gníomh is lú buíochas*
- a miss is as good as a mile: ní dheachaigh dóbair riamh in abar
- to wait on someone hand and foot: duine a chur ó bhos go bos
- sowing his wild oats: ag imirt a bháire baoise*
- it takes all kinds: is iomaí duine ag Dia
- it's only a flash in the pan: níl ann ach rith searraigh*
- to break the ice: an cath a bhriseadh
- he was hoist with his own petard: bhain sé slat a sciúr é féin
- no matter what anyone says: dá mbeadh an saol ag caint
- it would warm the cockles of your heart: chuirfeadh sé na smóilíní ag sclimpireacht i do chroí
- might is right: téann ag an neart ar an gceart
- he has two strings to his bow: tá dhá ruaim ar a shlat/abhras ar a choigeal aige
- penny wise and pound foolish: ag sábháil na pingine is ag cur amú na scillinge*
- he has something to say about everything: meileann sé mín is garbh*
- seeing is believing: déanann fearann fianaise
- what the heart sees not the eye rues not: is cuma leis an dall cé air a bhfuil an breall*

(c)(iii) beannacht/mallacht

bless you: deiseal

to blazes with him: dó is dúloscadh air

the devil mend you: go dtuga an diabhal coirce duit

confound you anyway: ort do chol duaise

it's not worth a damn: ní fiú sileog é

bad cess to him: curadh mo chroí air/ladhrach air/fuacht failce air

God forbid (that): nár fheice/lige Dia (go)

I declare to God (that): fágaim ag/le Dia/fágaim le m'anam (go)

it serves him right: is beag an trua é/tuilleadh tubaiste chuige/a chonách sin air

pardon my presumption: ná tóg orm an dánacht

God save the mark: slán an tsamhail

cross your heart: leag lámh ar do choinsias*

good heavens: a mhic na scairte

repeat it if you dare: cloisim arís uait é*

how dare you: nach mór an croí duit é

good for you: mo ghrá i gCaiseal thú

God give you sense: go ndearca Dia ar do chiall

hang you: míle cor sreinge ort

good heavens: a mhic na scairte

on your life don't do it: ar do bhás ná déan é*

it's all damned nonsense: tuar cait is féasóg air

for goodness sake: i gcuntas Dé/an tsaoil

(c)(iv) athruithe gramadaí

Is é atá i gceist sna hathruithe seo go n-imíonn an dá theanga óna chéile i dtaca le hathrú san uimhir, san aimsir agus mar sin de.

- Homer sometimes nods: is minic a chuaigh beart thar údar*
- no matter what anybody says: dá mbeadh an saol ag caint*
- no matter how hard you try: dá gcaithfeá leis go hiallacha na spor
- try how you may: dá gcuirfeá do shúile ar chipíní*
- I'd prefer he didn't come: is luath liom a thiocfaidh sé
- there's no use hiding it from you: dá mbeadh sé faoi chloch gheofá é*
- I'm inclined to agree with you: ní déarfainn i do choinne*
- they are of no account any more: d'imigh siad as maíomh
- he looked like a lost soul: rinne Dia duine dona de
- when they may have been lost for all we know: gan fhios nár cailleadh iad*
- nothing is too mean for him: bhainfeadh sé an braillín den chorp*
- money burns his fingers: mheilfeadh airgead ina mhéara
- that is one of the weaknesses of our nature: fágadh an leannán sin orainn*
- I'll let his father deal with him: fágaim ar lámh a athar é*
- we all have our shortcomings: tá a lear féin ag gach duine
- you don't mean to say I did it: ní cheapfá a rá gur mise a rinne é
- you have slanderous tongues: is sibh an chléir cháinte
- death cannot be put off: ní ghlacfaidh an bás duais
- he would neither confirm nor deny it for me: ní bhfuair mé saoradh ná séanadh uaidh sa chúis*
- I didn't like to go away without him: is bocht liom imeacht air*
- it would be a pity to waste your last resource on it: is mairg a loiscfeadh a thiompán leis*
- they have turned the place upside down: tá an áit síos suas acu
- he can work wonders: dhéanfadh sé cat agus dhá eireaball air*
- you would need a strong stomach to look at it: níor mhór duit aigne láidir a bheith agat chun féachaint air

(d) an seanfhocal

Is cineál ann féin é an seanfhocal. D'éirigh le seanfhocail Ghaeilge áirithe dul i gcion go forleathan ar mheon an Éireannaigh, *aithníonn ciaróg ciaróg eile, is binn béal ina thost, meileann meilte Dé go mall, mair a chapaill agus gheobhaidh tú féar, is glas na cnoic i bhfad uainn, is túisce deoch ná scéal* agus *tús maith leath na hoibre* mar shampla. Tá roinnt samplaí feicthe againn thuas den abairt áiféiseach nó den sean-nath a léiríonn an múnla aigne as ar eascair na ciútaí críonnachta sin. Is é an tsainghné atá ag roinnt leo go bhfuil siad gonta agus go bhfuil siad críonna. Filíocht is ea iad óir cuireann siad friotal ar ghaois na cianaimsire ar dhóigh a théann i bhfeidhm ar an gcuimhne, ar an intleacht agus ar na mothúcháin. Is ionann agus aitheanta an chultúir iad. Tagann gach teanga agus gach cultúr ar an tsaíocht chéanna mar is eagna uilechoiteann atá breactha iontu ach ní hionann an friotal a chuirtear ar an gcríonnacht. Anois is arís tagann an dá theanga ar an bhfriotal céanna nach beag: *greim in am sábhálfaidh sé naoi ngreim* ('a stitch in time saves nine') nó *is olc an ghaoth nach séideann do dhuine éigin* ('it's an ill wind that blows nobody good'). Tá an dara leagan den seanfhocal céanna i nGaeilge freisin: *an té nach gcuirfidh greim cuirfidh sé dhá ghreim / cuir snaidhm nó caillfidh tú dhá ghreim* atá cóngarach go leor don leagan eile seachas uimhir na ngreamanna agus tá leaganacha eile nach bhfuil ar aon dul leis an mBéarla murach an chosúlacht i bpríomhchuspóir an tseanfhocail, an teachtaireacht chéanna: *ní hé lá an chatha lá an chnuasaithe / is fearr amharc amháin romhat ná dhá amharc i do dhiaidh / ní hé lá na gaoithe lá na scolb.* Tá cuid de na samplaí sin chomh cóngarach don Bhéarla go bhféadfaí iad a aistriú go litriúil, mar *is treise dúchas ná oiliúint* ('instinct is stronger than upbringing').

Ní féidir iad a aistriú i gcónaí, áfach, óir ní furasta críonnacht teanga amháin a atáirgeadh san fhoirm chéanna i dteanga eile. Ach tá na habairtí coibhéiseacha ann agus léiríonn siad an meon difriúil atá mar ábhar don saothar seo. Is doiligh bheith ag súgradh leo. Ní mór glacadh leo mar atá siad. Ní hionann na seanfhocail uile maidir le gontacht agus críonnacht agus oilteacht. Is léir gur saolaíodh cuid áirithe faoi bhrú an mhagaidh. Feic mar shampla an seanfhocal *ní dhéanann breá brachán* ('beauty will not boil the pot'). Ní fealsúnacht atá i gceist ná filíocht. Ní raibh an duine ag iarraidh an abairt dheismir a aimsiú, ní raibh ar a thoil aige ach aisfhreagra. Duine amháin ag moladh 'breáthacht' mná éigin agus an freagra grod a dhéanann spaid bhanraí de ar dhóigh an-éasca tríd an bhfocal 'breá' a chur go magúil isteach i lár na gnáthabairte.

I gcásanna eile is ceadmhach a shamhlú gur aistriúchán lom díreach atá ann mar shampla *is deacair ceann críonna a chur ar cholainn óg* ('you can't put an old head on young shoulders') ach aird a thabhairt ar an trasuíomh - *deacair* > 'can't' (aidiacht/briathar) agus *colainn* > 'shoulder' (páirt amháin/páirt eile). Tá leagan níos ginearálta den seanfhocal céanna *bíonn ceann caol ar an óige* atá dearfach neamhbhalbh faoi neamhfhoirfeacht na hóige san áit a bhfuil an ceann eile diúltach. Diúltach de shaghas eile is ea é ar ndóigh. Feictear an cur chuige beagnach céanna sa seanfhocal *níl maith a bheith ag caint faoi bhainne doirte* ('there's no use crying over spilt milk') nach bhfuil ann dáiríre ach cur síos fíorasach ar mhiontaisme. Is seanfhocal é sin atá mar an gcéanna i mórán teangacha (mar shampla san Iodáilis *piangere sul latto versato*). Tá leagan eile den seanfhocal céanna a bhfuil feidhm níos leithne leis, *níl maith sa seanchas nuair a bhíos an anachain déanta*, a chuireann i bhfios go bhfuil tarlú níos tromchúisí tite amach. Tá an riocht céanna faoi scrúdú ach ó phointe tosaithe eile: *doirt do dheoch agus beidh tart ort* ('wilful waste makes woeful want'). Feictear cosúlacht an-chruinn i seanfhocail ach a aithint go bhfuil trasuíomh agus athrú meoin curtha i gcrích, mar shampla *is buaine bladh ná saol* ('fame lives on after death'). Feictear go bhfuil aidiacht > briathar (*buan*/'live') agus *saol*/'death' ag freagairt dá chéile.

Tá an seanfhocal i nGaeilge níos táirgiúla in amanna ná an seanfhocal i mBéarla. Má tá gné shofaisticiúil ag roinnt leis an mBéarla 'light burdens long borne grow heavy' tá an leagan Gaeilge lom sothuigthe. Is féidir an tuirse féin a shamhlú in íomhá an tseanfhocail *is trom cearc i bhfad* nó *caora mhór an t-uan i bhfad*. Feictear an tíriúlacht chéanna i seanfhocail mar *is minic a bhí cú mall sona* ('better late than never') nó *ní chuimhníonn cú gortach ar a choileán* (' necessity knows no law') cé gur cheart a rá go bhfuil abairt eile ann *níl dlí ar an éigean* atá níos cóngaraí do mheon an Bhéarla.

Feictear tionchar an dúlra agus cultúr ginearálta na tuaithe i seanfhocail mar *is geal leis an bhfiach dubh a ghearrcach féin* ('beauty is in the eye of the beholder') nó *is furasta fuineadh in aice na mine* ('it's easy to do something if you have the means') nó *an giorria san fhásach agus an breac ar an linn* ('everything takes after its kind'). Is inspéise an fhealsúnacht atá le brath ar sheanfhocal mar *is deacair fiacla a chur i gcúl corráin*. Cuireann an leagan Gaeilge íomhá an-soiléir inár láthair, fonn an oibrí an tseanuirlis a dheisiú toisc nach bhfuil a mhalairt ar láimh aige ach dá oilteacht féin é, is obair dhíomhaoin é ar deireadh thiar. Tá deismireacht ghleoite ag roinnt leis nach bhfaightear go hiomlán sa leagan Béarla, 'it's hard to reason with a numbskull'.

Ach ina dhiaidh sin is uile níl na híomhánna uile tógtha as cultúr na talmhaíochta. Ní lú a ngontacht mar sin féin mar is léir ó sheanfhocal mar *ní mhilleann dea-fhocal fiacail / níor bhris focal maith fiacail riamh* ('a kind word is always welcome'). Tá séimhe an Bhéarla le cur i gcomparáid i gcónaí le déine, giorraisce na Gaeilge. Ní hé sin le rá nach acmhainn don Ghaeilge an seanfhocal fealsúnta teibí a chruthú freisin. Feic mar shampla: *is fearr an t-imreas ná an t-uaigneas* ('strife is better than loneliness') nó *níl baol báite ar an té a chrochfar* ('a person born to be hanged is no danger of being drowned'). Sleamhnaíonn sí freisin ón teibíocht trí aidiacht a úsáid mar shampla: *is minic ciúin a bhí ciontach* ('silence often denotes guilt') nuair atá duine intuigthe taobh thiar den aidiacht. Tá an cleas céanna i gceist in *is minic a bhí deifreach deireanach* ('more haste less speed') nó *an rud is giorra is géire* ('brevity is the soul of wit').

Tá a mhalairt le fáil freisin ar ndóigh nuair is tromchiallaí an Ghaeilge ná an Béarla: *d'éis ár ndíbheirge is teo ár dtoil* ('friendships are cemented in quarrels'). Tá teibíocht ag roinnt le *is lú ná fríd máthair an oilc* i gcomparáid leis an mBéarla 'a small spark kindles a large fire'. Seachnaíonn an Ghaeilge an chríonnacht theibhí de ghnáth. In ionad an Bhéarla 'little things can cause much trouble', cuireann an Ghaeilge an íomhá phianmhar isteach, *is beag an dealg a dhéanfadh braon* nó ceanglaítear an ghaois in 'better late than never' le madra *is minic a bhí cú mall sona*. D'fhéadfaí a mhaíomh leoga gur doimhne i bhfad an teagasc atá sa leagan sin ná sa Bhéarla óir tá níos mó i gceist ná ceann sprice a shroicheadh más mall féin é; tá sonas agus suaimhneas agus dea-mhéin bhuan an té nach gcuireann aon bhrú air féin riamh. Is ionann an cú mall agus cú nach bhfuil fonn luais air ó dhúchas agus nach bhfuil in éad leo siúd a bhfuil clú an luais orthu. Ba chóngaraí don Bhéarla an leagan eile *más mall is mithid* ach amháin go bhfuil cuid éigin den drochmheas fite fuaite sa seanfhocal sin.

Mar atá feicthe againn thuas tá an Ghaeilge an-tugtha don athrá agus do gach cineál imeartas cainte amhail comhfhuaim, uaim agus uaithne. Ní taise don seanfhocal. Feic mar shampla: *is fearr banlámh den lá ná dhá bhanlámh den oíche* ('it is better to start early than to work late'); *ná bain do gheis agus ní bhainfidh geis duit* ('leave forbidden things alone and they can't harm you'); *an rud nach mbacann leat ná bac leis* ('don't interfere in things that don't concern you'); *bíonn súil le muir ach ní bhíonn súil le huaigh* ('all may return but the dead'); *an rud a théann i bhfad téann sé i bhfuaire* ('what is long delayed loses its appeal'); *mura saighe saighfear ort* ('attack is the best form of defence'); *gabhtar fonn le fonn agus mífhonn le mífhonn* ('things are done with a good or a bad grace'); *mura dtaga leat tar leo* ('if you can't beat them join them'); *mol gort is ná mol geamhar* ('don't count your chickens before they're hatched'); *is minic a dhearc béal na huaighe ar bhéal na truaighe* ('death has often benefited the needy'); *is fearr amharc amháin romhat ná dhá amharc i do dhiaidh* ('foresight is better than hindsight'); *is maith stró agus ní maith róstró* ('better to live comfortably than to have too much of the world's goods'); *sparáil na circe fraoigh ar an bhfraoch* ('unnecessary frugality'); *is díon an crann fad is díon dó féin é* ('a tree provides shelter but only until it becomes saturated'); *dearc chugat mar a dhearcas tú uait* ('do to others as you would have others do to you').

Is minic a aimsítear críonnacht na Gaeilge sa mheafar is follasaí: *is deise do dhuine a léine ná a chóta* ('charity begins at home'); *ní féidir le duine bheith ag feadaíl agus ag ithe mine* ('you can't do two things at once'); *aimsíonn an dall a bhéal* ('everyone can do something for himself'); *ní sheasann sac folamh* ('it's hard to work on an empty stomach'); *ní bhíonn cuimhne ar an arán a itear* ('past favours are soon forgotten' nó 'eaten bread is soon forgotten'); *súil le cúiteamh a chailleas an cearrbhach* ('expectation of recoupment is the bane of the gambler').

B'fhéidir go léiríonn an seanfhocal níos fearr ná aon teilgean cainte eile dúil na Gaeilge san aidiacht. Féach, mar shampla, raon na céille in aidiachtaí mar *áirgheach, crannach, creamhach, dearcnach, iúrach, úbhach*. Tá na cinn seo atá ar eolas ag cách: *an rud is annamh is iontach, is leor nod don eolach* nó *ní lia tír ná gnás*. Tá maorgacht agus brí san aidiacht i nGaeilge mar nach bhfuil i mórán teangacha agus go háirithe nuair is aidiacht atá ag feidhmiú mar ainmfhocal. Ní aidiacht aitreabúideach, arb ionann í go minic agus ainmfhocal sa ghinideach ag feidhmiú mar aidiacht, atá i gceist mar atá i bhfocail amhail *cultúr*, *talmhaíocht* nó *bunreacht* in abairtíní mar *an oidhreacht chultúir, an bhliain talmhaíochta* nó *leasuithe bunreachta* nuair is gnáthaidiacht a bheadh ann i mBéarla. Is gnáthaidiacht agus ní haidiacht in ionad an ghinidigh atá i gceist sna samplaí seo leanas nuair is ainmfhocal an t-aistriúchán Béarla atá orthu. *Bíonn siúlach scéalach* ('travellers have tales to tell'); *más fiafraitheach is feasach* ('knowledge comes from inquiry'); *is minic ciúin a bhí ciontach* ('silence often denotes guilt') nuair is leaganacha litriúla nach beag atá sa dá theanga ach aidiacht na Gaeilge in ionad ainmfhocal an Bhéarla. An aidiacht in ionad an fhocail theibí atá ann sa seanfhocal *ní théann fial go hifreann* ('generosity is a saving virtue') nuair is fear *fial* atá i gceist agus ní *féile*.

Cuirtear an t-ainmfhocal isteach in amanna gan baint áfach d'éifeacht na haidiachta: *ní bhíonn fear náireach éadálach* ('if you won't ask you won't get'), nuair is malartú díreach briathar/aidiacht atá ann dáiríre. Sampla eile is ea *ní thuigeann an sách an seang* ('it's ill speaking between a full man and a fasting') nuair is gonta, achoimre an Ghaeilge ná an Béarla. Is amhlaidh i gcás *is minic duine liath lúfar* ('grey hairs need not signify old age') nuair atá dearcadh dearfach sa Ghaeilge agus meon diúltach sa Bhéarla. Os a choinne sin is cinnte gur gonta, achoimre an Béarla atá ar *is milis á ól ach is searbh á íoc* ('every sweet hath its sour') nuair atá aidiacht sa Ghaeilge ag seasamh d'ainmfhocal an Bhéarla. Is dócha go bhfuil an dá theanga chomh gonta céanna maidir leis an seanfhocal *an rud is giorra is géire* ('brevity is the soul of wit') ach an aidiacht sa Ghaeilge in ionad an ainmfhocail i mBéarla.

Tá cásanna eile nuair a thugtar tábhacht na habairte san aidiacht agus é ag feidhmiú mar aidiacht: *is minic a bhí dealraitheach cailliúnach* ('never judge by appearances') nuair atá liacht cleasanna a dhealaíonn an Ghaeilge ón mBéarla: aimsir eile, 'judge' > *cailliúnach* (briathar/aidiacht), 'appearance' > *dealraitheach* (ainmfhocal/aidiacht), 'never' > *minic* (athrú meoin). I bhfoirm aidiachta atá sé sa seanfhocal *is caol a thagann an duine* ('a human being survives many vicissitudes') bíodh is go bhfuil sé ag feidhmiú mar dhobhriathar. Tá samplaí eile le feiceáil sna seanfhocail seo a leanas: *má tá tú láidir bí grástúil* ('strength should be tempered with mercy') nó *is cleasach an peata an saol* ('there are many surprising turns in life').

In ionad bhriathar an Bhéarla a bhíonn an aidiacht sa Ghaeilge de ghnáth: *ní troimide an t-each a shrian* ('the horse is not encumbered by its bridle') nó *ní leithne an t-aer ná an timpiste* ('accidents can happen anywhere') nó *is bách iad lucht aon cheirde* ('birds of a feather flock together') nó *ní lúide an trócaire a roinnt* ('charity is not diminished for being shared') nó *is deacair seanslat a shníomh* ('you can't teach an old dog new tricks') nó *is túisce suaill ná gaoth* ('a swell precedes a storm'). Cineál eile atá le feiceáil sna samplaí seo: *is fada ón gcneá an ceirín* ('the remedy doesn't get to the root of the problem') nuair is léir go bhfuil coimriú ann sa Ghaeilge. Tá an aidiacht 'fada' á húsáid ar an gcuma chéanna sa sampla *is fada le fear fionraí feitheamh* '(time passes slowly for one who has to wait') agus *is fada ón luaith an bocaire* ('there's many a slip twixt the cup and the lip').

Arís bíonn meascán den bhriathar agus den aidiacht ag freagairt do dhá ainmfhocal i mBéarla: *ní bhíonn críonna ach an té a mhealltar* ('experience teaches wisdom'). Ar ndóigh tá leagan Gaeilge ann atá beagnach ar an dul céanna leis an mBéarla sin: *brostaíonn airc intleacht/múineann gá seift* ('necessity is the mother of invention') a thugann le tuiscint nach bhféadfaí caitheamh anuas ar leagan mar *múineann taithí tuiscint!* A mhalairt de dhearcadh ar an mbunríocht sin atá le fáil sa seanfhocal eile *ní chuimhníonn cú gortach ar a choileán* ('necessity knows no law') nuair is san aidiacht i nGaeilge atá an chríonnacht le fáil. Meascán de shaghas eile atá le feiceáil sa seanfhocal *níl cáin sa bhuille nach mbuailtear* ('hard words break no bones') nuair is meon eile ar fad atá le brath agus an aidiacht sa Bhéarla an iarraidh seo.

Aisteach go leor tá corrchás ann nuair is i mBéarla atá an aidiacht agus ainmfhocal ag freagairt di i nGaeilge: *is fearr foighne ná imreas* ('better to be patient than to quarrel') nó *is fearr socrú dá dhonacht ná dlí dá fheabhas* ('better a settlement however bad than law however good) nó arís *is fearr beagán den ghaol ná mórán den charthanas nó gach díograis go deireadh* ('blood is thicker than water') nó *níor eitigh páipéar bán dúch riamh* ('youth is impressionable' nó 'don't believe everything you read in the newspapers'). Tá sampla eile *tuigeann fear léinn leathfhocal* ('a word to the wise is sufficient'), nó briathar: *doirt do dheoch agus beidh tart ort* ('wilful waste makes woeful want'). Féach arís *caitear an cairde agus ní mhaitear na fiacha* ('procrastination is the thief of time') nuair is briathra a úsáidtear sa Ghaeilge in ionad ainmfhocail an Bhéarla. Sa chás sin tá an dá leagan chomh difriúil sin gur leaganacha coibhéiseacha iad dáiríre.

Tá na saghsanna éagsúla difríochta (bealach an mhodhnaithe) atá tugtha faoi deara níos luaithe sa chaibidil seo chomh forleathan céanna i gcás na seanfhocal: **páirt amháin in ionad páirt eile:** *focail údair i mbéal amadáin* ('words of wisdom on the lips of a fool'); **pearsanta > neamhphearsanta:** *is doiligh corrán maith a fháil do dhrochbhuanaí* ('a bad workman blames his tools') nó *is iomaí lá ag an uaigh orainn* ('we'll be dead long enough'); **neamhphearsanta > pearsanta:** *ná beannaigh don diabhal go mbeannaí sé duit* ('don't go looking for trouble') nó *ní fheiceann leannán locht* ('love is blind') nó *fanann fear sona le séan* ('luck is largely a matter of opportunity'); **dearfach > diúltach:** *níor chaill fear an mhisnigh riamh* ('fortune favours the brave'); **inbhéartú:** *ní saor go binn* ('it is the gable that tests the mason'); **méadú:** *an rud a thig thar dhroim an diabhail imíonn sé faoina bholg* ('ill got, ill spent) nó *an rud a fhaightear go bog caitear go bog é* ('easy come, easy go'); **coimriú:** *is fearr duit a chabhair ná a chealg* ('it's better for you to have him with you than against you'); **gnáthabairt > abairt mheafarach:** *is doiligh ceann catach a chíoradh* ('it is hard to smooth away difficulties); **abairt mheafarach > gnáthabairt:** *mura mbeadh agat ach gabhar bí i lár an aonaigh leis* ('don't hide your light under a bushel') agus **abairt mheafarach > abairt mheafarach eile:** *sraith na háithe a chur ar an muileann* ('robbing Peter to pay Paul'); **athrú meoin:** *is fada siar an rud a chuirfeadh Dia aniar* ('nothing is impossible in the sight of God') nó *comhfhad a théann teas agus fuacht* ('moods change') atá ina **mhéadú**, nó *ní scaoth breac* ('one swallow doesn't make a summer') atá ina **choimriú** nó *ní hionann dul chun an bhaile mhóir agus teacht as* ('delays are inevitable') atá ina **ramhrú** freisin; **faí ghníomhach > faí chéasta:** *in am an ghátair a bhraitear an chabhair* ('a friend in need is a friend indeed') nó *ní buan gach ní a chaitear* ('nothing on earth is permanent') agus claonadh an **anamachais:** *d'fheann an Márta an tseanbhó* ('the March winds killed the old cow').

Is cuid dhílis den teanga an seanfhocal. B'fhéidir gurb é an chuid is dílse de dhúchas na teanga é. Má amharctar ar an ngnáthchaint mar urlabhra an phobail ina ghnáthshaol, is é filíocht agus fealsúnacht agus diagacht agus eagna an phobail an friotal atá lonnaithe sa seanfhocal. Tugann sé léargas grinn nach furasta a shárú ar mheon an phobail a mhúnlaigh an ghaois atá ar fáil ann. Tá friotal curtha ann ar uaisleacht, inniúlacht agus seiftiúlacht na teanga agus is ann a fhaightear scoth na teanga ina foirfeacht cháiréiseach, stuama. Níl siad uile ar comhchaighdeán mar is léir ó na samplaí. Mar a deir Niall Ó Dónaill (1951, 10):

> Tá cuid de na cora cainte filiúnta; tháinig siad as tuigse ár muintire ar an tsaol ar tógadh leis iad. Tá cuid eile acu atá tuatach agus chum fír mhaide iad. Tá cuid acu nach bhfuil iontu ach dearg- Bhéarlachas gan mhaise. Is lomaistriú iad ar abairtí tuathúla a bhí coitianta sa Bhéarla, tráth, agus a chuaigh ó chion sa teanga sin le forbairt an phróis inti ó aimsir Dr. Johnson anall".

Seans go bhfuil an Dónallach ródhian ar thuatachas an tseanfhocail óir is neamhionann iad agus seanfhocail i ngach teanga, meascán den amaidí agus den ghaois, ach is de dhlúth agus d'inneach na teanga atá ag imeacht iad sa Ghaeilge.

Caibidil 7 - An Mheiturlabhra

Níl fágtha feasta mar ábhar machnaimh ach an chuid sin den teanga nach bhfuil a mhacasamhail le fáil in aon teanga eile: gothaí agus geaitsíocht an duine ina ghnáthshaol a dtugtar gnásanna nó nósanna an phobail orthu. Ní féidir na ciútaí seo a aistriú go minic óir is cuid shainiúil den teanga iad. Tugtar an mheiturlabhra ar an gcuid sin den teanga nach bhfuil mínithe struchtúracha le fáil uirthi.

Na cosúlachtaí uile idir an Béarla agus an Ghaeilge ar tugadh aird orthu go dtí seo, más ar bhealach an trasuímh, an mhodhnaithe nó an choibhéisigh, an bhfuil siad mar sin de thaisme nó an cruthúnas iad go bhfuil dearcadh fealsúnta nó síceolaíoch eile ag an dá theanga? Is cinnte go bhfuil an freagra tugtha go minic cheana nach de thaisme iad agus sin díreach an fáth gur mhór an trua gan an bhundifríocht idir an dá theanga a shuíomh. Má tá an Béarla agus an Ghaeilge inchomórtais, is é an chúis atá leis go bhfuil an fhírinne chéanna á ceapadh acu. Is ionann an cultúr i gcoitinne as a n-eascraíonn siad araon, is ionann an tsochaí a bheag nó a mhór ina bhfeidhmíonn siad araon, is ionann an saol a bhí le fulaingt acu araon agus is ionann a bheag nó a mhór an aeráid agus an aimsir ina maireann siad. Is doimhne i bhfad na cosúlachtaí sin ná na difríochtaí polaitiúla atá dár gcrá leis an fad sin ama nó na difríochtaí eacnamaíocha/tionsclaíocha/sochaíocha atá chomh follasach sin don staraí. Ach is cosúlachtaí iad a chuireann ar ár gcumas na difríochtaí fírinneacha sainiúla a aimsiú agus a aithint. Is féidir deireadh a chur leis na difríochtaí eile ach airíonna na sochaí a chlaochlú. Ní féidir deireadh a chur leis na difríochtaí atá fite fuaite i bhfriotal ar leith a chur ar ceal ná a chlaochlú fad atá rian den teanga inar ionchorpraíodh na difríochtaí sin beo i mbéal duine nó ar phár. Tá alt inspéise ar an ábhar seo, dála an scéil, ag Micheál Ó Cearúil (Ó Cearúil, 1996, 389-460).

Tá an tuairim sin bunaithe ar an nóisean go bhfuil dlúthcheangal idir an saol máguaird mar a thuigtear dúinn é agus an fhoirm urlabhrúil a thugtar dár smaointe. Ní tuairim nua é. Tugadh *weltanschauung* air tráth. Déarfaí go bhfuil a leithéid ann i mBéarla na hÉireann freisin. Tá gan amhras, ach i gcomórtas lena mhacasamhail sa Ghaeilge is tachrán amhulchach é le hais chiandacht na Gaeilge mar a bhfuil sruthanna iomadúla ag sní isteach i sanasaíocht na n-aoiseanna agus urlabhra á

caomhnú nach ionann í agus urlabhra ar bith eile. Dúchas na teanga atá
i gceist, comharthaí sóirt na teanga nach ceadmhach leithcheal a
dhéanamh orthu más sainairíonna an phobail atá á lorg.

Is saothar é seo gan amhras do shochtheangeolaithe ar an gcéad dul
síos. Bíonn siadsan ag iarraidh an caidreamh idir theanga agus
ghníomhaíochtaí uile an phobail idir shóisialta agus chultúrtha a
shoiléiriú. Níl siad tagtha fós ar theicnic fiosrúcháin atá inúsáidte ach
seo mar a sainmhíníodh an mheiturlabhra tráth mar is léir ó shaothar
Vinay agus Darbelnet (1955, 259):

> *is ionann teanga agus ceann de shocruithe córasacha na dtosca
> cultúrtha atá ag an tsochaí... Tá cuimse de chórais mar sin sa tsochaí.
> Tá an teanga, an eagraíocht shochaíoch, an creideamh, an
> teicneolaíocht, an dlí etc. I ngach ceann de na córais chultúir sin
> seachas an teanga, tá a eagrúchán agus a éirim ag brath ar an teanga;
> má fhágtar an teanga as an áireamh is córas neamhspleách gach ceann
> acu a bhfuil a mhúnlaí agus a chomharthaí sóirt féin aige ...In aon
> ráiteas ar an gcaidreamh de réir pointe agus de réir múnla a dhéantar
> idir an teanga agus aon cheann de na córais chultúir eile, beidh le fáil
> bríonna uile na bhfoirmeacha teanga agus is é a bheidh ann
> meiturlabhra an chultúir sin.*

Ciallaíonn an mheiturlabhra mar sin iomlán na ngaol atá mar
cheangal idir na fíorais chultúir, sóisialta agus síceolaíocha, agus
struchtúir na teanga. Is réimse fíorleathan atá ann agus is réimse é nach
bhfuil teorainn ama ná áite leis. Tá dhá chuid ann: téann ár dtuiscint ar
an domhan, ár ngréasáin shóisialta agus ár gcuspóirí cultúir i gcion ar
an teanga; ach toisc go bhfuil an teanga mar ghníomhaí idir an duine
agus an saol máguaird, is é an teanga a thugann dath ar leith agus
tuiscint ar leith ar an saol sin. Maítear in amanna gur lú an difear idir
theangacha maidir le fóinéimí agus comharthaí de ná an difear atá ann
idir nóisin éagsúla den chruinne. Tá an teanga agus an chruinne ag imirt
ar a chéile agus de réir a chéile. Is de réir bhealaí na teanga a dhéanaimid
an domhan a scagadh.

Is léir go bhfuil fadhb anseo againn mar Éireannaigh má tá dhá
theanga againn, ceann amháin a múnlaíodh faoi réir meon ar leith agus
ceann eile faoi réir meon eile a bhí i gcoimhlint leis ar dhóigh áirithe. Is
doiligh an dá chuid a dhealú ó chéile. Tá siad araon tábhachtach. Ach
tá an fhadhb sa bhreis i gcás an Éireannaigh go bhfuil an dá shruth
méadaithe faoi dhó. Bheadh sé dodhéanta an cumasc a bhaint as

aimhréidh. B'fhéidir go bhféadfaí ciall éigin a aimsiú lasmuigh de struchtúr inmheánach na teanga.

Toisc go bhfuil an teanga ina scáthán ar an gcultúr ar de í agus ina huirlis anailíse ar an gcultúr sin ag an am céanna, ní hionadh ar bith é go bhfuil na difríochtaí chomh suntasach sin i dtaca leis an meiturlabhra de. Ciallaíonn sé sin gur deacra i bhfad teanga a aistriú go teanga eile má tá na difríochtaí meiturlabhra an-leathan. Deirtear mar shampla nach dtig le treibheanna Indiacha íomhánna áirithe den Bhíobla a bhreith leo toisc nach bhfuil aon téarma acu ar *deirfiúr*, *deartháir*, nach n-ólann siad fíon agus nach dtógann siad eallach. Ní mór mar sin oiriúnuithe a dhéanamh chun íomhánna comhchosúla a mholadh ina n-ionad. Is baolach feasta go bhfuil aineolas ann faoi cad iad na hoiriúnuithe is gá idir an Béarla agus an Ghaeilge, mar tá na córais smaoinimh agus cultúir chomh cóngarach sin dá chéile de réir nósanna na haoise. B'fhéidir féin go bhfuil an cheist le cur an bhfuil deighilt róleathan ann idir múnla smaoinimh an lae inniu agus an múnla as ar gineadh an urlabhra ársa chun bheith ag súil an seanmhúnla sin a chur ar ais go nádúrtha sa ghnáthchaint.

Bíodh sin mar atá is é atá le fáil i gcóras na Gaeilge córas sainiúil cultúir agus smaoinimh atá chomh neamhchosúil leis an mBéarla agus atá sí leis an Danmhairgis, atá chomh cosúil leis an bhFraincis agus atá sí leis an mBéarla. Ar an drochuair tá an Béarla tar éis an córas sainiúil sin a thachtadh agus a chóras sainiúil féin a chur i gcion orainn. Is fiú sracfhéachaint a chaitheamh ar ghnéithe áirithe den saol chun na difríochtaí meoin sin a thuiscint.

(a) aimsir

Ní amharctar riamh ar an aimsir ar dhóigh fhuarchúiseach ach mar chara nó eascara. Tá feicthe againn thuas gurb ionann agus duine an dúlra. Déantar tagairt di mar bheadh sí ag gníomhú go pearsanta. Cur chuige rómánsúil amach is amach atá ann. Má deirtear i mBéarla 'the day is bitterly cold', is ráiteas oibiachtúil é. Tá fuacht máguaird agus tá an duine ina cheartlár. I nGaeilge, nuair a deirtear *tá faobhar ar an lá* is é an lá féin atá i gceist agus tagann an duine sa dara háit. Is leor féachaint ar na samplaí seo a leanas: *ghruamaigh an lá* ('the day became overcast'), *shalaigh an aimsir* ('the weather became foul'), *tá stoirm air*/*tá toirneach chugainn* ('there is a storm brewing') nó *tá taghdanna san aimsir* ('there are sudden changes in the weather'). I ngach cás d'fhéadfaí *fear/bean* a chur in ionad *lá* nó *aimsir* gan éirim ná ciall na cainte a chur as a riocht.

Bhí an teanga chomh mór sin ar teaghrán ag taghdanna na haimsire gur cuireadh suntas ar leith sna tréimhsí nuair nach raibh an aimsir ródhona. Bhí *comhardú/comhlíonadh na drochaimsire* ann mar fhaoiseamh gan fhios a bheith ann cá fhad a mhairfeadh sé. Níorbh ionann gach faoiseamh, áfach. Ní raibh san *eatramh* ach seal beag gearr idir na ceathanna ach seal breá idir na ceathanna atá san *aoinle*. Tugann *lascaine* le fios go bhfuil gá le tréimhse níos faide tar éis a raibh de stoirmeacha ach is *ana* amháin a thaispeánann go bhfuil seasamh san aimsir. De ghnáth is ag tagairt do shos gairid atá an Ghaeilge. Más 'fine spell between showers' é an *ana*, tugann an *ana triomaigh* le tuiscint go mairfidh sé fada go leor. Ní hamhlaidh don *sámhnas* a thiocfaidh ar ball ná don *lon/snag* sa stoirm. Tá léaró beag dóchais le brath nuair atá an lá *ag scarbháil* ('clearing up') nó go bhfuil *mainís bheag* air agus rud beag níos mó dóchais nuair a deirtear go mbeidh sé *ina thuradh anois go tráthnóna* ('it will stay dry'). (Úsáidtear *mainís* sa chiall chéanna chun riocht an duine tar éis breoiteacht a chur in iúl). *Lá idir dhá shíon* a bhí ann nuair a mhair an aiteall lá iomlán.

Is iomadúla i bhfad tagairtí na Gaeilge don drochaimsir. Nuair atá sí á tuar tá duibheagán ag cruinniú thiar nó deirtear go bhfuil an lá *ag láidriú* amhail is dá mba é an cló dealbh díobhálach ba dhual don aimsir agus nach raibh sa *mhainís* ach *lá idir dhá shíon.* Cuireann na habairtí *tá an múr thiar* ('the rain clouds are gathering'), *tá mothar mór sa spéir* ('great black clouds are gathering'), *tá sé ag piastáil chun báistí* agus *tá sé ag tolgadh/tórmach stoirme* ('there is a storm brewing') tréithe daonna na drochaimsire in iúl go soiléir. Is annamh mar sin féin nach dtagann an aimsir go *féiltiúil*, ag an am ceart chun freastal do riachtanais an tsaoil. Bíodh is go bhfuiltear cleachtach ar *dhúlaíocht* agus *saobhadh síne*, tá a dearcadh féin ag an nGaeilge ar na hathruithe nach bhfuil tráthúil. Tig leis an *caileantóir* (atá ceangailte le léamh na caille) nó an *fiachaire* (atá ceangailte le gluaiseacht na bhfiach) nó an *réadóir* (atá dírithe ar na réaltaí) an fhéiltiúlacht a thuar de ghnáth. Ach nuair a theipeann orthu ceanglaítear an mhífhéiltiúlacht go nádúrtha leis an saol thart timpeall: *laethanta na riabhaí* a thugtar ar an bhfuacht ag deireadh an gheimhridh, deireadh Mhárta nó tús Aibreáin (thart faoi *Lá Fhéile Mhuire na nImircí* nuair a tháinig deireadh le tionóntachtaí) agus *garbhshíon na gcuach* ar an bhfuacht nach bhfuil súil leis i mBealtaine. Tugtar *scread na Bealtaine* ar an míthráthúlacht chéanna, an milleán á chur ar fhórsa éigin eile seachas ar an aimsir féin. Nuair a tharlaíonn *samhradh fada ró* go déanach is *fómhar beag na ngéanna* a thugtar ar 'Indian summer' an Bhéarla. *Gealach na gcoinleach* a thugtar ar ghealach an fhómhair nuair a thagann an aimsir mhaith go féiltiúil ach ní cúrsaí aimsire atá i gceist san abairt *fómhar na mban fann* nuair atá ganntanas fear ann chun an fómhar a bhaint. Téann an abairt *Iúil an chabáiste* siar go dtí aimsir an ghorta agus roimhe. Ní bheadh na prátaí nua ann go ceann tamaill agus ní raibh le hithe ach an cabáiste. Iarsma staire an nath sin.

(b) am

Ní hionann an briseadh a dhéanann an Ghaeilge ar an am. Níl an scoilt chomh daingean céanna idir lá agus oíche agus atá sí i mBéarla mar amharctar ar chúrsa an lae mar aonad amháin agus is é *idir dhá cheann an lae* an friotal is dúchasaí ar *ó mhaidin go hoíche.* (Tá an meon céanna le feiceáil i mBéarla na hÉireann: 'evening' = tar éis a trí san iarnóin agus tá 'evening' mar aistriúchán ar *tráthnóna.* Níl 'afternoon'/'evening'/'night' ann mar atá i Sasana.) Saol na talmhaíochta a rianaigh dearcadh an duine ar an am agus ní saol na sibhialtachta mar is eol dúinn anois. Amharctar ar an am mar fhórsa seachtrach go tréithe anamachais arís. *Béal maidine* a deirtear faoi thús an lae nuair atá an trian deireanach den oíche thart faoi mar a deirtear *i mbolg/gcorp/gcorplár* an lae ag tagairt do lár an lae. Níl sa mhaidin ach scoth-thamall idir oíche agus eadra. Agus nuair atá *an t-eadra buí* ann tá deireadh i gceart leis an maidin.

Tá feicthe againn thuas na habairtí *thug sé an deireanas leis* ('he came at a late hour') agus *rug an deireanas orm* ('I was caught out late') a léiríonn dearcadh úiríseal i leith namhaid an ama. Is cara é an lá in amanna, cara dílis, daonna, pearsanta: *thugamar an lá linn go ceann scríbe* ('we reached our destination in daylight'), *thugamar an lá linn abhaile* ('we got home by daylight) agus *rud a dhéanamh le cumhacht an lae* ('to do something with the advantage of daylight'). Nuair atá *buíochan na gréine* ann táimid ag druidim ar an uair thar dhroim an lae nuair atá an lá *i margadh na holla* agus an lá *barrchaite/brúite amach* amhail an duine. Chun an síneadh ar an lá a chur in iúl téann an Ghaeilge i muinín an dúlra mar deirtear go bhfuil *coiscéim coiligh ar an lá.* Nuair a thagann an *coineascar,* ní tús na hoíche atá ann ach deireadh an lae. Tá cuid den mhiotaseolaíocht ag gabháil leis an treall *ó bhreacsholas go clapsholas go breacdhorchadas* nuair atá *an gearrán bán ag dul ar scáth na copóige.* Is trua an lá féin a bhfuil a chumhacht caillte aige nuair *is comhsholas fear le tor.* Má amharctar ar nóisean an ama beag beann ar uidhe an lae, is léir go bhfuil an saibhreas céanna sa Ghaeilge. Ta focail ann a chuireann giorracht an ama in iúl amhail : *scailp, snap, treall, treallán* agus focail a chuireann seal níos faide in iúl: *sea, stáir, stráisiún, strambán.* Is tréimhse trí lá an *tréanas,* focal a bhfuil macalla de sa chreideamh. (Tá Déardaoin gairthe amhlaidh toisc gur lá idir dhá Aoin é, lá idir dhá thréanas). Seal atá ceangailte le húsáid uirlise mar shampla tugtar *spailp/speatar* air (*thug sé spailp den charr dom*) agus *aga/breith/faill* ar an am is gá chun cuspóir éigin a chur i gcrích. Is minice a úsáidtear *faill* anois chun an cuspóir féin a aistriú. Ní nach ionadh tugtar *eadra* ar sheal ama measartha fada agus i gcás duine breoite má tá an galar gan leigheas tá sé ag baint *eangaíochta* as agus deirtear go bhfuil a *naomhaí* caite má tá sé *ar aghaidh bisigh.* An fear gnóthach atá de shíor faoi bhrú, ní mór dó *eatramh/lon* a fháil, an t-am is gá idir dhá dhualgas eile (nó seal is ionann agus an tamall faoisimh i lár na stoirme). An té a bhfuil dualgas air *ba mhithid dó/tháinig sé de mhítheas dó* rud éigin a dhéanamh. Más lú brú an dualgais ach go bhfuil gá le gnó a dhéanamh, is ceadmhach do dhuine é a dhéanamh *ar a mhithidí féin.* Maidir leis an dualgas is tábhachtaí, faigheann duine *ea na haithrí.*

An té nach bhfuil cúram ar bith air is *am fóillíochta* atá aige. Ní mór dó an lá a *mheilt.* Is suimiúil mar a amharctar ar an díomhaointeas mar choimhlint leis an lá. Bíonn duine *ag baint/goid a lae as,* ag iarraidh *an lá a bhréagadh/a chur faoi bhruth, ag fuarú na haimsire* amhail is dá mba ghá an t-am a shuaimhniú. Tá an Ghaeilge an-mheafarach nuair is barraíocht ama atá i gceist: *is teachtaireacht an fhéich ón Airc agat é* ('it has taken you a long time to complete your errand'), *is fada a bheas d'íorna ar crann* ('you'll be a long time about it'), *is é teacht an tseagail/tseilide agat é* nó *feitheamh an tsionnaigh ar mhagairlí an tairbh* ('you have taken a long time to come'). Mar bharríomhá ar thréithe daonna an ama, ar ndóigh, tá an seanfhocal *is maith an scéalaí an aimsir*.

(c) báisteach

Toisc go bhfuil teanga shainiúil na haimsire breactha síos thuas is fiú súil a chaitheamh ar theanga na báistí óir is í an bháisteach an tréith is coitianta den aimsir. Déanann an Ghaeilge idirdhealú idir na saghsanna éagsúla báistí maidir le déine, le séasúr agus le meon an duine ina leith. Tá *boglach an Gheimhridh* ('winter rains') agus *trí dheoch an Aibreáin* nuair atá *cith is gealán* ann gach re seal. Ina dhiaidh sin tá *scread na Bealtaine* agus *na ceathanna fáis* agus *an craobhmhúr* a chuireann dlús leis na plandaí.

Nuair is *cianbhagairt* atá ann fós tá *bruth báistí* ann agus nuair nach bhfuil aon bháisteach ann in aon chor tá *craobh fhliuch ar an lá* nó *tá cuma fearthainne air* nó *tá cló báistí / stiúir bháistí* ar an lá. Ina dhiaidh sin feictear go bhfuil sé *ag bruachadáil ar fhearthainn* nó go bhfuil *an spéir ag tolgadh fearthainne* nó go bhfuil *géarbhach báistí* ann nó in aimsir teasa go bhfuil sé *ag bruith fearthainne*. Sula dtosaíonn an bháisteach i gceart tá *fuadar fearthainne* faoi nó tá *múr* air agus ansin tá *braon* air nó *braonaíl fearthainne* nó tá *braon i mbéal na gaoithe*. Ansin tagann *an spreachall fearthainne / spréachbhraon* nó deirtear go bhfuil sé *ag spréachadh báistí* ('spitting rain'). Mura bhfuil cuma ródhona ar an aimsir deirtear *nach ndéanfaidh sé brí fearthainne*. In amanna d'ainneoin na bagartha, *is duifean mór ar bheagán fearthainne* ('much cloud and little rain'). Ansin tá sé *ag biathú báistí* ('first drops are falling').

Nuair a thosaíonn an bháisteach d'fhéadfadh *drúcht fearthainne* ('fine dewy rain') nó *draonán / drothán / fliuchbháisteach / seadbháisteach* ('drizzle') nó *barrchith / ceathán* ('light shower') nó *bláithchith* ('light fresh shower') nó *craobhmhúr* ('slight shower/scattered rain') nó *múirín* ('brief shower') *múirín gréine* féin nó *liongar ceatha / tonnchith* ('heavy shower') nó *batharnach / doirteán / folc / gleidearnach / spút / stealltarnach* ('downpour') nó *gailbh* ('windy shower') nó *maidhm bháistí* ('cloudburst') nó *fleá* (cith agus gaoth láidir) a bheith ann. Má thagann an fhearthainn gan choinne is *brúisc fearthainne / ráig bháistí / ráig de mhúr* agus *múirling / spairn / sprais* ('heavy sudden shower') é. Bíonn *eatramh / fáfall / uaineadh* ann idir na ceathanna.

Tá aidiachtaí ann freisin chun cur síos ar an gcineál aimsire atá ann:
lá barrcheathach ('day of light showers'), *lá craobhcheathach* ('day of
scattered showers'), *lá deannachtach* ('piercingly cold drenching day'), *lá
duartain* ('day of torrential rain'), *lá gailbheach* ('windy and showery
day'), *lá leidearnaí* ('day of driving rain'), *lá múraíolach* ('showery day'),
aimsir scrábach ('broken, showery weather'), *lá srathach* ('day of
intermittent showers') agus ní luaim ach iad. Ní hiontas ar bith mar sin
na haidiachtaí is rogha leis an nGaeilge chun gnáthstaideanna aimsire
a shonrú: *cinnte* ('constant'), *leatromach* ('local') agus *cosúil* ('fair').

Tá raidhse téarmaíochta ann chun an t-uafás báistí a ríomh. Is doiligh
a mheas an cainníocht nó minicíocht atá i gceist i gcónaí. Nuair a deirtear
go bhfuil sé *ag clagairt / clagarnach / clascairt / gleadhradh báistí*, is léir
go raibh fuaim le cloisteáil ag an té atá istigh. (Leoga amharctar ar an
bhfocal mar fhuaim ar an gcéad dul síos mar is léir ón teaghlach focal
gaolmhar: *gnúsarnach, liacharnach, siosarnach*). Nuair a deirtear go
bhfuil sé *ag greadadh / liagarnach / radadh báistí* nó *ag lascadh /
síobadh / stolladh fearthainne*, tá an bhéim á cur ar an dá chineál
peannaide ag an duine atá amuigh sa fhliuchlán, a bhfuil
fleachadh / fothragadh / sabhsa á fháil aige gan an *gailfean báistí*
('wind-driven rain') a chur san áireamh. Is acmhainn don Ghaeilge céim
eile fearthainne a chur in iúl nuair atá an bháisteach ag titim ina tulcaí
nó ag scairdeadh den díon nó go bhfuil *taoisc / tuile bháistí* nó *tuile liag*
ann. *Díle bháistí* atá ann dáiríre. Nuair nach bhfuil aon uaineadh ach
ar éigean idir na ceathanna deirtear go bhfuil *sraitheanna báistí*
('successive showers') ann amhail dá mba scáthán an spéir ar na
sraitheanna féir nó feamainne nó móna ar talamh. Agus cá gcuirtear an
locht? Níl an talamh ná an trá inmhilleáin ná an aimsir féin. An spéir a
bheith *ina criathar* is cúis le pé fliuchlach a tharlaíonn.

(d) bás

Nuair is léir a chóngaraí agus a dhaonnacht a shamhlaítear an dúlra
agus an aimsir do mheon na Gaeilge, ní hiontas ar bith é go bhfuil amhras
agus débhríocht air i láthair an bháis. Nuair a admhaítear go bhfuil an
bás dosheachanta, *nach nglacfaidh sé duais* ('it cannot be put off') agus
nach féidir dul i bhfolach air bíodh is go dtig le duine cluain a chur tamall
eile air, is léir go bhfuil an teanga lomlán d'íomhánna an bháis i
gcomhthéacs cluiche nó súgartha. Is ionann an bás ar bhealach agus

ionadaí an chine thall atá básaithe cheana féin.

Is síneadh ar an mbeatha an bás agus bíonn aird an duine dírithe i gcónaí *ar thaobh an teampaill* nó *ar an trá thall*. Nuair a thagann *an ceannlá* nó *ionú an bháis*, is ag dul *in araicis seanaitheantais* atá an duine. Is comhdhuine é an bás. Bíonn an duine *in agallamh an bháis* agus *ag comhrá leis an mbás* agus nuair atá sé *in uacht / ursain an bháis* is *ag dul abhaile* atá sé mar is féidir go bhfuil an bás *ina sheasamh idir a dhá shúil*.

Shílfeá gur ag tnúth leis an mbás a bhí an duine. Baintear feidhm as sofhriotail chun an turas ionsar an mbás a ríomh. Cuirtear an locht ar an anam san abairt *go dtréige an t-anam mé* agus *tá sé ag croitheadh na gcos* nuair atá an bás ag druidim leis. Deirtear *go bhfuil cuisle ag an mbás air* nó *go bhfuil an bás ag snámh ar a chraiceann* nuair atá dath an bháis ag teacht air agus go bhfuil *an bás ag sealbhú ann* sula *dtagann an bás ar a thí*. Feictear an saol mar chúrsa agus tagann an bás nuair atá snáithe an tsaoil caite. Má chuirtear deireadh leis an saol róluath deirtear gur *gearradh snáithe an tsaoil*. Tar éis bháis dó ní athraíonn a chinniúint dáiríre. Beidh an duine *ag treabhadh an iomaire fhada* nó *ina chuid dhílis den chré* ina bhfuil sé curtha, *ag tabhairt an fhéir* nó *ag iompar na bhfód*. Is é *fód an bháis* an áit is dual don duine *síothlú* nó *smiogadh* nó *snigeáil* nó *spéiceáil*. Tarlaíonn an claochlú roimh an mbás nuair atá *íota an bháis air* agus ansin caitheann sé seal *i meá an bháis* sula mbíonn air *teacht i meá Mhichíl*. Tugtar le fios go bhfuil cumas comhraic ann fós go bhfuil sé *ag saothrú an bháis*, *go himirt anama féin* go dtí *go dté ordóg an bháis ar a shúile*. Ansin tá sé *sa chréafóg* nó *tá luí na bhfód air* nuair a chaitear *trí urchar na sluaiste / na trí scaob air*.

Dearcadh an-urramach atá ar an mbás. Níl ach corrthagairt don neamhní go fiú san úir féin. Deirtear, áfach, *gur chaibeáil siad duine* amhail is dá mba phráta é. Is dócha go bhfuil sé ansin *i measc na ndaol* toisc go raibh sé *sa leabhar ag an bhfiach dubh*. Is amhlaidh don té atá *ar an sop* nach mbeidh sé *faoi leac* tar éis dó *an sciúg dhéanach a chur*.

Níl ansin ach cuid d'fhoclóir na Gaeilge ar an mbás. Tá cur síos mion ar na céimeanna uile roimh an mbás agus ina dhiaidh. Fíric uasal amháin atá mar íomhá ar chaidreamh an duine leis an mbás: go gcaitheann an duine a shaol a bheag nó a mhór *i mbéal / mbéala báis* agus go bhfuil *cuid mhaireachtála ann* ('he's in no danger of death') go dtí go ndílsítear don bhás é ar deireadh. Dearcadh an-dearfach atá ann ar an mbás agus dearcadh nach bhfuil chomh scanraithe ann féin agus atá an dearcadh ar an aimsir féin. Is fiú a mheabhrú mar fhocal scoir ar an mbás gurb ionann fréamh (*aingid* 'protect') do *adhlacadh* / *adhnacal* agus *anacal* ('protection', 'delivery').

(e) dathanna

Leagann na heitneolaithe an-bhéim ar dhathanna mar shampla den dóigh ina ndearcann pobail éagsúla ar an réaltacht. Deirtear go léiríonn an dearcadh ar dhathanna go leor ciútaí ar mheon pobail. Ní hionann dathanna nuair a athraítear an creat: ní hionann orlach cearnógach goirme agus slat chearnógach goirme ná ní hionann goirme i gciorcal agus goirme i gcearnóg. Is feiniméan optúil é a bhfuil cuspa de lonnaithe cheana i samhlaíocht an duine. Is deacair i gcónaí 'dathfhocail' a aistriú ó theanga go chéile. Deirtear mar shampla nach acmhainn do threibheanna áirithe *dearg* agus *donn* a idirdhealú agus nach acmhainn do chuid eile *dearg* / *donn* / *dubh* a idirdhealú. Tugtar sampla na Breatnaise nach bhfuil in ann dath na spéire, na farraige agus an fhéir a idirdhealú agus tá 'brown' an Bhéarla a bhfuil seacht gcoibhéiseach air i bhFraincis ach gur lú i bhfad an raon dathanna atá i bhFraincis Cheanada. Tá tagairt déanta don ghné seo ag Ó Murchú (1970, 35, nóta 4). Deir sé 'nach féidir *liath* na Gaeilge a chomparáidiú sa chruinne le *grey* an Bhéarla', agus ar ndóigh ní raibh focal ar bith ar 'grey' sa Laidin. Is leor amharc ar iomadúlacht na miondifríochtaí sna dathanna sa Ghaeilge chun mionchiall na teanga do na dathanna a fheiceáil.

Is éaguimseach an éagsúlacht atá ann sa Ghaeilge agus an úsáid a bhaintear as comhfhocail chun an éagsúlacht a chur in iúl agus chun cur léi. Féach mar shampla an oiread sin focal atá ann chun 'red' an Bhéarla a chur in iúl. Tá *dearg* agus *flann* agus *rua* mar aon le meascán de dhá cheann le chéile in amanna *deargrua*, *flanndhearg*, *flannrua* gan tagairt ar an gcomhfhocal a dhéantar go minic idir an dath agus ball den chorp: *dearg-ghnúiseach*, *ruabhallach*. Tá ciall ar leith le *fordhearg*, *fordhubh*, *foruaithne* agus ciall eile le *ciardhonn* agus *ciardhubh*. Ansin féin, is *círíneach* an aghaidh atá 'flushed/florid' nó *ruánach* ('ruddy') nach ionann agus a bheith *dúghorm san aghaidh*. Agus cá bhfágtar 'grey' an Bhéarla. Is é *glas* an focal is cruinne de ghnáth ar 'grey' cé go n-oireann *liath* go minic freisin. Ach is *lacharnach* ('grey of wool'), *lachna* ('dull grey'), *liathghorm* ('pale-grey'), *spadliath* ('greyest of grey') agus *riabhach* ('grey of eye').

Is amhlaidh le gach bundath nó fodhath. Déantar é a chumasc le bundath eile *bánghlas, buídhearg, dúdhonn, glasghorm, liathdhearg.* Ansin tá na réamhfhocail eile a chlaochlaíonn an bundath *breacghlas, corcairghorm, glédhearg, scothdhonn, tláithghorm.*

In éineacht leis an raidhse dathanna gona miondifríochtaí cúirialta tá na dathanna a fhreagraíonn d'abairt féin i mBéarla. Tá an fhéasóg atá *bricliath* ('streaked with grey'). Agus tá baint idir dhathanna na Gaeilge agus mhothúcháin an Bhéarla agus a mhalairt. Tugtar *scéiniúil/scanraithe* ar dhath atá 'garish/glaring' agus *neamhscléipiúil* ar an dath atá 'sober'. Tá rud beag den stair fite fuaite sna dathanna freisin ó tugadh na *dúchrónaigh* ar shaighdiúirí úd na Breataine. Bíodh is gur oir an teideal do dhath na héide ba nimhní i bhfad an dubh agus an crón sa mhullach ar a chéile i nGaeilge ná ceist dathanna amháin. Domhan draíochta ann féin domhan na ndathanna i nGaeilge ach mar fhocal scoir is leor a rá go ndearnadh briathar de gach dath: *bánaigh, buígh, dearg, donnaigh, dubhaigh, fordhearg, glasaigh, liath, odhraigh, ruaimnigh* agus iad uile aistreach agus neamh-aistreach ar aon uain: 'to become/make ...' Is léargas ar shaoithiúlacht shuaithinseach na Gaeilge an míneadas grinnfheithimh seo ar an saol máguaird. Is aisteach buille na cinniúna a chinn go bhfuil greim caillte againn ar an méithe téarmaíochta seo nuair atá saol nua-aoiseach na tráchtála ar thóir líocha nua de shíor chun aird an duine a mhealladh. Nach iontach an t-éileamh a bheadh ar phéint ar tugadh *dath ubh an chlochráin* nó *liathadh an choilm* uirthi!

(f) modhanna tomhais

Tá tréithe pearsanta ag gabháil go minic le meas na gcainníochtaí nó na n-achar nó tomhas de shaghas ar bith i nGaeilge is cuma más ag tagairt do cheisteanna bia, dí nó talún atáthar. Is beag den eolaíocht chruinn a bhaineann leis ach tá a bheachtas féin aige mar chóras go háirithe nuair a théitear i muinín bhaill an choirp mar threoir. Is é *banlámh* an ceann is lú agus ansin *fearlámh, feardhorn* (tá *trí fheardhorn i ngach méar dá mhéara* ag an bhfathach), *fearghlac,* réise an fheardhoirn móide síneadh na hordóige. Bealach eile bhí sé bunaithe ar *an gcromadh,* fad an orlaigh láir. Bhí ocht nó naoi gcromadh i slat.

Déantar tomhas an talaimh maidir leis an achar os do chomhair
amach le *rámhainn talún*, achar is ionann agus fad agus leithead na
rámhainne. B'ionann sin agus dhá *choiscéim*. Tosaíonn an tomhas ar
scála níos leithne leis an gcos freisin agus tugtar *cos talaimh* air. Is
ionann é agus an t-ochtú cuid den *seisíoch*; is é an seisíoch an séú cuid
den *seisreach* ('ploughland'); is ionann *seisreach* (an focal céanna a
thugtar ar fhoireann sé chapall) agus an ceathrú cuid de *bhaile* (an
tríochadú cuid den *bharúntacht* nó *an triúcha céad*). Sin mar a
amharctar ar thoisí na cruinne, ón gcos go dtí an baile, gach ceann acu
ag brath ar chuid éigin de ghnáth-thaithí an tsaoil. Tá modhanna eile
tomhais. Is ionann ceithre cos talaimh agus *gníomh* nó *féarach aon bhó*,
agus is ionann *dhá ghníomh déag* agus *fearann*. Is ionann *an fearann*
agus *an tseisreach* agus tugtar *seisreach fearainn* air chomh maith.

Is amhlaidh don chainníocht is féidir a iompar. An méid is lú, is *ladhar
mhine* é mar is ionann ladhar agus an t-achar idir na méara; ina dhiaidh
sin tá an *glac mhine* mar is é an ghlac an lámh leathdhúnta. Cainníocht
nó líon teoranta go maith fós atá sa *dornán* - leithead na láimhe nuair
atá lámh agus ordóg sínithe oiread agus is féidir. *Gabháil* nó *lámhrú* nó
luchtar a shonraíonn méid níos mó. Is ionann *luchtar* agus *lucht na glaice*
agus dá bhrí sin is ionann *luchtóg* agus méid níos lú.

Tá réimse téarmaíochta freisin chun codanna bia a chur in iúl. Is
ionann *dabhaid aráin* agus 'thick cut' agus is ionann *dalcán* agus 'small
chunk'. Tá *dailc* idir eatarthu agus tá na *giobóga/grabhar/grabhróga* a
fhágtar don bhochtán. Is meáchan cinnte prátaí an *bodachán*. Ní
hamhlaidh don *cúil* ('heap') atá stóráilte, *maois/maoiseog/muireog*
('heap'), *sceallán/scoilteán* ('set') agus *airí prátaí* ('plenty'). Go fiú tá
téarma ann, *cruit phrátaí*, don mhála prátaí a goideadh agus *ceaist
phrátaí/luathóg* ('batch') atá rósta sa ghríosach. Tugtar *gríosach phrátaí*
orthu freisin. Ansin bhí téarmaí speisialta do gach cineál prátaí maidir
le méid de, ón *broc/dradairníní prátaí* nó *sliomach/steodaire* ('small and
worthless') go dtí an *cnaiste/fadhbán/gillín práta* nó *meallamán* ('large')
gan trácht ar an *sceallán*, an *práta seaca/creachán* ('small potato') agus
clabhrán atá níos lú arís. Tá *laíon*, an chuid den phráta tar éis na súile
a bhaint as. Tá téarmaí do chruth an phráta ar an bpláta, *cruinn* ('whole,
unmashed'), *cnag* ('underdone'), *spréite* ('bursting their jackets') go dtí *na
scríobóga prátaí* sa phota.

Tá *cuitín* tobac ('cut') agus *gairleog* thobac ('lump'). Is ionann dáileog agus deoch an-bheag, *failm fuisce* agus 'bumper', *galmóg* agus lán an bhéil de dheoch agus *taoscán* nuair atá gloine nó soitheach de shaghas éigin le líonadh. Ina dhiaidh sin, más gá, tá *mornán*, lán an bhuicéid de dheoch (bainne, b'fhéidir) agus *feadhnach* ar soitheach níos mó arís é. Is féidir *foiscealach / foracan* a thabhairt ar goradh bia nó dí.

Tá foclaíocht speisialta don iasc, is ionann *slaimice* agus 'lump of fish', *deascán* agus líon beag éisc, *dol* nó *gallach éisc* ar 'haul' agus *téagar éisc* ar chainníocht mhór; tá *lámh* - trí cinn de mhaicréil - ann; agus do na mionchodanna cré: *daba créafóige* ('lump/clod'), *garbhóg chloiche* ('lump'). Agus níl aon ghanntanas téarmaí ann chun cumas áiféiseach na Gaeilge a shásamh: tá *díchuimse* agus *dírímh* agus an méid *do-áirithe / éaguimseach / neamhchuimseach* is ionann agus *domhnaíocht* nó *neamh-mheán* nó *thar modh*. Níor theip ar an nGaeilge riamh nuair a bhí rabharta a shamhlaíochta le cuimsiú aige.

(g) talamh

Nuair atá an oiread sin téarmaí don oiread sin saghsanna báistí ní hionadh ar bith é go bhfuil raidhse téarmaí sa Ghaeilge chun staid na talún a ríomh. Tá an chré atá *spadach* ('soggy') inti féin arb ionann í agus *búilleach* nó *corrach*. Ansin tá an talamh atá ina *bogán* ('quagmire') nó ina *spútrach* de thoradh bailc fearthainne. Tá an talamh nach bhfuil ach *barrfhliuch* tar éis ceatháin agus an talamh atá ina *bhalc* tar éis bhrothall na gréine.

Ansin tá cáilíocht an talaimh. Má tá fód maith ar an ngort is amhlaidh is fearr óir is ionann agus *brablach talaimh* an talamh gan fód. Gan breith a thabhairt ar cháilíocht an talaimh féin, tá an *andairneacht* nach furasta a bhriseadh gan trácht ar an *clamhán / geadán* ('bald patch in land') nó an *drochéasc* ('barren patch') nó an *lompaire*. Tá an *cruaiteachán talún* nó an *spleotán talaimh* ('patch of poor land') agus an *screabán / screablach* nuair is flúirsí na clocha ná an féar. Tá talamh atá *aosáideach / sprusach* ('easily worked') agus tá a mhalairt, talamh atá *cíbleach* ('sedgy'), *grabach* ('rough'), *curásach* ('weedy') agus *foiseach*, féar nach bhfuil teacht ag an mbuainteoir air. Tugtar *áirí* ar an talamh a leasaíodh an bhliain roimhe sin nó a raibh prátaí ag fás ann. *Athphrátaí* a thugtar ar thalamh mar sin freisin.

Tá tábhacht le suíomh an talaimh gan amhras. Tá an *bunán talún* nó *ísleán* nó *logán* atá in áit íseal gan a bheith ina *caológ / curchas / srath*, is é sin talamh cois abhann. Ansin tá an *tamhnach / tamhnóg*, talamh curaíochta ar na harda agus a bhfuil a rian le feiceáil i roinnt mhaith logainmneacha. Agus tá na saintéarmaí tomhais agus datha le fáil i gcomhthéacs na talmhaíochta. Is ionann *cnagaire* agus gabháltas beag is ionann agus sé acra dhéag. Gabháltas is mó is ea an *cartúr*, a bhfuil ceithre acra seasca ann. Is ionann *dairt* agus stráice talaimh agus is leis an *forrach* a rinneadh an talamh a thomhas. D'fhéadfaí suas le fad caoga slat a thomhas léi. Tugtar *an fód dearg* ar an gcré a bhristear agus, ní nach ionadh, *fód glas* ar bharr an fhéir. Ach tugtar *méithmhóin* nó *móin bhán* ar 'brown turf' agus *móin dhubh* ar 'black turf'.

Níl sna samplaí sin ach fíorbheagán de théarmaíocht na talmhaíochta agus ní luaim in aon chor saibhreas as cuimse théarmaíocht na móna agus obair na talmhaíochta i gcoitinne. Is é an ghné is suntasaí den iomlán a mhinice is leor focal gonta amháin chun coincheap iomlán a chur i bhfios. Cad as a dtáinig an cruinneas seo agus cad a deir sé faoi inniúlacht agus acmhainn an phobail a cheap é?

Is cuid de ghnásanna dúchasacha na Gaeilge an téarmaíocht sin a mhéad a thugann sí léargas grinn dúinn ar mheon an phobail a ghin í. Is féidir a mhaíomh nach chun leas na teanga atá an iomadúlacht sin ann, gur comhartha éagumais í ar bhealach. Is dócha gur comhartha éiginnteachta é le tamall ó tá greim caillte againn ar an iomadúlacht agus ar na saindifríochtaí. Ach is comhartha nirt an iomadúlacht más léir gur shíolraigh sí ó chultúr agus ó shaíocht a raibh comharthaí sóirt dá gcuid féin iontu. Ní féidir a shéanadh go bhfuil dearcadh ar an aimsir, ar an mbás, ar an talamh atá arna chur i bhfriotal sa Ghaeilge ar chaoi atá dodhéanta sa Bhéarla ní toisc gur fearr ná gur inniúla an Ghaeilge ach toisc go bhfuil an Béarla difriúil agus nár amharcadh ar na feiniméain sin ar an dóigh sin i mBéarla. Níor amharcadh orthu mar a d'amharcfaí ar neach beo. Is dócha nach bhféadfaí íomhá níos oiriúnaí chun an éagsúlacht meoin a cheapadh ná 'Indian summer' an Bhéarla gona mhacallaí impiriúla agus *fómhar beag na ngéanna* gona dhearcadh ar shaol na tuaithe agus ar luachanna an dúlra agus na ndúl.

Cuid IV - Réchonn na Staire
Caibidil 8 - Eiseamláir na Máistrí

Níl sé i gceist agam dianstaidéar a dhéanamh ar na haistriúcháin uile a rinneadh sa tréimhse sin san tríochaidí nuair a bhí Séamus Ó Grianna agus a chomhbhádóirí ag obair leo 'ó éirí gréine inniu go héirí gréine amárach' agus ag aistriú idir ocht agus naoi míle focal in aghaidh an lae. Ba scríbhneoirí Gaeilge den chéad scoth a chuir leagan Gaeilge de na bunsaothair ar fáil. Níl teacht ar na foilseacháin sin a thuilleadh ach ar éigean agus is doiligh go minic teacht ar an mbuntéacs ach oiread. B'fhiú iad a chur ar fáil arís chun gurbh fhéidir comparáid a dhéanamh idir an dá theanga agus iad á gclaochlú, á gcumasc ina chéile faoi stiúir na máistrí. Ba bhreá liom anseo súil a chaitheamh ar thrí cinn: *Filéad na Bainríona*, aistriúchán a rinne Séamus Ó Grianna ar *The Queen's Fillet* le Canon P.A. Sheehan, *Muintir an Oileáin* a rinne Seosamh Mac Grianna ar *Islanders* le Peadar O'Donnell, an t-aon cheann den triúr a bhfuil fáil air go furasta i nGaeilge, agus *Máire* a rinne Niall Ó Dónaill ar *Marie* le H. Rider Haggard. Tá súil agam gur rogha áisiúil iad sa mhéid seo gur scátháin iad ar thrí chineál scríbhneoireachta: an chéad cheann le húdar Éireannach ag scríobh faoi eachtra idirnáisiúnta, an dara ceann le húdar Éireannach (ón nGaeltacht féin) ag scríobh faoi eachtra a d'fhéadfadh a bheith mar ábhar ag an aistritheoir féin agus a bhfuil cúlra na Gaeltachta leis agus an tríú ceann le húdar eachtrannach ag cur síos ar scéal san Afraic Theas. Tugann gach ceann acu a léargas féin ar inniúlacht na Gaeilge gnéithe éagsúla de shaol agus stair an duine a láimhseáil ar a saindóigh féin.

(a) Filéad na Banríona

(i) Amharcaimid i dtosach báire ar an sliocht seo as caibidil XV;

The campaign was short but so far decisive. The peasant soldiers, satisfied with a few bloodless victories, went back to the vintage and the harvest, put up their weapons, and got Masses said for those they had killed. The Republicans went back to their barracks, swearing revenge on those vile peasants who had dared to oppose the armies of the Republic.

Níor mhair an comhrac i La Vendée ach seal gairid. Ach chuir sé deireadh leis an teagmháil ansin ar feadh tamaill. Fuair na tuatánaigh cupla bua gan mórán fola a dhoirteadh. Bhí siad sásta leis sin. Chuaigh siad abhaile a bhaint an fhómhair, chuir a gcuid arm i

leataobh agus chuir siad aifriṅ le hanam na bhfear a mharaigh siad.
Chuaigh Poblachtaigh ar ais chun a gcuid beairic agus iad ag mionnú
go mbainfeadh siad éiric as na doirneálaigh shuaracha a bhí chomh
dána agus go ndeachaigh siad in éadan chuid arm na Poblachta.

Tá na cleasanna uile le feiceáil sa phíosa seo. Ní leor leis a rá go raibh
an *comhrac gairid* óir is doiligh comhrac *gairid* a shamhlú. Ní abairt
ama atá ann maidir leis an gcomhrac, is gá dá bhrí sin briathar chun an
tuairisc cheart a thabhairt ar an gcomhrac. Ní raibh an comhrac *gairid*
ná *fada, leathan* ná *cúng* ach mhair sé seal fada. Níl sé sásta 'decisive' a
aistriú go litriúil ar an ábhar céanna. Ní mór an focal a mhéadú agus
abairt iomlán a dhéanamh de. Sa chéad abairt eile déanann sé trí cinn
di. Tugann sé an t-eolas ar dtús, na fíorais loma, *fuair siad bua* agus níor
doirteadh mórán fola agus arís úsáideann sé abairt chun 'satisfied' a chur
in iúl. Níl mórán le tabhairt faoi deara sa tríú habairt ach amháin nach
bhféachann sé le 'vintage' a aistriú in aon chor. Ba bheag taithí a bheadh
ag an ngnáth-Ghaeilgeoir an tráth úd ar riachtanais na fíniúna agus níor
mheas sé gurbh fhiú oiriúnú a lorg. Sampla maith is ea é den bhriathar
sin 'get' sa mBéarla a bhfuil blas éigin den diagacht féin ag roinnt leis.
Níl aon amhras sa Bhéarla gur iarradh ar shagart an t-aifreann a rá ach
tugann an Ghaeilge le fios go bhfuil páirt níos dlúithe ag an achainíoch
sa ghníomh. Agus ansin tá *anam* san uatha in ionad iolra an Bhéarla
toisc nach bhfuil ach anam amháin ag gach duine. An chéad deacracht
eile tá sé ag baint le 'terrific revenge' agus arís téann an Ghaeilge i muinín
an bhriathair agus fágtar an aidiacht gan aistriú in aon chor. Is leor dar
leis go mbainfí *éiric* as. Níl gá le haidiacht aitreabúideach. An t-aon
tagairt eile atá le déanamh is don mhodhnú/trasuíomh briathar/aidiacht,
'dare' *dána*.

(ii) Tá an sliocht seo as Caibidil XVI agus is teanga é atá níos cóngaraí
do chaint dhílis an ghnáthdhuine ná an chaint mhíleata bhagrach sa
cheann deireanach.

> Maurice and his wife stood transfixed with horror; but the old man lost
> all control of himself. He raged and wept, threatened and implored the
> officer, denounced the royal family at one moment, the Republicans
> and Revolutionaries the next. The officer calmly waited, whilst
> upstairs the sounds of rummaging and breaking open boxes and
> secretaries went on.

Tháinig oiread uafáis ar Mhaurice agus ar a bhean agus gur fágadh
ina seasamh ansin iad mar a bheadh siad fuaite don talamh. Chuaigh
an seanduine sna céad-déagaí le fearg agus níor choinnigh sé scáth air

féin. Tháinig racht air agus thosaigh sé a chur thairis, tamall ag gabháil don Rí agus tamall eile do lucht na Muirthéachta. Sheas an t-oifigeach ansin go suaimhneach. Agus bhí an trup le cluinstin thuas staighre an áit a rabhthas ag cuartú agus ag tiomsú agus ag briseadh bocsaí is priosanna ar lorg páipéar.

Tá sé suimiúil an dóigh a dtéann an t-údar i gceann na chéad abairte. Ní féidir leis an nGaeilge déileáil leis an mbriathar 'transfix' i gcomhthéacs meafarach. Ní mór di mar a mhol an Nuallánach ord na haimsire agus na loighice a leanúint agus an t-uafás a lua i dtosach báire (caibidil 9 thíos). Déanann sé dhá chlásal de agus baineann sé úsáid as meafar níos dúchasaí chun éifeacht an uafáis a chur in iúl. Cuireann sé a ord féin ar na heachtraí maidir leis an seanduine freisin. Chuaigh sé ar leathmhire ar dtús agus dá dheasca sin níor choinnigh sé smacht air féin. Feic an clásal i nGaeilge chun an briathar 'rage' a aistriú, agus an fhoirm dhiúltach *níor choinnigh* chun 'lost' a aistriú. Athrú meoin bunúsach é sin idir an dá theanga: tugann an Béarla le tuiscint - leis an mbriathar neamh-aistreach - nach air a bhí an locht, gur theith an 'control' uaidh dá ainneoin féin; ach fágann an Ghaeilge an milleán ar fad air - briathar aistreach + diúltach; thiocfadh leis scáth a choinneáil air féin ach níor choinnigh. Is cosúil nach ndéantar 'threatened and implored the officer' a aistriú ach gur leor an dara leagan ar 'raged' chun an mothúchán a chur i gcéill. Ní thugtar aird ar 'waited' ach oiread óir ní *'waiting'* atá ann dáiríre. Is leor a rá go bhfuil an t-oifigeach ina sheasamh go suaimhneach chun ciall na habairte a bhreith. Tá sé suimiúil arís go ndéantar an abairt dheiridh a bhriseadh ina codanna. Níl aon ródhúil ag an nGaeilge sa choibhneasta óir is loighic eile ar fad atá taobh thiar di. Is fearr na habairtí a cheangal le cónasc nó abairt eile ar fad a thosú.

(iii) Píosa as Caibidil XXIV an ceann seo mar a bhfuil an Béarla an-teibí ar fad agus doiléir, éideimhin.

> ... he made his way northward, following the windings of the river. He had to face many hardships on account of the suspicions of the peasantry, who were in a state of absolute terror owing to the atrocities committed by the Republican armies on all whom they suspected to have Royal or Catholic sympathies .. It was a name of much potency; but incredulity was the order of the day. Yet, he was somebody. That was clear. And he was brought before the General-in-chief ... There was a look of quiet determination in his eyes that showed the young prisoner that if there might be justice hidden there, there was not much mercy.

... d'imigh leis ó thuaidh, agus an abhainn ag déanamh an eolais dó.
Fuair sé am crua ar an mbealach nó bhí amhras ag lucht na tuaithe
ann, as siocair an ainíde a bhí arm na Poblachta a thabhairt do gach
duine a raibh barúil acu go raibh sé ar thaobh na gCaitliceach nó ar
thaobh an ríora...Ainm céimiúil a bhí ann. Ach bhí na daoine
amhrasach an uair a bhí ann. Ach b'fhollasach gur duine mór éigin a
bhí acu agus thug siad i láthair an ardtaoisigh é ... Ach bhí gnúis láidir
air a thug le fios don phríosúnach má bhí sé ionraic féin nach raibh
mórán trócaire ann.

Tá sé soiléir arís anseo gur comhréir agus dearcadh eile ar fad atá idir
an dá theanga. Sa Bhéarla níl aon chaidreamh idir eisean agus an
abhainn, ach an siúlóir ag teacht ina diaidh. I nGaeilge, áfach, is fórsa
pearsanta, daonna beagnach an abhainn. An réamhfhocal comhshuite
'on account of', tugtar neamhaird air. Is fearr dhá abairt le dhá bhriathar
a dhéanamh as an mBéarla. Tá difear i ndearcadh an údair freisin. Is
teanga i bhfad níos solúbtha, pearsanta an Ghaeilge anseo: *fuair sé am
crua* in ionad 'he had to face many hardships' agus idirdhealaíonn sé an
dá fhocal 'suspicion' agus 'suspect'. Amhras arb ionann agus imeagla é an
chéad cheann; níl sa dara ceann ach *barúil*. Níl gá le cruthúnas ná
fianaise, is leor an bharúil chun ainíde a thabhairt. Ansin feic an liosta
ainmfhocal i mBéarla: 'potency', 'incredulity', 'determination', 'justice',
'mercy', scoth na teibíochta ag borradh iontu agus an 'somebody'
suntasach seo. Cad é mar a roinneann an Ghaeilge leo? Déantar
trasuíomh ainmfhocal/aidiacht go minic: 'potency' > *céimiúil*,
'incredulity' > *amhrasach*, 'justice' > *ionraic*. An abairt theibí féin:
'incredulity was the order of the day', déantar abairt phearsanta de. Tá
feicthe againn minic go leor faoi dhúil na Gaeilge i bpearsantú an choirp.
Is leor *bhí gnúis láidir air* chun 'there was a look of quiet determination'
nuair a dhéantar modhnú trí bhrí agus éifeacht an ainmfhocail a lonnú
san aidiacht agus ní dhéantar an aidiacht i mBéarla a aistriú. Is suimiúil
an oiread sin den Bhéarla nach n-aistrítear in aon chor : 'state of absolute
terror', 'in his eyes', 'hidden' amhail is nach gcuirfeadh a n-aistriú le ciall
na Gaeilge.

(**iv**) Amharcfaimid anois ar abairt anseo is ansiúd chun meon an údair
i láthair bhéalscaoilteacht an Bhéarla a léiriú. As Caibidl XXVIII:

The Revolution, with appalling swiftness under the hand of
Robespierre is devouring its own children. Jean-Baptiste Gobel,
apostate Bishop of Paris, who had blessed the guillotine with solemn
rites, now passes beneath it.

Tá an Mhuirthéacht faoi smacht Robespierre agus tá sé ag ithe a clainne féin go gasta. Cuireadh chun báis Jean-Baptiste Gobel a bhí ina Easpag ar fhairche Pháras. Shéan sé údarás na hEaglaise agus choisric sé an *guillotine* le friotháil shollúnta. Agus tháinig an lá a ndeachaigh a mhuinéal féin faoin lann ar thug sé a bheannacht easpaig di.

An chéad difear atá le sonrú nach n-aistrítear 'appalling' agus go bhfuil an leagan Gaeilge i bhfad níos faide ná an Béarla. Tá difear idir stíl áibhéalach ornáideach an Bhéarla agus teanga lom scáinte na Gaeilge ach amháin nuair is fearr leis an nGaeilge gan an iomad a fhágáil faoi thuiscint an léitheora. Tugtar *go gasta* ar 'appalling swiftness' (trasuíomh ainmfhocal/dobhriathar) agus níl an Mhuirthéacht ach ag ithe ('devouring') a chlainne ('children'). Déantar *'hand'* a threisiú sa Ghaeilge le *smacht*. Sa dara habairt is leagan eile ar fad den scéal atá sa Ghaeilge. Déantar trí abairt den aon cheann. Déanann an Béarla an scéal ar fad a choimriú agus é ag gluaiseacht siar san am agus ar ais go dtí an t-am láithreach. Chun 'apostate' a aistriú, déanann an Ghaeilge an scéal a mhéadú. Bhí sé tráth ina easpag ach shéan sé a chreideamh agus choisric sé an ghilitín. Ach san áit a bhfuil maolaisnéis an Bhéarla 'now passes underneath it' amhail is dá mba dhréimire é, ní fhágann an Ghaeilge aon stró ar an tsamhlaíocht ach trácht ar *muinéal* agus *lann*. Is sampla maith den dóigh ina dtéann gach teanga i mbun oibre agus nach féidir leagan litriúil a sholáthar ó theanga go chéile.

Sa chaibidil chéanna tá sampla de shaghas eile a shoiléiríonn arís na bundifríochtaí. 'Danton second only to Mirabeau in eloquence, second only to Marat in treachery and cruelty' agus mar a leanas an leagan Gaeilge: *Bhí deise labhartha aige, mar Dhanton, a bhí inbhuailte ar Mhirabeau. Agus bhí sé ar fhear ab fhealltaí agus ba chruachroíche acu ach Marat a thógáil as.* Athrú meoin ar fad atá anseo: dhá abairt in ionad abairt amháin, teilgean neamhphearsanta curtha ar an abairt phearsanta, *inbhuailte* ar 'second only to' an chéad uair agus leagan eile ar fad an dara huair, dhá fhocal ar 'eloquence' nuair ab fhéidir *dea-labharthacht* nó *solabharthacht* nó *líofacht* féin a úsáid, trasuíomh faoi dhó sa dara habairt ainmfhocal/aidiacht, 'treachery' > *fealltach*, 'cruelty' > *cruachroíoch*.

(b) Muintir an Oileáin

Rinne Seosamh Mac Grianna dhá shaothar de chuid Peadar O'Donnell a aistriú, *Eadarbhaile* (*Adrigoole*) agus *Muintir an Oileáin* (*Islanders*). Is é an bhochtaineacht agus an t-anró is ábhar don dá shaothar agus ní hionadh ar bith gur thug Seosamh Mac Grianna faoina leithéid a aistriú. Tá sé chomh dócha lena athrach go n-úsáidfeadh Seosamh an cineál teanga atá ag an Dónallach dá mbeadh sé ag scríobh i mBéarla, agus a mhalairt. Is é sin le rá nár cheart go mbeadh aon éagsúlacht meoin ann maidir leis an dearcadh ar chora an tsaoil agus go dtabharfaí léargas maith ar an difear idir an dá theanga comparáid a dhéanamh eatarthu i dtéacs mar seo. Ar ndóigh, tá gné eile ag gabháil leis an gcomparáid seo nach dtabharfaidh mise aird air ach ar éigean, go bhfuil Béarla an Dónallaigh á scríobh cuid mhaith faoi choimirce na Gaeilge.

(i) Is fiú tosú ag an tús. Seo an chéad mhír as an saothar.

Daybreak spread wearily over the mountains to the east, and crept down into the misty waste. A thin breeze chilled the ebb-tide. Loose bodyless clouds released a drizzle of rain. Inniscara Island shivered in the cold-lipped Atlantic, indifferent to a dawn that was lifeless.

At the head of the strand the island boats bulked black against the white-pebbled strand. The whitewashed cottages struggled into outline.

Ghealaigh an mhaidin go fann thoir ar na cnoic agus shnámh an solas anuas ar fud bhlár an cheo a bhí ag a mbun. Tháinig feothan lom agus chuir sé cuil fhuar ar an lán mhara, a bhí ag titim síos le trá. Thit ceobhrán fearthainne as néalta scaipeacha sceadacha. Bhí deilbh dheileoir ar Inis Caorach amuigh i gcraos fhuar na farraige móire, mar nach mbeadh toil aige do lá a d'éirigh gan siamsa.

Bhí cuid bádaí an oileáin i mbéal na trá, agus iad ina dtoirteanna dubha idir tú agus na méaróga geala. Na tithe fána gcuid ballaí a bhí nite le haol, nocht siad chugat ní ba shoiléire.

An chéad rud atá le tabhairt faoi deara an tuairisc phearsanta a dhéanann an Dónallach den timpeallacht go háirithe trí mheán na mbriathra, 'spread', 'crept' 'chilled', 'released', 'shivered', 'bulked' 'struggled'. Ní leanann an Griannach an bealach sin bíodh is gur breá leis an nGaeilge go minic a shamhlú sainairíonna an duine a bheith ag gabháil leis an dúlra. In ionad 'spread wearily' tá *ghealaigh go fann* nach bhfuil ann ach cur síos lom. Ní thugann an Ghaeilge le tuiscint gur doicheall atá ar an lá mar atá i mBéarla ach gur mar sin atá an mhaidin gach lá. Tá atuirse le brath sa Bhéarla nach n-aistrítear toisc nach gá é a aistriú. An chéad bhriathar eile a chuireann leis an duairceas seo 'crept down', a d'fhéadfaí a aistriú le *téaltaigh* chun an íomhá chéanna a chaomhnú, cuireann an Griannach 'snámh' ina ionad a chlúdaíonn gnáthíomhá na maidine agus an ghluaiseacht fhormhothaithe atá sa Bhéarla. Sna cásanna eile, leanann an Ghaeilge a loighic féin. Deirtear go raibh *feothan lag* ann i dtosach báire agus ansin cuireann sé an 'cuil *fhuar* ar an lán mhara; inbhéartú atá sa chéad abairt eile: titeann an ceobhrán mar is dual dó; cuirtear Inis Caorach ar ais sa mhodh neamhphearsanta agus is amhlaidh don bhriathar 'bulked' a ndéantar trasuíomh air agus *toirteanna dubh*a a dhéanamh as. Is léir freisin an meon eile taobh thiar den 'struggled' atá ag cur síos ar an streachailt taobh thiar, a bhfuil bánú an lae mar ghnáthphointe tosaithe di. Ní bhacann an Griannach leis an íomháineachas tromchiallach. Is leor dó *nocht* a úsáid mar chur síos ar ghnáthfheiniméan achair - de réir mar a thagann an duine i bhfoisceacht ruda nó go n-éiríonn an solas níos fearr, is amhlaidh is fearr a fheictear an rud.

Is beag focal nó abairt sa sliocht a dtugtar an tuin nó an sondas céanna dó sa dá theanga. Má amharctar ar na haidiachtaí/dobhriathra, ní féidir 'wearily' mar shampla a aistriú go litriúil mar ní shamhlaítear an mhaidin ar an dóigh sin i nGaeilge. Is amhlaidh don 'thin breeze'; níl sé ann ach chun comharthaí sóirt an duine a thabhairt don radharc. Tá na néalta 'bodyless', tá an fharraige 'cold-lipped' agus 'indifferent' agus tá an chamhaoir 'lifeless'. Cuirtear 'sceadach' in ionad 'bodyless', agus déantar trasuíomh sna cásanna eile. Is suimiúil an *chraos fhuar* mar aistriúchán ar 'cold-lipped', aidiacht ainmfhocail, uafás na réaltachta don Ghaeilge ar íomhá pas beag tacair an Bhéarla agus aidiacht abairte i dtaca le 'indifferent', *mar nach mbeadh toil aige* agus 'lifeless', *a d'éirigh gan siamsa*. Tá ciall do dhaonnacht an lae le brath sa dá shampla dheireanacha sin ach ina dhiaidh sin is uile ní féidir iad a aistriú go lom le haidiacht mar atá i mBéarla.

Is ar éigean má tá sampla amháin den aistriúchán litriúil sa sliocht. Go fiú na focail ar cosúil go dtugtar aistriúchán litriúil orthu, is gá ciall do mheiturlabhra na teanga chun an focal ceart a aimsiú. *Cnoic* atá ar 'mountains', *thoir* ar 'to the east', *anuas ar fud ag a mbun* ar 'down into' agus mar sin de. Níl ach achar deich míle idir áit chónaithe an bheirt údar, iad araon beo ar imeall na farraige, iad araon ag meabhrú ar an ngnáthshaol duaisiúil faoi léigear ag taghdanna na haimsire, ag an bhfarraige shearbhghnúiseach agus ag scáinteacht an talaimh; an t-aon difear eatarthu is é úsáid na teanga ach is ionann agus dhá shibhialtacht eile atá le hais a chéile. Tá an éagsúlacht sin le feiceáil tríd síos go háirithe nuair atá cur síos ar an dúlra/farraige/aimsir i gceist.

(ii) Amharcfaimid ar chúpla sliocht as Caibidil 8 mar a bhfuil cúrsaí cumainn á reic.

The way he had sulked when she told him of the knitting last night had been on his mind on and off. It troubled him on his way back from the port. How was she to know that it was his helplessness made him shy of discussing their poverty? He didn't know it himself. He recalled one day Sheila reaching out eagerly for him to swing her on his shoulder, when he in a bad humour walked heedlessly past. After a few yards he had come to himself, and looked back. Sheila's face was twisted up, and the tears were trickling down her cheeks. But she made no cry ... 'What will you eat?', Charlie asked awkwardly, turning to the mother. She, too, was ill at ease. She feared Charlie was annoyed with her for fainting: he had been very silent on the way in.

Bhí sé ag smaointiú anois agus arís ar an mhíshásamh a thaispeáin sé di an oíche roimhe sin nuair a d'inis sí dó fán chleiteáil. Bhí sé ag cur bhuartha air nuair a bhí sé ag gabháil chun an bhaile ón phort. Goidé mar bheadh a fhios aicise gurbh é an fáth nach raibh dúil aige a bheith ag caint ar a chuid bochtaineachta, nach raibh neart aige féin air? Ní raibh a fhios aige féin é. Chuimhnigh sé ar lá amháin a shín Síle a dhá lámh chuige go fonnmhar, ag iarraidh air í a chur ar a ghualainn. Ach bhí míshásamh air agus shiúil sé thart léi. Nuair a chuaigh sé trí nó ceathair de shlata tháinig sé chuige féin, agus d'amharc sé ina dhiaidh. Bhí cor in aghaidh Shíle, agus na deora ag titim anuas ar a pluca. Ach ní dhearn sí callán caointe ar bith ... 'Goidé a íosfas tú?, arsa Tarlach, agus aiféaltas air, agus d'amharc sé ar a mháthair. Bhí aiféaltas uirthise fosta. Bhí eagla uirthi go raibh míshásamh ar Tharlach léi as titim i laige; ní raibh focal as nuair a bhí siad ag teacht isteach.

Tá an sliocht ag cur síos ar an gcoimhlint in aigne Tharlaigh agus é ag iarraidh aghaidh a thabhairt ar ghuagacht an tsaoil agus é ina cheartlár ina neach gan spréach. *Míshásamh*a úsáidtear faoi thrí i nGaeilge mar aistriúchán ar 'sulked', 'in a bad humour' agus 'annoyed', a thugann le fios gur riocht buan é nach ionann agus an Béarla mar a bhfuil an meon faoi thionchar ag imeachtaí seachtracha. Ní gá dul isteach rómhion sa chomparáid chun na bundifríochtaí a thabhairt faoi deara. Castar an chéad abairt droim ar ais: cuirtear *sé* mar ainmneach in ionad 'the way'. Is leor 'míshásamh' mar aistriúchán ar 'the way he had sulked'. Is amhlaidh san abairt dar tús: 'How was she to know...' leis an ainmfhocal 'helplessness'. Déanann an Ghaeilge an focal a mhéadú agus ceanglaítear an meon aigne leis an mbochtaineacht, *nach raibh neart aige féin air* óir ní 'helplessness' ann féin atá i gceist ach an anbhainne i láthair na bochtaineachta.

Bristear an chéad abairt eile 'he recalled ...' ina dá chuid. Is fearr leis an nGaeilge an clásal coibhneasta a sheachaint nuair is féidir. Tugtar an scéal i nGaeilge ina ghiotaí agus sraitheanna an scéil a ghlacadh de réir a chéile. Is féidir aistriúchán litriúil a dhéanamh ar 'come to' nuair atá an dá theanga ar aon dul le chéile. Ach féach go bhfuil trasuíomh sa chéad abairt eile: aidiacht/ainmfhocal, 'twisted up' > *cor*. Sa phíosa deiridh tá trasuíomh eile faoi dhó: dobhriathar/ainmfhocal, 'awkwardly' *aiféaltas* agus abairtín dhobhriathartha/ainmfhocal, 'ill at ease' > *aiféaltas*. Ainmfhocail atá chun tosaigh sa chuid eile den leagan Gaeilge, *eagla*, *míshásamh*, *focal* in ionad briathar/aidiachtaí, 'she feared', 'annoyed', 'silent'. Agus tá an leagan diúltach sa Ghaeilge *ní raibh focal as nuair a bhí siad ag teacht isteach* mar aistriúchán ar 'he had been very silent on the way in'. D'fhéadfaí leagan Gaeilge den sliocht sin a sholáthar a bheadh i bhfad níos litriúla agus níos cóngaraí don Bhéarla agus a bheadh inghlactha. D'fhéadfaí gan amhras *ar a bhealach isteach* a rá in ionad *nuair a bhí siad ag teacht isteach*. Ach tá an modh ceannann céanna aige san abairt 'after a few yards' mar nach mbeadh comhréir na Gaeilge in ann chuig an ngontacht ghiorraisc sin agus nach mór briathar, an briathar beacht gluaiseachta, a chur isteach chun an chiall a bhreith: *nuair a chuaigh sé trí nó ceathair de shlata*. An é is cúis leis an abairt ghonta gan goilliúint ar na cluasa Gaeilge inniu nuair atá comhréir féin na teanga faoi smacht ag dúchas an Bhéarla?

(iii) Scrúdú aigne de shaghas eile atá le feiceáil sa tríú sliocht atá le fáil i gCaibidil 35.

D'fhéadfadh féinscrúdú mar é tarlú i gcomhthéacs ar bith i dtír ar bith i dteanga ar bith. Níl baint ar bith aige le bunábhar an scéil, anás agus anró an phobail. She was sorry now she had decided to go home. It was nearly two o'clock, and she had not been particularly interested in the dance. She had admitted frankly to herself that she regretted, even resented, Charlie's absence. The resentment settled into disappointment. To go back now after having said goodnight to all the others ... would be to give her change of mind too much significance.

Bhí sí buartha anois gur shocair sí a ghabháil chun an bhaile. Bhí sé a chóir a bheith an dó a chlog, agus ní raibh aon chuid mhór suime sa

damhsa aici. D'admhaigh sí go hionraice di féin go raibh cumhaidh
uirthi, go raibh fearg uirthi, cionn is nach raibh Tarlach ansin. Chaill
sí an fhearg, ach bhí sí míshásta. Dá bpilleadh sí anois i ndiaidh slán
codlata a fhágáil ag na daoine eile chuirfí sonrú inti.

Níl an oiread sin le tabhairt faoi deara anseo. Ach is suimiúil na
téarmaí a úsáidtear chun 'sorry', 'regret', 'resent' a aistriú, *buartha*, ansin
trasuíomh briathar/ainmfhocal, 'regret' cumhaidh agus 'resent' *fearg*.
Déantar dhá chlásal den abairt mheafarach óir ní thig leis an nGaeilge
an meafar seo a aistriú. Mar atá feicthe againn ón gcéad sliocht thuas is
breá leis an Dónallach tréithe daonna a chur ar na mothúcháin. Déanann
an Griannach modhnú ar an abairt: *chaill sí an fhearg* i dtosach báire
agus ansin bhí 'spás' do mhothúchán éigin eile. Tá gá le modhnú sa
bhriathar faoi dhó. Is fearr leis an nGaeilge an aimsir chaite lom in ionad
'had admitted' an Bhéarla agus is léir nár thaitin leis an nGriannach 'to
go back now' a aistriú le hainm briathartha ag feidhmiú mar infinideach.
Ach is é an ghné is inspéise den phíosa an dóigh a dtéitear i mbun 'would
be to give her change of mind too much significance'. Is follasach go
ndearna an t-údar an abairt a mhiondealú ina n-aonaid agus gur tháinig
sé ar an tuairim gur leor *chuirfí sonrú an*n chun gach cuid de a chlúdach.
Tar éis an tsaoil níl sa 'change of mind' ach athrá ar 'to go back now'. Tá
athrú meoin ann freisin. Is é an t-ainmní sa Bhéarla an 'to go back now'
agus ina dhiaidh tá briathar aistreach agus an cuspóir 'too much
significance'. Déantar *sí* a chur san ainmneach sa chéad chuid den abairt
agus ceanglaítear le chéile an t-ainmní leis an bhforainm réamhfhoclach
inti. Idir eatarthu tá an saorbhriathar sa mhodh coinníollach. Is cinnte
gur ciallmhaire sothuigthe an leagan Gaeilge ná an leagan Béarla agus
gur tuisceanaí an ciúta údair mar a thugtar sa Ghaeilge é ná an abairt
cheapánta mar atá sa Bhéarla. Níor mhaith liom bheith ag maíomh gur
fearr acmhainn na Gaeilge ná acmhainn an Bhéarla aon imthosca ar leith
a ríomh ach is léir ón sliocht seo go bhfuil a dóigh féin ag an nGaeilge atá
inbhuailte ar aon fhriotal eile ach teacht ina bhun ón bpointe tosaithe
ceart agus an aigne dhúchasach a shaothrú oiread agus is féidir.

(c) Máire

Úrscéal de shaghas eile ar fad is ea *Marie* le H. Rider Haggard a
foilsíodh a chéaduair i 1912. Tá iomrá fós ar Haggard mar údar *King
Solomon's Mines* mar shampla agus is cuid den tsraith chéanna an *Marie*
seo atá ag cur síos ar eachtraí san Afraic Theas sna tríochaidí den naoú

céad déag. Stíl an-éasca atá ann tríd síos agus scéal an-simplí le hinsint aige. Níl na samplaí de cheird an scothaistritheora chomh flúirseach agus a bhí san úrscéal roimhe seo ach léireoidh na sleachta seo a leanas cad é mar a rinne Niall Ó Dónaill cuid de na bundeacrachtaí a shárú.

(i) Léiríonn an chéad sliocht as Caibidil 1 an dóigh éagsúil atá ann sa dá theanga chun abairt a bhriseadh suas.

> When he had gone, my childish anger being appeased, I presented the Heer Marais with my father's compliments, also with the buck and the birds, whereof the latter seemed to please him more than the former.

> Ach níor luaithe ar shiúl é ná d'imigh an tallann leanbaí feirge a bhí orm féin díom, agus chuir mé ar a iúl don Heer Marais go raibh m'athair ag cur a dhea-mhéin chuige. Lena chois sin, bhronn mé an carria agus na héanacha air, rud a shásaigh é i bhfad ní ba mhó ná dea-mhéin ar bith.

Is suimiúil an oiread cleasanna beaga atá le brath sa sliocht seo. Ní maith leis an nGaeilge an rangabháil a aistriú lom díreach. Ní mór di clásal eile a cheapadh chuige. Ní thig léi ach oiread íomhá na 'compliments' a shamhlú gan briathar a bheith ag gabháil leo. Ní hionann an dea-mhéin sin a chur in iúl agus na bronntanais féin a thabhairt don duine uasal agus toisc an t-idirdhealú sin a dhéanamh is féidir leis an nGaeilge abairt dheiridh i bhfad níos sothuigthe a dhéanamh ná an bhunabairt féin atá an-doiléir.

(ii) I gCaibidil VIII dar teideal 'Campa an Bháis' tá an t-údar ag cur síos ar scalladh croí uafásach a mhothaigh sé agus é ag taisteal ar muir.

> Everything went well upon that voyage, except with me personally. Not having been on the ocean since I was a child, I, who am naturally no good sailor, was extremely ill as day by day we ploughed through seas that grew ever more rough. Also, strong as I was, that dreadful ride had overdone me. Added to these physical discomforts was my agonizing anxiety of mind, which I leave anyone with imagination to picture for himself ... These, however, as far as the bodily side of them was concerned, were, I think, surpassed by those of my henchman ... There he lay upon the floor rolling to and fro with the violent motion of the brig, overcome with terror. He was convinced that we were going to be drowned, and in the intervals of furious seasickness uttered piteous lamentations in Dutch, English and various native tongues, mingled with curses and prayers of the most primitive and realistic order.

> Aistear breá farraige a bhí ann, do gach duine ach domsa. Ní raibh mé ar an muir riamh roimhe ó bhí mé i mo leanbh, ní seoltóir maith mé ó nádúr, agus bhí me cloíte le tinneas farraige ó lá go lá, agus sinn ag

treabhadh farraige a bhí ag éirí ní ba ghairbhe i dtólamh. Agus,
d'ainneoin an urra a bhí ionam, bhí mé sáraithe ón marcaíocht
uafásach úd. Agus diomaite den tuirse a bhí i mo cholainn, fágaim ag
an té a bhfuil tuiscint aige lena shamhlú, cad é an phianpháis chéasta
a bhí ar m'intinn ... Ach i dtaca le céasadh coirp de, bhí m'fhear
freastail ní ba mheasa ná mé féin ... Bhí sé caite ansin ar an urlár á
chaitheamh anonn is anall le luascadh fiata na loinge, agus an eagla
ag dul fána chroí dó. Bhí sé cinnte go mbáfaí sinn, agus idir
thaomaonna scáfara tinnis rachadh sé a éileamh go truacánta i
Holondais, i mBéarla, agus i gcanúintí a dhúiche féin, agus i lár an
chaointe rachadh sé a mhallachtach go deargallta agus a urnaí go
cráifeach.

An chéad rud atá le tabhairt faoi deara a laghad aistriúchán litriúil
atá sa mhír sin. Seachas 'since I was a child' agus 'with the violent motion
of the brig' tá casadh eile ar an nGaeilge i gcomparáid leis an mBéarla.
Níl an casadh mar an gcéanna i gcónaí. Sa chéad abairt cuireann an
Dónallach cruth eile ar fad ar an téacs mar is deacair don Ghaeilge
'everything' a láimhseáil. Tá scaoilteacht áirithe san fhocal nach
n-oireann do shamhlaíocht nithiúil na Gaeilge. Ní mór dó an
réamhfhocal a athrú, 'with' > *dom* agus fágann sé 'personally' ar lár,
rófhoclachas an Bhéarla gan amhras, dar leis. Mar a chonacthas sa
chéad sliocht is fearr an rangabháil a sheachaint mar a sheachnaítear
freisin an clásal coibhneasta 'who am naturally no sailor'. Ní thig leis an
nGaeilge an diúltach a aistriú go díreach, dá bhrí sin, tugtar abairt
shimplí, *ní seoltóir maith mé.*

Tosaíonn an tuairisc ar an scalladh leis an tagairt do 'extremely ill'.
Ní leor leis an Dónallach aistriúchán litriúil a thabhairt cé go mbeadh a
leithéid indéanta ach míníonn seisean cén cineál tinnis atá ann, óir bhí
sé *cloíte le tinneas farraige.* Is fiú a shonrú san abairt seo go n-athraítear
an aimsir ón aimsir chaite sa Bhéarla go dtí an aimsir ghnáthchaite sa
Ghaeilge (a chuireann gníomh leanúnach in iúl), 'ploughed/grew' > *ag
treabhadh / ag éirí.* Ansin tá trasuíomh faoi dhó, aidiacht/ainmfhocal,
'strong' > *urra* agus briathar/aidiacht bhriathartha, 'overdone' > *sáraithe.*
Déanann an Dónallach an chéad abairt eile a athchasadh ar mhaithe leis
an gcoibhneasta 'which I leave' a sheachaint arís. Tá deacracht leis an
téarmaíocht theibí. Déantar *tuirse i mo cholainn* de 'physical
discomforts' agus *pianpháis chéasta* de 'agonizing anxiety' agus déantar
i bhfad níos soiléire i nGaeilge an clásal i lár slí *an té a bhfuil tuiscint
aige lena shamhlú* mar leagan ar 'anyone with imagination to picture for

himself'.

Casann sé ansin ar riocht an chompánaigh. Is abairt an-chasta ó thaobh gramadaí de an abairt 'these so far as the bodily side were concerned were surpassed by' agus ní fhéachann an Dónallach le haithris a dhéanamh ar aimhréidhe an Bhéarla: *i dtaca le céasadh coirp de ní ba mheasa ná mé féin.* Cuireann sé aidiacht bhriathartha ann chun staid a thaispeáint in ionad an bhriathair neamh-aistrigh 'lay' agus is é an briathar céanna aige chun *'lay'* agus *'roll'* a aistriú. Tugann *caite* agus *á chaitheamh* peannaid níos déine le tuiscint ná an Béarla. Cur chuige eile ar fad atá le feiceáil sa chéad abairt eile 'overcome with terror'. Tugtar tús áite don *eagla* sa Ghaeilge agus é san ainmneach; is é an eagla an gníomhaí agus sonraíonn an Ghaeilge an ball coirp atá faoi ionsaí ag an eagla. Athrú meoin idir an dá theanga mar atá feicthe go minic thuas, ainmneach neamhphearsanta na Gaeilge in ionad ainmneach pearsanta an Bhéarla ach tréithe pearsanta á dtabhairt ag an nGaeilge don mhothúchán.

San abairt dheiridh tá gach cuid den Bhéarla á casadh ar dhóigh eile. Athraítear an aimsir sa chéad chlásal ó 'we were going to be drowned' go dtí an modh coinníollach; aistrítear an t-aonad séimeantach 'in the intervals' le hainmfhocal simplí *idir* agus ceanglaítear na hagaí le *taomanna* an tinnis. Déantar 'utter lamentations' a aistriú le *rachadh sé a éileamh*, briathar + ainmfhocal > briathar eile + ainm briathartha, agus le modhnú aidiacht/dobhriathar, 'piteous' > *go truacánta.* Ní fios díreach cad is ciall le 'various native tongues' ach leanann an Ghaeilge bealach na coibhéise agus *canúintí a dhúiche* mar leagan air. Agus mar chríoch tá an abairt dhoiléir 'mingled with curses and prayers of the most primitive and realistic order'. Ní oirfeadh gnáthchiall 'mingle' sa Ghaeilge sa chás seo agus téann an Dónallach ar iontaoibh abairte *i lár an chaointe.* Cuireann sé an aidiacht cheart leis an ainmfhocal ceart *a mhallachtach go deargallta* agus *a urnaí go cráifeach* agus tugann sé neamhaird ar roinnt focal nach gcuireann leis an gciall. Tá sé chomh dócha lena athrach gur cóngaraí i bhfad don Bhéarla a bheadh aon aistriúchán a dhéanfaí ar na saolta seo go fiú ag an duine is dílse a thuiscint do dhúchas na Gaeilge. Ní mór a mheabhrú nach raibh ar a thoil ag an aistritheoir ach an leagan is fearr Gaeilge a chur ar shliocht as Béarla agus é a fhágáil mar a bheadh an téacs dá scríobhfaí i nGaeilge

é an chéad lá. Is é an deighilt sin idir leagan an Dónallaigh agus leagan
a dhéanfaí faoi choimirce na deighilte a cheaptar a bheith ann idir an dá
theanga anois is cuspóir don saothar seo.

(iii) Níl sa sampla seo ach abairt a léiríonn go glinn an próiseas atá
idir chamáin sa saothar seo ón tús.

Such an hour came to me on the evening of that day of the winning of
my bet with Dingaan, when a dozen lives or so were set against my
nerve and skill.

Tháinig seal mar sin chugamsa an tráthnóna úd ar bhain mé an geall a
chuir Dingeán liom, nuair a shábháil mé a mbeatha do dhá chloigeann
déag nó mar sin le ciúnas láimhe agus le súil dhíreach i gcionn gunna.

Feictear láithreach an difear maidir le cúrsaí ama idir an dá theanga.
Aistríonn an Dónallach an chiall laistiar de 'hour' nuair a deir sé *seal*
agus fágann sé ar lár ar fad an tagairt do 'of that day', abairtín atá
iomarcach gan amhras. Ní féidir ainm briathartha an Bhéarla 'winning'
a aistriú le ainm briathartha/ainmfhocal sa Ghaeilge, ní mór clásal nua
a thosú agus ní féidir 'with' a aistriú le réamhfhocal eile, is gá briathar
freisin sa chás seo. Sa dara cuid den abairt tá athrú meoin i gceist.
Déantar an abairt a phearsantú sa Ghaeilge *shábháil mé*, briathar
gníomhach, aistreach in ionad shaorbhriathar an Bhéarla; réamhfhocal
eile atá sa dá theanga 'against'/ *le* agus déanann an Ghaeilge an scéal a
shoiléiriú i gcomórtas leis an mBéarla, 'nerve' > *ciúnas láimhe* agus 'skill'
> *súil dhíreach*. Seachas an foclóir coiteann anseo is ansiúd nuair is
ionann an comhartha sa dhá theanga, *'came'/ tháinig*, 'evening'/
tráthnóna 'bet' / *geall*, 'live' / *beatha* is clúdach eile ar fad atá ar an
nGaeilge agus meon eile taobh thiar den fhriotal. Agus sin an áit a bhfuil
an deighilt idir an dá theanga le brath agus sin an bhearna atá le líonadh
chun an dúchas teanga sin a aisghabháil.

(iv) Tá an sliocht deiridh seo tógtha as Caibidil XVIII.

This reply seemed to amuse him. At any rate, with one of those almost
infantile changes of mood which are common to savages of every
degree, he passed from wrath to laughter.

Chuir an freagra sin aoibh air. Níl fear fiáin ar bith nach dtig
athruithe tobanna mar sin air, mar bheadh leanbh ann. Shíothlaigh
an fhearg de agus chuaigh sé a gháire.

Sraith de thrasuímh atá againn anseo ar an gcéad dul síos. Tá
briathar/ainmfhocal, 'amuse' > *aoibh*, aidiacht/abairt, 'infantile' > *mar a*

bheadh leanbh ann, réamhfhocal/briathar, 'from ... to' > *shíothlaigh ... chuaigh*, abairtín aidiachtach de shaghas amháin go habairtín aidiachtach de shaghas eile, 'of every degree' > *ar bith*, neamhphearsanta/ pearsanta, 'with one of those' > *níl fear fiáin ...* agus modhnú ar deireadh, 'he passed' > *shíothlaigh sé*. Is suimiúil na focail/abairtíní nach n-aistrítear. Ní gá 'seem' a aistriú dar leis, mar níl aon bhrí ar leith ag baint leis san abairt; fágtar 'at any rate' agus 'almost' ar lár. Ní aistrítear 'of mood' ach oiread. Is léir go bhfacthas don Dónallach go raibh an focal sin iomarcach, nó nach bhfuil gá leis chun an comhthéacs a chur i láthair i nGaeilge. Ba dhána an mhaise don aistritheoir a dhéanfadh neamhspéis den oiread sin focal i mBéarla toisc nár chuir siad aon éifeacht ar leith le brí na habairte.

Caibidil 9 - Amharc Siar

(a) Gearóid Ó Nualláin

D'fhoilsigh an tAthair Gearóid Ó Nualláin *Studies in Modern Irish Grammar* (Part I, 1919, Part II, 1920 agus Part III, 1921). Leabhar gramadaí le neart ceachtanna a bhí i gCuid I agus ní hé is suim liom sa chomhthéacs seo. I gCuid II agus i gCuid III, áfach, bhí neart le rá aige ar *Continuous Prose Composition*. Tugann sé liacht sleachta le haistriú agus tugann sé féin aistriúchán dílis ar a bhformhór mar aon le mínithe agus tagairtí siar don leabhar gramadaí.

Sa réamhrá do Cuid II, leagann sé síos go hachomair na prionsabail ba cheart a agairt agus tú ag iarraidh Gaeilge a chur ar théacs Béarla. Deir sé nach mór an t-aistriúchán litriúil a sheachaint toisc go gcaithfidh an leagan Gaeilge a bheith ar aon dul le meon agus friotal na Gaeilge. Molann sé don léitheoir beag beann a dhéanamh ar fhocail an Bhéarla ach dul i ngleic le heithne an smaoinimh i mBéarla chun focail i nGaeilge a aimsiú chun friotal a chur ar an smaoineamh sin. Deir sé:

> Language is an index to the national character. The fundamentals of the Irish character are, when all is said and done, very different to those of the English character, in spite of the strong Celtic elements transfused through the Saxon ground-work of the latter. Hence a word-for-word translation is nearly always fatal. Hence, also, the futility of dictionaries when the student has arrived at this stage... If the student is sufficiently advanced to tackle continuous prose at all, his chief desideratum is not a vocabulary, but a proper sense of what translation means, and a true appreciation of the genius of the Irish language - two things which a dictionary can never supply.

Ní gá bheith ar aon aigne le gach gné den tuairim sin chun a thuiscint go bhfuil an port céanna a bheag nó a mhór á chanadh aige agus atá á chanadh sa saothar seo ón tús. Cuirtear suim ar leith mar sin sa liosta difríochtaí a thugann sé faoi deara idir an Béarla agus an Ghaeilge.

1. Tá dúil ag an mBéarla sa mheafar agus sa phearsantú; ní mór don Ghaeilge an meafar a sheachaint ar fad nó é a mhaolú, meafar dá cuid féin a lorg nó samhail a úsáid: 'he pencilled them on the clouds', *dar leis go bhféadfadh sé samhail na dúiche sin a dhéanamh amach i measc na scamall*, sampla de bhealach an mhodhnaithe/méadú; 'who strain their eyes', *ag faire go dlúth*, sampla den trasuíomh, briathar/dobhriathar; 'sought to combine English loyalty and self-preservation', *chun an dá thrá*

sin a fhreastal, sampla den mhodhnú, gnáthabairt / meafar.

2. Déantar faí ghníomhach an Bhéarla a athrú go faí chéasta nó saorbhriathar na Gaeilge: 'as she went over to starboard', *nuair a luaisctí í deiseal*.

3. Déantar faí chéasta an Bhéarla a athrú go faí ghníomhach na Gaeilge: 'once frequented by', *a thaithíodh*.

4. Is minic nach mór dobhriathar an Bhéarla a aistriú le habairtín nó clásal féin sa Ghaeilge: 'timidly', *agus iarrachtín d'eagla uirthi*.

5. Athraítear ionad na haidiachta in amanna: 'rolling securely in the heavy sea', *í á luascadh go breá tromaí i measc na mórthonn*, sampla den trasuíomh aidiacht/dobhriathar.

6. Fágtar focail sa Bhéarla ar lár sa Ghaeilge toisc nach bhfuil gá leo nó nach bhfuil ciall leo: 'her noble graceful hull', *adhmad a sleasa*.

7. Cuirtear isteach i nGaeilge ar mhaithe leis an gciall focail nach bhfuil sa Bhéarla nó chun nasc na loighice a chur i gcrích.

8. Déantar dobhriathar ag cáiliú aidiachta i mBéarla a aistriú i nGaeilge le dhá aidiacht/ainmfhocal mar a dhéantar i Laidin: 'unspeakably dreadful', *ba thrua agus ba nimhnea*ch.

9. Is fearr leis an nGaeilge an clásal coibhneasta i mBéarla a aistriú le clásal neamhchoibhneasta nó le habairtín dhobhriathartha: 'which he could not solve', *nuair nár fhéad sé an cheist úd a réitea*ch; 'man's weakness, which is prone to evil', *laige an duine, a thugthacht chun an oilc*.

10. Déantar clásal coibhneasta i nGaeilge den chlásal nach bhfuil coibhneasta i mBéarla: 'containing', *ina raibh*.

11. Is fearr leis an nGaeilge ord na loighice nuair atá an Béarla tugtha don easpa loighice. Is é ord na n-abairtí atá i gceist aige anseo agus téann sé ar iontaoibh an phrionsabail seo chun ráiteas mar seo a dhéanamh:

> The first sentence here is very clumsy and complicated. Irish will state the events simply and clearly, each in its proper place. Some of the details given would appear quite artificial, if not inartistic, in Irish, and had better be omitted altogether. Such are, e.g., 'stooped down', 'over his threshold'. (Ó Nualláin, 1920, 32)

Prislíneacht chainte an ollaimh ansin gan amhras. Is fiú an sliocht a thabhairt atá ag cur tinnis air:

> When Eoghan Mór O'Donovan, poet, stooped down and came in over his threshold he saw, in spite of the gloom, that his son Diarmuid, who

all day long had been with him leading the plough at the ploughing, had eaten his evening meal of potatoes and milk, and in his exhaustion had leant his head down on the deal table and fallen asleep.

Féachann sé ansin le hord na haimsire a chur ar na heachtraí éagsúla agus má tá ord na loighice féin orthu, ba dhoiligh a rá go bhfuil an leagan Gaeilge dílis don leagan eile.

12. Tá difríocht eile idir an dá theanga a mhéad atá claonadh sa Bhéarla leis an ngáifeacht agus go bhfuil bail eile ar fad ar an nGaeilge agus tá a mhalairt chomh fíor céanna. Tá an pointe seo an-chosúil le pointe 1 thuas. Níl anseo ach sampla de bhealach an mhodhnaithe: abairt mheafarach/neamh-mheafarach agus a mhalairt: 'they indulged in all sorts of tricks', *ar siúl acu*; 'utmost beauty', *ar áilleacht an domhain*.

13. Feictear dó go bhfuil an Béarla tagrach mar theanga, lán de leideanna ach go bhfuil an Ghaeilge díreach: 'the ice-covered river hard by', *tá abhainn in aice na háite*.

14. Is fearr leis an nGaeilge teanga nithiúil nuair atá teibíocht chun tosaigh sa Bhéarla: 'various degrees of narrowness', *cuid acu ní ba chúinge ná a chéile*.

15. Ní thig leis an nGaeilge aimsir ollfhoirfe an Bhéarla a aistriú ach leis an aimsir chaite: 'they would have been putting themselves in the difficulty in which they had been', *bheidís dar leo, á gcur féin sa phonc ina rabhadar*.

16. Is fearr leis an nGaeilge go minic aimsir leanúnach: 'she began to grow fat', *bhí sí ag tosú ar dhul i raimhre*.

17. Is fearr leis an mBéarla dearcadh pearsanta an scríbhneora a thabhairt ach tá luí ag an nGaeilge leis an oibiachtúlacht gan údar na barúla a lua in aon chor: 'we have thus the singular spectacle', *ba ghreannmhar an scéal é*. Tá an gnás sin feicthe thuas faoi bhealach an mhodhnaithe.

18. Ní hionann cora cainte an dá theanga. Is í an cheist sin is ábhar don saothar seo ar fad: 'he managed to fall on his feet', *thug Dia dó gur ghabh sé a bhoin*n. Cuireann sé fainic faoin aistriúchán litriúil. Tabhair faoi deara gur 'he fell down helplessly' a chiallaíonn *thit sé ar a chosa*, amhail is nach raibh lúth na gcos leis. Tá ciall mheafarach de ghnáth ag an abairt 'to fall on your feet' atá bunoscionn leis an aistriúchán litriúil go Gaeilge.

Ocht bprionsabal déag atá ann ar fad agus is maith ann iad. Is é an locht atá orthu go bhfuil siad bunaithe ar a thaithí féin agus é i mbun na téacsanna a aistriú agus ar na rialacha a tharraing sé as an gcleachtadh sin. Ba chuidiú an-mhór é don té a bhí ar tí dul i mbun an aistriúcháin fad nach raibh le sárú ach na fadhbanna a tugadh faoi deara ansin. Ach tugann sé ciall do dhúchas na teanga, ciall do na cleasanna nár luigh rómhaith leis an teanga ach ar deireadh thiar bhí an cur chuige róscaoilte. Nuair a thugann sé *eolas nach féidir a bhréagnú* mar aistriúchán ar 'conclusive grounds' nó *nuair nach raibh aon eolas a mbréagnaithe ag lucht staire na haimsire seo* ar 'in the absence of evidence to the contrary' (Ó Nualláin, 1920, 56), is léir gur cur chuige an-phearsanta atá mar bhunús aige. Níl aon chúis nach ndéanfaí aistriúchán litriúil sa dá chás: *forais dhochloíte* agus *in éagmais fianaise dá mhalairt.* Bheadh sé an-deacair filleadh ar an abairt i mBéarla trína aistriúchán siúd a iompú droim ar ais. Is fearr i bhfad a éiríonn leis nuair is abairt mar 'it takes a cool man to stand it' atá le haistriú. Ní féidir aistriúchán litriúil a shamhlú agus níl aon locht ar an leagan *is deacair é a fhulaingt mura duine bog réidh thú* a mholann sé (29) nó *dealramh suilt ar a aghaidh ramhar* mar aistriúchán ar 'in his face was the plump appearance of good humour' (38). Tá deacracht ar leith ag an gcur chuige sin aige nuair atá focal teicniúil i gceist. An abairt seo mar shampla ar leathanach 58: 'instead of the pledged amnesty, came attainders and confiscation'. Tá focal teicniúil dlí ag freagairt do na trí théarma sin anois *ollmhaithiúnas, eisreachtú* agus *coigistiú* nach raibh aithint acu an t-am sin nuair ba leasc le daoine a aithint go raibh cásanna ann nuair ab fhearr focal teicniúil amháin a aimsiú. Téann an Nuallánach i mbun na hathinsinte agus tugann sé mar aistriúchán: *In ionad an cogadh a mhaitheamh do chách, is é rud a dheineadar breith ar éigin ar mhaoin na nGael agus cailliúint gach cirt d'fhógairt orthu.*

(b) *Bunreacht na hÉireann* - **príomhaistriúchán an chéid**

Is ar mhaithe le scagadh níos déine a dhéanamh ar *Bhunreacht na hÉireann* atá mé tar éis comhairle Uí Nualláin a bhreathnú go sciobtha. Bíodh is go n-amharctar ar an leagan Gaeilge den *Bhunreacht* mar phríomhleagan an téacs, is aistriúchán é agus is mar aistriúchán is ceart léirmheas a dhéanamh air. Lena cheart a thabhairt dó, áfach, is fiú é a lonnú ina chomhthéacs staire. Ní dhearnadh grinnstaidéar riamh ar fhiúntas an aistriúcháin mar aistriúchán bíodh is go bhfuil údarás agus barántúlacht ar leith ag gabháil leis an leagan i nGaeilge i gcás easaontas fianaise. Más aistriúchán é cad é mar a bheadh údarás agus barántúlacht ar leith ag an leagan Gaeilge mura dtugtaí casadh ar leith do chuid den aistriúchán chun an chiall a dhéanamh níos soiléire, is é sin gur briseadh gnáthrialacha an aistriúcháin ar mhaithe le haidhm pholaitiúil. Feictear dom gur leor staidéar gearr ar an gcomparáid idir an dá leagan chun teacht ar an tuairim nárbh iad na haistritheoirí ba dheireanaí a leag a rian ar an téacs Gaeilge.

Nuair a rinneadh an *Bunreacht* a aistriú bhí riocht na Gaeilge i bhfad níos éiginnte ná mar atá sé anois. Bíodh is go raibh traidisiún an aistriúcháin bunaithe le tamall, sa Ghúm i dtaca le saothair chruthaitheacha de agus i Rannóg an Aistriúcháin i dtaca le reachtaíocht agus cáipéisí oifigiúla de, ní i gceachtar den dá threo sin a chuathas nuair a bhí duine/daoine le ceapadh chun an *Bunreacht* a aistriú. Ní hionann an modh oibre atá ann más ionstraim reachtaíochta atá le haistriú agus píosa litríochta. Is doiligh aon chuid a fhágáil ar lár i gcás reachtaíochta más ceadmhach atheagrú féin a dhéanamh i gcás an tsaothair litríochta. Ní mór gach aonad sa téacs a aistriú. Ní gá gach aonad a aistriú díreach mar atá sé sa téacs tosaigh. Is féidir dhá aonad i dteanga amháin a bhreith in aonad amháin i dteanga eile. Ach ní mór na haonaid a aithint ar dtús agus iad a aistriú ansin i bhfianaise riachtanais na sprioctheanga. An té a bheadh ag iarraidh an *Bunreacht* a aistriú bheadh air bheith cinnte go raibh gach aonad aistrithe agus go raibh na haonaid chéanna (agus ní áirím na focail chéanna) aistrithe i gcónaí ar an dóigh chéanna. Más cineál Bíobla é an *Bunreacht* os comhair an dlí agus má tá an fíorúdarás lonnaithe sa leagan Gaeilge (bíodh is gur aistriúchán é) ní mór a chinntiú go bhfuil an leagan údaraithe chomh dílis agus is féidir a bheith. Ach sin deireadh le hobair an aistritheora. Ní bhíonn an polaiteoir sásta i gcónaí leis an aistriúchán dílis. A mhalairt, in amanna. Feicfimid sa scagadh seo ar *Bhunreacht na hÉireann* go raibh níos mó i gceist ná téacs a aistriú ó theanga amháin go teanga eile; bhí fealsúnacht ar leith le cur i gcion ar dhóigh fhormhothaithe agus is ar dhóigh fhormhothaithe a cuireadh i gcion í. (Is cinnte go dtarlaíonn an cur isteach formhothaithe céanna i gcás na leaganacha éagsúla de chonarthaí Eorpacha. Má chuireann focal áirithe as go polaitiúil do rialtas más é an focal údarásach barántúil féin é, cuirtear focal míchruinn eile isteach ina ionad.)

An focal is suimiúla, b'fhéidir in aon cháipéis dlí, is é an focal 'may'. Tugtar comhthéacs na húsáide ar dhóigh an-soiléir in Airteagal 31.3: 'he may at any time and from time to time by warrant under his hand and Seal appoint such other persons as in his absolute discretion he may think fit'. Tá an ráiteas ar fad faoi réir 'in his absolute discretion' a aistrítear *as a chomhairle féin*. Ní gá 'absolute' a aistriú mar is leor don Ghaeilge an leagan cainte féin chun foirfeacht na staide a chur in iúl. Tá 'may' ann faoi dhó. Is léir nach ionann an dara húsáid 'as he may think fit'. Níl ansin ach úsáid urramach. Níl aon trácht ar chumas ná inniúlacht ná cumhacht de shaghas ar bith. Tá, áfach, sa chéad chás. An bhfuil idirdhealú le déanamh idir *tá cead aige é a dhéanamh más mian leis* nó *tá an chumhacht aige chuige*? Sa chás seo roghnaíonn an Ghaeilge leagan na cumhachta. Is amhlaidh atá in Airteagal 35. *Tig leis an Uachtarán as a chomhairle féin diúltú do Dháil Éireann a lánscor ar chomhairle Taoisigh nach leanann tromlach i nDáil Éireann de bheith a dtacaíocht leis*. Tá an tAirteagal seo go díreach mar atá in Airteagal 31.3 agus arís in Airteagal 31.8: *tig leis an Uachtarán an Chomhairle Stáit a chomóradh cibé áit agus am a shocróidh sé chuige*.

Tá difear in Airteagal 8.3. Is é atá sa Ghaeilge: *féadfar socrú a dhéanamh le dlí d'fhonn ceachtar den dá theanga a bheith ina haonteanga le haghaidh aon ghnó nó gnóthaí oifigiúla* nuair is 'provision may be made by law' atá sa Bhéarla. Miondifear eile arís atá in Airteagal 9.1.1°: *ní cead náisiúntacht agus saoránacht Éireann a cheilt ar dhuine ar bith toisc gur fireann nó toisc gur baineann an duine sin*. Is é an Béarla atá anseo: 'no person may be excluded from Irish nationality and citizenship by reason of the sex of such person'. (Is fiú cotadh an aistritheora i láthair na habairte sin a thabhairt faoi deara agus an leagan fadaraíonach a chuireann sé ar fáil. In Airteagal 16.1.1°, áfach, nuair a bhí 'without distinction of sex' le haistriú aige, dúirt sé go simplí *cibé acu fear nó bean* - an ceadmhach do dhlíodóir difear caolchúiseach a aimsiú idir an dá abairt? Go háirithe toisc go bhfuil an tríú leagan in Airteagal 45.4.2° - 'avocations unsuited to their sex, age or strength', *gairmeacha nach n-oireann dá ngné nó dá n-aois nó dá neart* - a mheabhraíonn mar nithe ainglí nó neamhdhaoine iad.) Ach cá bhfuil an

difear idir *féadfar* agus *ní cead*? Más féidir *tig le* a chosaint sa dá chás
eile toisc go bhfuil ainmneach san abairt agus níl ainmneach i gceachtar
den dá chás seo, cén fáth nach bhfuil siad mar an gcéanna. An bhfuil
tuairim phearsanta an aistritheora le brath? I dtaca le cúrsaí teanga is
leor *féadfar*. Féadfar nó ní fhéadfar, is cuma. In Airteagal 14.4 tá
féadfaidh arís ach ainmneach leis an iarraidh seo: 'the Council of State
may make ...' Sa dara cás is léir go bhfeictear don aistritheoir gur láidre
i bhfad an rúradh nó an treoir atá ag baint le *is cead*. Más fíoradh nó an
treoir atá ag baint le *is cead*. Más fíor is aisteach. Tá *tig le* arís in
Airteagal 28.9.2°: *tig le haon chomhalta den rialtas éirí as oifig trína chur*
sin in iúl don Taoiseach chun an scéal a chur faoi bhráid an Uachtaráin
('... may resign from office ...').

Níl deireadh leis an aimhréidhe fós. In Airteagal 28.7.2°, áfach,
deirtear 'not more than two may be members of Seanad Éireann' agus sa
Ghaeilge, tá *ní dleathach thar beirt acu a bheith ina gcomhaltaí i Seanad*
Éireann. Idirdhealú nua atá curtha isteach sa chás seo, ní hé nach dtig
leo nó nach cead dóibh ná fiú nach bhféadfaidh siad ach nach *dleathach*
dóibh. 'Lawful' an bhrí atá le *dleathach* tríd síos, mar shampla in
Airteagal 40.4.5°: *cinnfear an dleathach an duine sin a choinneáil ina*
bhrá nó nach dleathach ('*until the lawfulness of his detention has been*
determined'). Is amhlaidh atá an focal le fáil ina chiall theicniúil in
Airteagal 10,1 freisin. Tá *is dleathach* le fáil i dtús airteagail i dtrí chás
eile. In Airteagal 14.3 is é atá ann: *is dleathach don Choimisiún gníomhú*
('the Commission may act ...') ach in Airteagail 17.2 agus 28.3.1° tá ciall
nua leis. Deirtear in 17.2: 'Dáil Éireann shall not enact any law for the
appropriation of revenue or other public moneys' agus san airteagal eile
deirtear: 'war shall not be declared and the State shall not participate in
any war save with the assent of Dáil Éireann'. An é go bhfuil sárú ar na
hairteagail sin ina chion toisc go ndeirtear sa dá chás i nGaeilge *ní*
dleathach'?

B'fhéidir go bhfuil *is dleathach* á úsáid chun 'shall' a chur in iúl agus
chun an t-idirdhealú idir 'shall' agus 'may' a léiriú. In Airteagal 28.3.3°,
áfach, tá 'nothing shall be invoked to invalidate any law which is
expressed to be for the purpose of securing the public safety', agus mar
aistriúchán air: *ní cead aon ní a agairt chun aon dlí a chur ó bhail má*
luaitear ann gur dlí é chun slándáil an phobail a chur in áirithe agus arís

in Airteagail 13.9 (*is cead*), 26.1.1° (*is cead*), 26.1.3° (*ní cead*), 38.4.2° (*ní cead*), 40.4.6° (*ní cead*), 40.5 (*ní cead*). Tá os cionn fiche cás sa Bhunreacht ina n-úsáidtear *is cead/ní cead* chun 'shall' an Bhéarla a aistriú agus trí chás nuair is ionann iad agus 'may'. Mar bharr ar an donas tá cás amháin eile in Airteagal 12.4.3° nuair ba dheacair an leagan Béarla cruinn a aimsiú ón nGaeilge mar atá sé: *ní cead d'aon duine díobh sin bheith páirteach in ainmniú breis is aon iarrthóir amháin d'oifig an Uachtaráin san aon-toghchán (sic)*. An 'he may' nó 'he shall' atá sa Bhéarla? Ceachtar acu, leoga, ach 'no person shall be entitled to subscribe to the nomination of more than one candidate in respect of the same election'. B'fhéidir go bhfuil an *ní cead* níos cóngaraí don 'not entitled' ná don 'shall'. Agus in Airteagal 41.3.3° tá sa Bhéarla: 'no person shall be capable of contracting a valid marriage ...' agus sa Ghaeilge deirtear: *ní fhéadfaidh an duine sin pósadh ar a mbeadh bail dlí a dhéanamh...*

Níl deireadh leis an éiginnteacht fós. Tá *ní foláir* ann freisin (i naoi n-airteagal déag) mar aistriúchán ar 'shall' agus uair amháin mar aistriúchán ar 'must'. Ní féidir a mhaíomh go bhfuil an chiall cheannann chéanna ag gach ceann de na habairtíní sin: *tig le, is cead, is dleathach, féad, ní foláir* agus gurb ionann an oibleagáid a leanann uathu. Is amhlaidh is fearr nár agair na cúirteanna an leagan Gaeilge chun mórcheisteanna dlí a réiteach. Nó arbh é sin cuspóir an té a thug a bheannacht don Bhunreacht. Tá sé dochreidte go leanfadh aistritheoir gairmiúil gnás chomh hamscaí sin. Fiú más féidir a mhaíomh gur comhchiallaigh iad uile, ní fhéadfaí a thaispeáint gurb ionann aidhm an té a deir *is cead* agus *is dleathach*. Cad is fiú alt a chur isteach mar atá in Airteagal 25.5.4° ag trácht ar fhorlámhas a bheith ag an téacs Gaeilge mura bhfuil miondifear suntasach curtha isteach d'aon turas idir an dá théacs. Ní hé seo an t-aon áit a bhfuil méar an taibhse le sonrú.

Ábhar eile is ea an cheist a bhaineann le ceart an Uachtaráin aitheasc a thabhairt don phobal nó don Oireachtas. Deirtear in Airteagal 13.7.1°: 'The President may communicate with the Houses of the Oireachtais by message or address on any matter of national or public importance'. Má fhágtar as an áireamh an mhórcheist faoi cad is ábhar cuí dá leithéid de theachtaireacht is léir go bhfuil sé i gceist gur féidir leis an Uachtarán aitheasc/cumarsáid/teachtaireacht a chur faoi bhráid an Oireachtais nó é/í féin aitheasc a thabhairt os comhair an Oireachtais. Is í an Ghaeilge atá ar Airteagal 13.7.2° *tig leis uair ar bith tar éis comhairle a ghlacadh leis an gComhairle Stáit aitheasc a chur faoi bhráid an náisiúin* ('he may after consultation with the Council of State address a message to the nation at any time') agus tá sé soiléir cad atá i gceist. Ní raibh teilifís ann ag an am agus an raidió ach ar éigean. Ní raibh an dara rogha aige ach an t-aitheasc a chur faoi bhráid an náisiúin ar na nuachtáin ach go háirithe sa tsúil go gcuirfí sonrú ann. Níorbh ionann don aitheasc i gcás an Oireachtais. Nuair a deirtear sa Bhéarla 'communicate by message or address' is dócha gur teachtaireacht i scríbhinn nó ó bhéal atá i gceist. Níl an dá rogha sin le fáil sa téacs Gaeilge a deir: *tig leis an Uachtarán teachtaireacht nó aitheasc a chur faoi bhráid Thithe an Oireachtais...* Ní fheictear domsa go gceadódh an leagan sin dó/di teacht i láthair an Oireachtais féin chun óráid nó aitheasc a thabhairt nó chun teachtaireacht a léamh amach nó a fhógairt don lucht éisteachta.

Tá débhríocht eile ag gabháil le hoifig an Uachtaráin. Deirtear in Airteagal 12.10.1°: *féadfar an tUachtarán a tháinseamh as ucht mí-iompair a luafar.* Cé dhéanfaidh an *táinseamh* agus cad is *táinseamh* ann, sin scéal eile ar fad. De réir Airteagal 12.10.2° is ceachtar de Thithe an Oireachtais a dhéanfas an cúiseamh' (*'prefer the charge'*) ach in 12.10.3° is *cúis a thabhairt in aghaidh an Uachtaráin* atá ann. In Airteagal 12.10.5° tá *cúiseamh a dhéanamh* agus *cúis* ar 'charge' san abairt chéanna. In 12.10.7° tá *an chúis a tugad*h ('the charge preferred') agus *an mí-iompar ba shiocair don chúiseamh*' ('the misbehaviour the subject of the charge'); agus in 13.8.2° tá an *cúis a scrúdú* ('the investigation of the charge'). In Airteagal 38.1 agua 38.5 tugtar *cúis choiriúil* ar 'criminal charge'. D'fhéadfaí a shamhlú go raibh dhá chéim sa phróis: *cúiseamh* i dtosach báire agus *cúis* nuair a shuitear go bhfuil bunús leis an gcúiseamh. Ach is doiligh an t-idirdhealú sin a chosaint i bhfianaise an Bhéarla ná i bhfianaise na Gaeilge féin. *Cúiseamh* a thabharfaí ar 'charge' anois. Níl ann dáiríre sa chomhthéacs seo ach líomhaintí arb ionann agus amhras mí-iompair iad. Ní gá go bhfuil aon chúis dlí i gceist. Ba dheacair anois don té nach raibh an leagan Béarla aige brí chruinn na n-airteagal seo a bhreith leis.

Tá amhras áirithe sa Bhunreacht freisin faoin téarma 'criminal' féin. In Airteagal 13.6 tugtar *aon chúirt dlínse coire* ar 'any court exercising criminal jurisdiction'. Is fiú a shonrú nach ndéantar an focal 'exercise' a aistriú. Ní locht ann féin a leithéid ach amháin go n-aistrítear an téarma go hiondúil sa téacs: *gan dochar do cheart na Parlaiminte chun dlínse a oibriú* in Airteagal 3 ('without prejudice to the right of the Parliament to exercise jurisdiction') leis an mbriathar *oibrigh (feidhmigh* a d'úsáidfí anois). In Airteagal 37 is *cúrsaí coireachta* a thugtar ar 'criminal matters' agus *coiriúil/*'criminal' i ngach cás eile. Tá úsáid an ainmfhocail intuigthe i dtaca le dlínse de ach is aisteach nár úsáideadh an focal céanna sa dá chás. B'oiriúnaí b'fhéidir *coirpeacht* a úsáid in ionad *coireacht* ach sin scéal thairis.

Is dócha nár cheart iomardú a chur ar na haistritheoirí faoin uireasa téarmaíocht dlí sa Ghaeilge bíodh is go raibh dualgas air fanacht dílis don téarma céanna tríd síos. San Airteagal céanna 40.4.2° tá na téarmaí 'detain' agus 'custody': 'alleging that a person is being unlawfully detained ... in whose custody such person is detained to certify in writing the grounds of his detention...an opportunity of justifying the detention'. Na rialacha dá ngairtear *habeas corpus* atá folaithe sa mhír seo agus tá an-tábhacht le beaichte na téarmaíochta. Anois is *coinneáil* ('detention') agus *coimeád* ('custody') a úsáidtear de ghnáth i reachtaíocht an Oireachtais. Is é an leagan Gaeilge ar an méid thuas, *á rá go bhfuil duine á choinneáil ina bhrá go haindleathach ... a ordú do neach coinnithe an duine a dheimhniú i scríbhinn cad is forais dá bhraighdeanas ... ar a chruthú gur braighdeanas cóir an braighdeanas.* Sa Bhéarla tá ceithre thagairt do 'detain' - dhá bhriathar agus dhá ainmfhocal agus ceann amháin do 'custody'. Is mar seo a fhreagraítear dóibh sa Ghaeilge: briathar > briathar + abairtín dhobhriathartha; briathar + 'custody' > abairtín ainmfhoclach; ainmfhocal > ainmfhocal (2). Is féidir a thomhas gurb ionann *braighdeanas* agus staid an duine atá *á choinneáil ina bhrá.* Sin deacracht amháin: an ionann *braighdeanach* agus *brá* agus ar cheart 'the person in whose custody such person is detained' a choimriú chomh gonta sin - *neach coinnithe an duine* - go gcailltear an t-idirdhealú idir 'detain' agus 'custody'. Is tábhachtaí arís an t-idirdhealú sin toisc gur cosúil go mbaineann an mhír seo le cás páistí atá faoi choimeád ag tuismitheoir amháin d'ainneoin thoil an tuismitheora eile. Ba dheacair *brá* nó *braighdeanas* a chruthú i gcás mar sin.

Tá mionsamplaí eile den dearcadh a bhí i gceannas an tráth úd agus a bhíothas ag iarraidh a chur i gcion ar an leagan Gaeilge seachas an leagan Béarla. Tá tagairt in Airteagal 45.4.1° do *leas gheilleagrach (sic) na n-aicmí is lú cumhacht den phobal* ('the economic interests of the weaker sections of the community') ach nuair a dhéantar tagairt in Airteagal 41.2.2° do 'mothers shall not be obliged by economic necessity', nó in Airteagal 45.4.2° do 'citizens shall not be forced by economic necessity', ní luaitear aon riachtanas geilleagrach ach amháin nach mbeidh *ar mháithreacha clainne/saoránaigh de dheasca uireasa*.

Tá sampla inspéise eile le feiceáil san idirdhealú a dhéantar idir Airteagal 16.1.1° mar a n-aistrítear 'eligible for membership of Dáil Éireann' mar *tá sé intofa ar chomhaltas Dháil Éireann* agus Airteagal 18.2 mar a n-aistrítear an abairt cheannann chéanna ar dhóigh eile toisc b'fhéidir go bhfuil comparáid a dhéanamh leis an Seanad: 'a person to be eligible for membership of Seanad Éireann must be eligible to become a member of Dáil Éireann', *ionas go mbeadh duine inghlactha ar chomhaltas Sheanad Éireann ní foláir é a bheith inghlactha ar chomhaltas Dháil Éireann*. Nuair a bhí comparáid chomh docht sin á déanamh, is cosúil gurbh fhearr leis an 'údar' imeacht ón leagan a bhí san Airteagal eile ar eagla go dtabharfaí le tuiscint go bhféadfaí daoine a thoghadh don Seanad ar aon chúinse. (In Airteagal 12.4.1° is *intofa* atá ar 'eligible' i gcás na hUachtaránchta bíodh is gur léir easaontas bunúsach idir an dá leagan maidir leis an aois intofachta.) Tá easaontas den chineál céanna in Airteagal 35.3. Deir an Béarla go bhfuil breitheamh 'ineligible' chun bheith ina bhall den Oireachtas ach níl aon *intofa* ná *inghlactha* ná *cáilithe* féin sa Ghaeilge ach amháin *ní cead* aon *bhreitheamh bheith ina chomhalta de cheachtar de Thithe an Oireachtais*. Agus is úsáid aisteach de is cead atá ann. Gach sampla eile de *is/ní cead* sa téacs tá an forainm réamhfhoclach ina dhiaidh (ní cead don Uachtarán, ní cead dó etc.) nó briathar aistreach/neamh-aistreach ina dhiaidh (ní cead tuairim eile a chraoladh/ dul amach). Bheifí ag súil anseo le *ní cead d'aon bhreitheamh a bheith ina chomhalta* ach ní mar sin atá. B'fhéidir gurb é seo an sampla is follasaí de mhéar an mháistir.

Níorbh ionann an *staid phráinne náisiúnta* ('national emergency') in Airteagal 28.3.3° agus an *éigeandáil phoiblí* ('public emergency') in Airteagal 24.1. Tá deacracht anois freisin le roinnt téarmaí a bhfuil an-tábhacht leo sa bhunreacht. Le tamall maith de bhlianta is iad na téarmaí *éagumas* ('incapacity') agus *míchumas* ('disability') a úsáidtear i reachtaíocht shóisialta an Oireachtais. *Míchumas* atá sa bhunreacht ar 'disability' in Airteagail 16.1.1° agus 44.2.3° ach *míthreoir* ('disablement') a úsáidtear i gcónaí chun 'incapacity' in Airteagail 12.3.1°, 12.3.3°, 14.1, 16.1.1°, 28.12 agus 33.5.1° a aistriú.

Tá mórfhadhb téarmaíochta cheana in Airteagal 1, airteagal nach bhfuil beagthábhachtach. Deirtear: *deimhníonn náisiún na hÉireann leis seo a gcearta doshannta, dochloíte, ceannasach chun cibé cineál Rialtais is rogha léi a bhunú* ('the Irish nation hereby affirms its inalienable, indefeasible and sovereign right to choose its own form of Government'). Na trí aidiacht is ábhar imní anseo, go háirithe an dara agus an tríú ceann. Ba chuma ach nach n-úsáidtear 'indefeasible' ach uair amháin sa téacs ar fad. Ach tá tagairt in Airteagail 41.1.1° do *cearta doshannta dochloíte* ('inalienable and imprescriptible rights') agus in Airteagal 42.5 do chearta *nádúrtha dochloíte* ('natural and imprescriptible'). Is léir gurb ionann leis an aistritheoir 'imprescriptible' agus 'indefeasible' cé nach raibh na cúirteanna ar aon intinn leis. Níl aon amhras faoi 'inalienable'. Is ionann cearta doshannta agus cearta nach féidir a thabhairt uait ná go mbainfí uait iad. Thug an Breitheamh Ó Cionnaith sainmhíniú ar 'imprescriptible' - 'that which cannot be lost by the passage of time or abandoned by non-exercise' (Kelly, 1980, 118) agus maíonn Kelly féin 'the corresponding Irish term does not have this meaning'. Is cóngaraí é dar leis do 'irrepressible' nó 'indomitable'. (Is léir nach raibh ar an aire ar an gCeallach an difear idir an focal ina ghnáthchiall agus an focal ina chiall theicniúil.) Ar an drochuair úsáidtear 'dochloíte' mar aistriúchán ar théarma teicniúil eile in Airteagal 25.4.5°: *fianaise dhochloíte* ('conclusive evidence') cé go bhfuil aistriúchán i bhfad níos scaoilte in Airteagal 22.2.1° ar 'his certificate shall be final and conclusive', *ní bheidh dul thar an deimhniú sin*. Tá *dochealaithe* molta ag EID ar 'imprescriptible' agus 'indefeasible'. Maidir le *ceannasach*, is aisteach mar aistriúchán ar 'sovereign' sa chomhthéacs seo é. Níl aon amhras faoi cheannas an bhunreachta ach toisc go maítear in Airteagal 6.1: *is ón bpobal faoi Dhia a thagas gach cumhacht riala* bheifí ag súil le leagan éigin den fhocal *flaitheas*. Chuirfeadh sé i dtreis ar aon uain gur i dtuilleamaí Dé a bhíothas agus an ceangal leis an bpobal a fhaightear san éagsúlacht focal *anlathas, daonlathas, forlathas, maorlathas* agus mar sin de. Is léir nach raibh sanasaíocht an fhocail *flaitheas* ag luí le pé teoiric pholaitiúil nó bunreachtúil a bhí chun tosaigh in aigne údar an bhunreachta. Feictear dom nár cheart a bhaint as go seasann *ceannasach* mar an Ghaeilge ar 'sovereign' ach a mhalairt, go dtugann an focal *ceannasach* léargas agus léiriú dúinn ar cad is ciall do 'sovereign' sa chomhthéacs seo. Ní call gur teoiric phoblachtach den scoth atá ann.

Tá feicthe againn thuas go bhfuil sé inmholta ranna cainte a mhodhnú ar a chéile agus gur féidir réamhfhocal agus aidiacht a mhodhnú. Ar an drochuair is doiligh réamhfhocal a chur ag feidhmiú mar théarma teicniúil. Déantar tagairt (Kelly, 1980, 117) don deacracht a bhaineann leis an téarma *'repugnant'* in Airteagal 26.1.1°: *in aghaidh an bhunreachta seo'* ('repugnant to this constitution), 'inconsistent' in Airteagal 50.1 *sa mhéid nach bhfuilid ina choinne* ('to the extent to which they are not inconsistent therewith') agus 'valid'. Níl ach sampla amháin sa bhunreacht den chéad dá cheann ach tá neart samplaí den téarma 'valid' nó 'validity' nó 'invalidate'. In Airteagal 34.3.2° agus 3° tá an abairt chéanna beagnach i mBéarla: 'the question of the validity of any law' in 2° agus 'to question the validity of a law' in 3°. Sa Ghaeilge tá *maidir leis an gceist sin bail a bheith nó gan a bheith ar aon dlí áirithe* in 2° agus *bailíocht dhlí a chur in amhras* in 3°. In Airteagal 40.4.3° tá 'the question of the validity of such law' agus *an cheist sin bail* a bheith nó gan a bheith *ar an dlí si*n i nGaeilge beagnach mar a bhí in 34.3.2°. Tá tagairt faoi dhó in Airteagal 41.3.3° do 'valid marriage' agus tugtar *pósadh ar a mbeadh bail dlí* air. Trí leagan den choincheap céanna atá nuair ab fhusa cloí le ceann amháin. Tá a théarma Gaeilge féin ag gach téarma acu anois: *nach bhfuil ag luí le* ('inconsistent'), *aimhréireach le* ('repugnant') agus *bailí / bailíocht* ('valid/validity').

Chun deireadh a chur leis an gcaibidil seo ar an aistriúchán leathpholaitiúil is fiú sracfhéachaint a chaitheamh ar an dóigh a ndéileáltar le bunchoincheap. Sa Bhrollach atá an chéad tagairt don 'common good' agus tugtar *an mhaitheas phoiblí* air, díreach mar atá sa Duinníneach. An chéad tagairt eile don 'common good' tá sé in Airteagal 40.6.1° (i); 'the education of public opinion being, however, a matter of such grave import to the common good...' agus is i gcomhthéacs polaitiúil atá sé. Sin an fáth gan amhras gur *toisc oiliúint aigne an phobail a bheith chomh tábhachtach sin do leas an phobail* a deirtear. Is fiú a thabhairt faoi deara freisin gur *oiliúint* a thugtar ar 'education' agus ní *oideachas* mar atá in Airteagal 42.1 mar a bhfuil oideachas foirmiúil i gceist. Aisteach go leor is é *leas an phobail* a úsáidtear in 41.2.1° agus tagairt don nóisean atá chomh smolchaite anois 'that by her life within the home woman gives to the State a support without which the common good cannot be achieved', *admhaíonn sé go dtugann an bhean don Stát trína saol sa teaghlach cúnamh nach bhféadfaí leas an phobail a ghnóthú dá éagmais.* (Tá tagairt in Airteagal 41.1.2° don Teaghlach (sic) atá *éigeantach do leas an Náisiúin agus an Stáit* ('indispensable to the welfare of the Nation and the State')). Tá an tagairt do *leas an phobail* arís in Airteagal 42.3.2°, don Stát mar *caomhnóir leasa an phobail* maidir le hoideachas; agus in Airteagal 43.2.2°, ag tagairt don mhaoin phríobháideach nuair a deirtear go bhfuil dualgas ar an Stát oibriú na gceart sin *agus leas an phobail a thabhairt dá chéile.* Tá *leas an phobail* ann freisin nuair nach é 'common good' atá sa Bhéarla. Tugtar mar aistriúchán é in Airteagal 45.1 ar 'the welfare of the whole people' maidir le beartas sóisialta (nó *comhdhaonnach* mar a thugtar air tríd síos) agus in Airteagal 45.2 (iv) ar 'the welfare of the people as a whole'. Pé miondifear atá idir an dá leagan sin i mBéarla, ní deir an Ghaeilge ach *leas an phobail uile* sa dá chás. Tá tagairt eile do 'welfare' i móid shollúnta an Uachtaráin in Airteagal 12.8 nuair a deirtear: *mo lándhícheall a dhéanamh ar son leasa is fónaimh mhuintir na hÉireann* (to the service and welfare of the people of Ireland') (san ord sin). Pé difear atá idir *leas* agus *maitheas* agus pé coincheap atá taobh thiar de cheachtar acu, ní chuirtear i mbaint leis an gcaidreamh idirnáisiúnta é. In Airteagal 29.4.2° aistrítear an clásal 'for the purpose of international co-operation in matters of common concern' le *le haghaidh comhair idirnáisiúnta i gcúrsaí a bhaineas leo uile.*

An é gurb ionann *an mhaitheas phoiblí* agus *leas an phobail*? Más ea, cén fáth nach bhfuil tagairt don mhaitheas phoiblí ach sa bhrollach amháin? Méar an treoraí a d'athraigh an abairtín in áit amháin, an áit is tábhachtaí. Cén spraoi a bheadh ag na cúirteanna ag iarraidh a chinneadh an fearr an ráthaíocht atá inchiallaithe sa mhaitheas phoiblí seachas i leas an phobail. Tá sampla beag amháin eile ina bhfuil an tionchar polaitiúil le brath. In Airteagal 12.8 tá an dearbhú sollúnta atá le déanamh ag an Uachtarán agus é ag dul *i gcúram a oifige.* Deirtear sa Bhéarla ' ... and declare that I will maintain the Constitution of Ireland and uphold its laws'. Sa Ghaeilge, áfach, tá ... *bheith i mo thaca agus i mo dhídean do Bhunreacht na hÉireann.* Is dócha nach bhfuil i gceist sa Bhéarla ach an bunreacht a chosaint. Ról níos pearsanta atá sa Ghaeilge amhail an mháthair trína saol sa teaghlach. D'ainneoin nach roinntear ach go measartha leis an mbean sa bhunreacht i gcoitinne, tá coincheap na máthar mar bhunfhealsúnacht an bhunreachta agus an tUachtarán mar thaca agus mar dhídean do leas an phobail, an stáit agus an náisiúin. Is tráthúil gan amhras go bhfuil bean ina hUachtarán faoi láthair, bean atá ag iarraidh an chiall don oifig a fhairsingiú agus í a chur in oiriúint don tuiscint nua atá ann anois ar an mbean féin.

Aguisín - Fógráin in *Anois*

Rinneadh staidéar comparáideach ar bhonn na bhfógrán a foilsíodh in Anois sa tréimhse Samhain 1989 go Márta 1992 le fáil amach an raibh na *comharthaí* céanna á n-úsáid ag na fógróirí éagsúla (nó céanna) chun an scéala céanna a thabhairt. Glacadh an fógrán mar a bhí sé i mBéarla (in *The Irish Times* de ghnáth) agus amharcadh ar an téacs Gaeilge i gcomórtas leis. Ba iad Coimisiún na Státseirbhíse, Ranna éagsúla Stáit, cuid de na hOllscoileanna (Coláiste na Tríonóide, Ollscoil Chathair Bhaile Atha Cliath agus Coláiste na hOllscoile, Gaillimh don mhórchuid, cinn níos minice ó Choláiste Mhaigh Nuad ag deireadh na tréimhse) agus Comhlachtaí Státurraithe ba mhó a chuir fógráin isteach i nGaeilge. Bhí caighdeán na Gaeilge an-ard i gcónaí. An t-aon deacracht, ba é nach raibh an téarmaíocht i gcónaí caighdeánaithe agus ós rud é go raibh na fógráin dírithe ar an margadh saothair céanna, is deacair a mheas cén tuairim a bhí ag na hiarratasóirí ar éagsúlacht na dtéarmaí. Ní mór a rá go bhfuil cuid de na habairtí an-deacair le haistriú. Is fiú roinnt samplaí a thabhairt. Tugtar na dátaí idir lúibíní - an chéad cheann is é an dáta a foilsíodh an fógrán in Anois agus an dara ceann an dáta in *The Irish Times*.

(1) proven (track) record: - the ideal candidate should have a proven business track record at senior management level: *ba chóir teist mhaith ghnó ag leibhéal bainistíochta sinsearach a bheith ag an iarratasóir is fearr* (10.6.90/8.6.90) - through a track record of achievement at top management level: *trí theist chruthanta ag ard-leibhéal bainistíochta* (6.5.90/29.4.90) - a successful track record: *dea-theist ar a bhfuil déanta aige* (5.5.91/3.5.91) - he will have a track record of achievement: *beidh cuntas teiste gnóthachtála aige* (26.5.91/24.5.91) - ... with an established track record: *ag a bhfuil cuntas teiste cruthaithe* (16.6.91/14.6.91) - a proven track record in financial management: *taifead cruthaithe i mbainistíocht airgeadais* (25.11.90/3.11.90) - a proven record of working with computerized accounting systems: *taithí mhaith ar a bheith ag obair le córais chuntasaíochta ríomhartha* (23.2.92/21.2.92) - the person appointed will have a track record of achievement and leadership in education: *beidh cáil na gnóthachtála agus na ceannaireachta san oideachas ar an té a cheapfar* (18.8.91/16.8.91).

(2) equivalent: - orthodontics ... or equivalent: *ortadéide ... nó a iontamhail* (27.5.90/23.5.90) - a certificate of American board or equivalent: *teastas ó Bhord Meiriceánach nó a gcómhaith* (29.4.90/27.4.90) - the salary will be equivalent to the maximum point ...: *beidh an tuarastal ar aon chéim leis an uasphointe* (13.10.91/11.ú.91)

(3) equal opportunities employer: - this VEC is an equal opportunities employer: *tá an VEC seo tugtha do pholasaí comhionannais* (3.6.90/1.6.90) - Telecom Éireann is an equal opportunities employer: *is fostóir comhionannais é Telecom Éireann* (3.6.90/1.6.90)

(4) (attractive) salary/remuneration package: - a remuneration and benefits package will be discussed ...: *pléifear pacáiste íocaíochtaí agus sochar* (6.5.90/29.4.90) - an attractive remuneration package will be offered: *tabharfar pacáiste tarraingteach tuarastail* (25.11.90/3.11.90) - an attractive remuneration package will be offered: *tairgfear pacáiste tuarastail tarraingteach* (23.9.90/16.9.90) - an attractive remuneration package will be available for this post: *beidh pacáiste cúitimh mealltach ag gabháil leis an bpost seo* (3.11.91/1.11.9) - the remuneration package will be attractive to the right person: *beidh an pacáiste cúitimh don duine ceart mealltach* (29.9.91/27.9.91) - successful candidates will enjoy an attractive remuneration package: *beidh pacáiste íocaíochtaí tarraingteach ag dul do na hiarratasóirí a n-éireoidh leo* (3.6.90/1.6.90) - an attractive remuneration and benefits package will be negotiated with the successful candidate: *déanfar pacáiste tarraingteach cúitimh a shocrú leis an té a n-éireoidh leis* (3.2.91/27.1.91)

(5) career: - complete career details: *lán-sonraí i dtaobh slí bheatha* (23.9.90/16.9.90) - ... and will provide an excellent opportunity to further enhance his career: *chomh maith le sársheans cur lena ghairmré* (26.5.91/4.5.91) - this is an attractive career opportunity ...: *deis mhealltach ghairmré é seo* (29.9.91/27.9.91) - challenging career opportunities for graduates: *deiseanna dúshlánacha ghairmré do chéimithe* (12.1.92/10.1.92) - applications giving full, personal, career and salary details should be sent ...: *ba chóir iarratais ina mbeadh sonraí iomlána pearsanta, gairmré agus tuarastail a sheoladh* (23.2.92/221.2.92)

(6) career development: - these appointments would represent a challenging career development ...: *ba thréimhse forbartha slí bheatha* *dúshlánch a bheadh ann sna ceapacháin seo* (23.9.90/16.9.90) - ... this position will provide the successful candidate with a means of gaining significant experience and for career development: *beidh deis ag an té a cheapfar taithí shubstainteach a fháil chun cur lena ghairmré* (3.11.91/1.11.91)

(7) accurate site delimitation: - *cruinn-suíomh-teorannú* (10.3.91/7.3.91) - *cruinntheorannú láithreán* (8.3.92/6.3.92)

(8) admission: - admission and enrolment as a solicitor in the state: *ceadú agus clárú mar aturnae sa stát* (13.5.90/9.5.90) : *glacadh agus clárú mar aturnae sa stát* (24.4.91/22.4.91) - an equivalent qualification for admission to a course leading to ...: *a chómhaith de cháilíocht ar chead isteach ar chúrsa ina dtuillfear* (27.5.90/27.5.90) - competitions for admission to colleges of education: *comórtais iontrála chuig coláistí oideachais* (16.4.91/14.4.91) - applications are invited for admission to an interdisciplinary ... programme: *fáilteofar roimh iarratais ar iontráil ar chlár idirdhisciplineach* (7.7.91/9.7.91) - the process of application for admission to the above institutions ...: *tá an próiseas iarratais ar iontráil do na hinstitiúidí thuasluaite* (12.1.92/18.1.92)

(9) negotiable/negotiate: - salary will be negotiable: *tá tuarastal an phoist inphléite* (10.6.90/8.6.90) - with a negotiable remuneration package: *le pacáiste tuarastail inphléite* (15.7.90/15.7.90) - salary is negotiable in the range: *tá an tuarastal inaontaithe sa raon* (15.9.91/6.9.91) - an attractive remuneration package will be negotiated: *déanfar pacáiste tarraingteach cúitimh a shocrú* (24.2.91/22.2.91)

(10) outdoor: - ... outdoor education centre: *ionad oideachais lasmuigh* (20.5.90/18.5.90) - outdoor education instructor: *teagasacóir oideachais eachtraíochta* (5.5.91/3.5.91)

(11) represent: - who plays a major part in representing ... members: *ag a bhfuil mórpháirt ionadaíochta thar ceann ... comhalta* (3.2.91/27.1.91) - the national organisation representing industry: *eagraíocht a sheasann thar ceann tionscail in Éirinn* (26.5.91/24.5.91) - represents the state in a legal capacity: *feidhmiú ar son an stáit i gcáil dlíodóra* (9.6.91/7.6.91) - groups of farmers representing district electoral divisions: *grúpaí de fheirmeoirí atá ionadach de thoghadhcheantair* (3.11.91/29.10.91)

(12) require: - applicants wil be required to supply a phone number:

beidh de chomaoin ar iarratasóirí uimhir ghutháin a sholáthar
(20.5.90/18.5.90) - candidates may be required to undergo an aptitude
test: *tharlódh go mbeadh tástáil mhianaigh den riachtanas freisin*
(24.3.91/22.3.91) - regulations requiring ... : *rialacháin faoina mbeidh ...
riachtanach* (2.6.91/27.5.91)

(13) **previous experience:** - have had considerable experience in an
executive position: *go leor taithí a bheith acu roimhe seo i bpost
feidhmiúcháin* (8.7.90/5.7.90) - previous experience of wildlife
management: *cleachtadh roimh ré i mbainisteoireacht fiadhúlra*
(12.5.91/8.5.91) - previous relevant experience would be an advantage:
bheadh réamhthaithí chuí ina buntáiste(23.2.92/21.2.92)

Níl sna sleachta sin ach roinnt samplaí den deacracht atá ann an
comhartha bunúsach céanna a aimsiú i nGaeilge don nóisean bunúsach
i mBéarla. Ní dhéanaim aon tráchtaireacht maith ná olc orthu ach b'fhiú
roinnt acu a thabhairt don ghnáth-Ghaeilgeoir le fáil amach cén Béarla
a chuirfí orthu. Ach is féidir a mhaíomh ar bhonn na samplaí sin go bhfuil
go leor obair bhaile le déanamh fós ag úsáidirí na Gaeilge sula mbeidh
an teanga in inmhe chuig riachtanais litriúla na nua-aoise gan trácht ar
ghreim a fháil ar ais ar dhúchas na Gaeilge féin.

críoch

Tagairtí

Is é Baile Átha Cliath áit an fhoilsithe mura luaitear a mhalairt.

Na Bráithre Críostaí *Graiméar na Gaeilge* (1919)

Breatnach, Risteard B. *Seana-Chaint na nDéise II* (1984)

Bryson, Bill *Mother Tongue* (Harmondsworth, 1991)

Burchfield, Robert *The English Language* (Oxford, 1987)

Burgess, Anthony *A Mouthfull of Air* (London, 1992)

Chomsky, Noam *Knowledge of Language, Its Nature, Origin and Use* (Connecticut, 1986)

Coiste Téarmaíochta *Tíreolaíocht agus Pleanáil* (1981)

Coiste Téarmaíochta *Foclóir Talmhaíochta* (1987)

Coiste Téarmaíochta *Foclóir Staidéir Ghnó* (1989)

Coiste Téarmaíochta *Téarmaí Ríomhaireachta* (1990)

Coiste Téarmaíochta *Foclóir Eolaíochta* (1994)

Daltún, Séamas *Maidir le do Litir* (1970)

de Fréine, Seán agus O'Donnell, Jim *Ciste Cúrsaí Reatha* (1992)

Giono, Jean *Journal, Poèmes, Essais* (Paris, 1995)

Gowers, Ernest *The Complete Plain Words* (Harmondsworth, 1976)

Kelly, Fergus *A Guide to Early Irish Law* (1988)

Kelly, John *The Irish Constitution* (1980)

Mc Cionnaith, Lambert *Foclóir Béarla agus Gaeilge/English-Irish Dictionary* (1935)

Mac Clúin, Seoirse *Réilthíní Óir* (1922)

McCone, Kim *et al.* eag. *Stair na Gaeilge: in ómós do Pádraig Ó Fiannachta* (Maigh Nuad, 1994)

Mac Énrí, Dr. Seaghán P. *A Hand-Book of Modern Irish* (1910)

Mac Giolla Phádraig, Brian *Réidh-Chúrsa Gramadaí* (céad eagrán 1938)

Mac Grianna, Séamus *Saol Corrach* (eagrán leasaithe 1981)

Mac Grianna, Séamus *An Teach nár Tógadh* (1948)

Mac Maoláin, Seán *Cora Cainte as Tír Chonaill* (dara eagrán 1992)

Mac Maoláin, Seán *Lorg an Bhéarla* (1957)

Mac Síthigh, Tomás *Cora Cainnte na Gaedhilge* (1940)

McCrum, Robert *et al.* eag. *The Story of English* (London, 1992)

Mengham, Rod *Language* (London, 1995)

Newmark, Peter *Approaches to Translation* (Oxford, 1988)

Ó Cadhlaigh, Cormac *Slíghe an Eólais* (1923)

Ó Cearúil, Micheál eag. *Gníomhartha na mBráithre* (1996)

Ó Corráin, Ailbhe *A Concordance of Idiomatic Expressions in the Writings of Séamus Ó Grianna* (Béal Feirste, 1992)

Ó Dónaill, Niall *Forbairt na Gaeilge* (1951)

O'Donnell, Peadar *Islanders* (1988)

O'Donnell, Peadar *Muintir an Oileáin* (1989)

Ó Duinnín, Pádraig *Foclóir Gaedhilge agus Béarla* (1927)

Ó Murchú, Máirtín *Urlabhra agus Pobal* (1970)

O'Neill Lane, Thomas *Larger English-Irish Dictionary* (1904)

Ó Nualláin, Gearóid *Studies in Modern Irish* (1919)

O'Rahilly, Cecily *Trompa na bhFlaitheas* (1955)

O'Rahilly, T. F. *Desiderius* (1955)

Ó Riain, Flann *Lazy Way to Irish* (Wales, 1984)

Ó Riain, Liam *Lánchúrsa na Gaedhilge* (gan dáta)

Ó Rinn, Liam *Peann agus Pár* (dara eagrán 1956)

Pinker, Steven *The Language Instinct* (Harmondsworth, 1995)

de Saussure, Ferdinand *Cours de Linguistique Générale* (Paris, 1955)

Sheehan M. *Sean-Chaint na nDéise* (1944)

Téarmaí Dlí (1958)

Vinay et Darbelnet *Stylistique Comparée du Français et de l'Anglais* (Paris, 1955)

Noda

EID: *English-Irish Dictionary* de Bhaldraithe, Tomás eag. (1959)

FGB: *Foclóir Gaeilge-Béarla* Ó Dónaill, Niall eag. (1977)

GG: *Graiméar Gaeilge na mBráithre Críostaí* Ó hAnluain, An Br. (1960)

INNÉACS

Is féidir formhór na bhfocal a phléitear sa leabhar seo a aimsiú i gcaibidlí 3-8 ach féachaint faoi na cinnteidil chuí. Innéacs roghnaitheach is ea é seo do thagairtí agus d'fhocail éagsúla i gcodanna eile den leabhar.